Zibia Gasparetto
ditado por Lucius

O morro das ilusões

ZIBIA GASPARETTO

Aprendi a ler aos quatro anos de idade e, aos oito, costumava passar horas sentada, escrevendo histórias. Com a chegada da adolescência, deixei esse comportamento de lado e só o retomei, na forma de psicografia, quando, anos depois, meu marido e eu passamos a estudar, uma vez por semana, os livros de Allan Kardec. Meu braço doía e a mão mexia contra minha vontade. Colocados papéis e lápis à minha frente, começava a escrever rapidamente.

Nós frequentávamos as sessões da Federação Espírita e eu participava como médium de incorporação, psicografando e, algumas vezes, utilizando o dom da xenoglossia (faculdade de falar ou escrever línguas desconhecidas). Nessa época, recebia contos, mensagens de orientação, histórias e, assim, os romances começaram a fluir.

Adotei o hábito de estudar o assunto desde então. Com essa prática, minha sensibilidade se abriu e comecei a perceber e a entender muitas coisas que antes não me eram possíveis. Apesar disso, para muitas coisas ainda não tenho respostas, por isso continuo esforçando-me, buscando compreensão.

Minha experiência e estudos fizeram-me perceber a importância de disciplinarmos o emocional, enfrentarmos os medos e tomarmos posse de nós mesmos para que energias alheias não nos envolvam.

Se conseguirmos isso e nos ligarmos aos espíritos evoluídos, a mediunidade será uma fonte de conhecimento, saúde e lucidez.

Estudar a vida espiritual abre as portas do futuro, derrotando a morte e mostrando que somos seres imortais.

LUCIUS

Esse amigo espiritual, que vem me inspirando em todos os romances, trabalhou sem revelar seu nome quando eu comecei a psicografar. Eu sentia sua presença, cheguei a vê-lo algumas vezes, mas nunca perguntei nada. Prefiro as manifestações espontâneas. Só quando terminei o livro *O amor venceu*, na última página, ele assinou: Lucius.

A respeito de sua trajetória só sei o que ele revelou no livro *O fio do destino*, em que relata duas encarnações na Terra: a mais antiga, como membro do parlamento inglês, e a outra, como escritor e juiz na França.

Para mim ele tem sido um mestre. Suas energias são prazerosas e, quando ele se aproxima, meu pensamento torna-se claro, lúcido. Sinto-me muito bem.

Nos primeiros tempos em que trabalhamos juntos, ele costumava andar comigo e, conforme o lugar e as cenas que eu presenciava, orientava-me, fazendo-me ir mais fundo nas observações. Depois de algum tempo, ele passou a vir apenas nos momentos de trabalho.

Aprendi muito, tanto com os conselhos quanto com as histórias que ele me passou.

Algumas pessoas me perguntam: “por que você?”. Não sei por que ele me escolheu, mas sinto que os laços que nos unem são antigos e perdurarão pela eternidade.

Diretor de arte: Luiz A. Gasparetto
Diagramação: Cristiane Alfano
Revisão: João Carlos de Pinho e Marcelo Montenegro

1ª edição — 37ª impressão
40.000 exemplares — novembro 2011

Dados Internacionais de Catalogação na Publicação (CIP)
(Câmara Brasileira do Livro, SP, Brasil)

Lucius (Espírito).
O morro das ilusões / pelo espírito Lucius;
[psicografados por] Zibia Gasparetto.
São Paulo : Centro de Estudos Vida & Consciência Editora.

ISBN 978-85-85872-09-0

1. Espiritismo 2. Psicografia 3. Romance espírita
I. Gasparetto, Zibia. II. Título.

09-03265 CDD-133.93

Índices para catálogo sistemático:
1. Romances espíritas psicografados: Espiritismo 133.93

Editora Vida & Consciência
Rua Agostinho Gomes, 2.312 — São Paulo — SP — Brasil
CEP 04206-001
editora@vidaeconsciencia.com.br
www.vidaeconsciencia.com.br

Este livro adota as regras do novo acordo ortográfico (2009).

Prólogo

Na aspereza dos caminhos que percorrem os destinos humanos, verdadeiros enredos em histórias, aparentemente inverossímeis, a vida retrata a cada passo, delineando o percurso através do qual o ser se transforma, arrojando do seu íntimo qual vestido roto, as imperfeições que criara no desabrochar de sua inteligência quando embrião da espiritualidade.

Hoje, a humanidade cônscia do seu desabrochar científico e da capacidade de análise de sua inteligência, habituou-se a julgar os acontecimentos, dentro da sensibilidade mais apurada, como pieguismo vulgar. Entretanto, esses que assim se expressam, julgando-se senhores do conhecimento, de uma forma geral, notam apenas o verniz com que a humanidade se cobriu, para manter as aparências e acompanhar o progresso atual. Sob esse verniz que a mais frágil oscilação tende a quebrar, ocultam-se os grandes dramas cotidianos, agigantados pelos recalques e pelas noções errôneas do bem e do mal.

Quantos infelizes buscam sorrir ocultando no íntimo a desolação e a dor?

Conhecemos a reação provocada no mundo literário pelas histórias que nós, os espíritos, escrevemos. Sendo extraídas da própria vida, são de per si extremamente dramáticas. Temos observado muitas vezes que, esses nossos amigos, quando se dignam a ler uma obra mediúnica, o fazem com irônico sorriso de tolerância. Analisando a história, mesmo deixando de lado, com heroico esforço a questão magna da possibilidade da existência dos espíritos e sua comunicabilidade através da mediunidade, tacham-na de inverossímil e fantasista.

Particularmente nos dirigimos a esses amigos ao iniciarmos esta obra. Não pretendemos mudar-lhes a crença ou maneira de analisar as coisas, pois sabemos ser tarefa difícil. Desejamos lembrar apenas que os sentidos de percepção no homem encarnado são limitados. Dirigidos somente às aparências, assistem aos enredos traçados pela vida de maneira incompleta.

Qual de vocês poderia conhecer a extensão do drama íntimo do homem quando comete um crime passional? Do pobre que premido por amarga necessidade, calca aos pés a consciência, furta e envereda pela senda triste da miséria moral? Do delinquente contumaz, da meretriz miserável, ambos quem sabe, fruto do desequilíbrio da sociedade que em invés de educá-los, favorece a decadência empurrando-os à corrupção?

Não. Os que apenas passam os olhos indiferentes pelos jornais, quando, em poucas palavras muitas vezes desprovidas de sentimentos, eles relatam o desfecho de tremendas crises emocionais, não podem conhecer os dramas que se ocultam sob aqueles parágrafos formais.

Entretanto, nós que gozamos do privilégio de sentir e penetrar os pensamentos de cada um, assistimos constantemente o entrechocar contínuo das almas na Terra em busca de aprendizagem.

A finalidade da obra que procuramos realizar através do relato das nossas histórias — que, queiram muitos aceitar ou não, são extraídas da vida real — é a de levantar o ânimo dos que sofrem, educando sua compreensão na grandiosa missão das almas em sua constante evolução para Deus.

Como fazê-lo, porém, se contribuindo com as ilusões humanas, relatássemos os fatos sob a luz das enganosas miragens terrenas?

Para os homens encarnados na Terra, tudo quanto se afaste das alegrias incompletas que conhecem, são tragédias sem fim. A morte do corpo físico é motivo de tristeza e de sofrimento. Todavia, para a nossa compreensão mais ampla como desencarnados, ela representa a preciosa liberdade do galé alquebrado pelas lutas que travou na Terra.

Quando o homem compreender a realidade espiritual, sofrerá menos e não emprestará à morte do corpo uma dor tão intensa.

Se a nossa literatura é para muitos, trágica, porque não conseguem ainda vislumbrar a verdade, não foi escrita com essa finalidade. Revelando aos homens as verdades eternas, desejamos transformar suas lágrimas em conforto, seu desânimo em esperança, sua angústia em serenidade, destruindo as pseudas tragédias que se ocultam sob enganosas aparências de felicidade, alertando-os que a vida registra suas ações a fim de dar a cada um segundo as suas obras.

O homem desliza pelo erro certo de que ninguém notará o deslize. Porque não sente o pensamento do semelhante, não acredita que alguém possa perscrutar o seu. Crê-se impune, porém, na realidade planta a sua colheita do porvir!

Jesus declarou que o seu reino não é deste mundo! Não podemos servir a Deus e a Mamom, isto é, a Deus e à vaidade humana. Se nós, caros amigos e literatos — que irônica e descuidadamente percorrem estas páginas ligeiramente enfadados —, para servirmos à literatura modernista, enveredássemos pelo caminho do pseudo neorrealismo — que nada mais é senão o grito de revolta dos vícios e das imperfeições humanas que tentam neste fim de ciclo subjugar a verdade gritante da espiritualização que lhe ameaça os domínios —, estaríamos servindo a Mamom. Diante desse alvitre, embora contrariando a apreciação de muitos, nos decidimos servir a Deus, continuando a virtude a ser virtude, o amor puro a ser elevado. Embora compreendendo as fraquezas humanas, ensinando a extirpá-las como nocivas ao espírito.

Portanto, meu caro amigo literato, apreciador de Huxley, Nietzsche e Freud, a história que passarei a narrar talvez não o agrade, mas lembro também que o tempo transforma as criaturas e, assim, talvez algum dia possamos harmonizar nossa compreensão, acertando as diferenças do estilo.

Lucius

Capítulo 1

Nada se poderá comparar à beleza luminosa e serena das manhãs deliciosas das cidades costeiras na bela França, onde a civilização moderna reconhece o berço da cultura, da elegância bem como a grande simpatia característica à sua gente afável e romântica.

Em meados do século dezoito, pelo ano de 1787, a situação desse belo país era de glórias literárias e renascimento artístico. Os gauleses, de ordinário astutos e donos de marcante personalidade artística, contribuíram sobremaneira para o desabrochar da literatura, da música e dos descobrimentos científicos que marcaram auspiciosamente aquele século no calendário do mundo terreno.

Ateill era pequena e próspera vila às margens do Sena, abrigando em seu seio uma população de dez mil habitantes, possuidores de situação financeira apenas regular. Trabalhadores e econômicos, eram poucos os seus divertimentos: as festas tradicionais da colheita da uva e do trigo, do Natal e da semana santa. O povo, sobremaneira supersticioso, e os camponeses, que representavam grande maioria, possuíam verdadeiros rituais com os quais pensavam espantar malefícios, atrair a sorte, arranjar casamentos e fazer fortuna.

O vigário local, homem culto e de boa índole, sincero na execução da doutrina que esposara, tudo fazia para desviar o povo das crendices, mas, o que conseguira, talvez devido ao uso do ritual litúrgico, fora uma mistura de benzimentos romanos com os rituais regionais.

Entretanto, apesar da sua boa vontade, frei Antônio não podia compreender que o homem traz no subconsciente a força criadora do seu destino e que sem ainda a entender e saber exteriorizá-la em seu benefício, extravasa-a de maneira pouco convincente, inoperante mesmo.

O que acontecia com o simples e bondoso frei Antônio, vem acontecendo também em nossos dias. Queria ele apenas substituir as encenações e costumes supersticiosos de um povo rude, pelas encenações vistosas da liturgia romana!

Talvez, que, se apenas falasse dos sentimentos, do amor, da caridade, da doutrina do Mestre Jesus, do Evangelho pura e simplesmente, eles tivessem se modificado um pouco, porque o coração singelo da gente do povo receberia melhor o Cristo filho do carpinteiro e pastor das almas sofredoras do que o filho de um Deus terrível, possuidor do privilégio de conceder passaportes para o céu e condenar seus irmãos para o inferno!

Longe de afastá-los das superstições, frei Antônio inconscientemente mais as arraigava, introduzindo nela apenas os costumes católicos-romanos da confissão e dos sacramentos que distribuía, aliás, com carinhoso ministério.

Frei Antônio não era ainda muito velho, aparentava mais idade devido aos cabelos brancos que lhe cobriam a bela cabeça. Seus minúsculos e alegres olhos de um azul profundo emprestavam-lhe à fisionomia certo ar de juventude. Estatura mediana e robusta, possuía certa protuberância à altura do ventre o que de certa forma o envergonhava, fazendo com que inconscientemente conservasse sempre as mãos cruzadas sobre o peito, como que para escondê-la. Parecia-lhe um desrespeito, sua robustez, seu ventre volumoso, para com os santos e mártires que jejuavam constantemente, permanecendo pálidos e sóbrios como convinha a um transmissor das leis Divinas.

Infelizmente, porém, frei Antônio não conseguia resistir às tentações da boa mesa: seus paroquianos contribuíam bastante para isto, pois, desejosos de agradá-lo, convidavam-no constantemente à mesa e quando não, levavam-lhe deliciosos presentes.

Para desculpar sua própria consciência, frei Antônio costumava repetir em pensamento que seu único pecado era aquele. O vinho da vila era realmente irresistível, e as deliciosas tortas se não fossem saboreadas como mereciam, ofenderiam certamente aquela gente que tão prazerosamente o presenteava.

Frei Antônio, naquela manhã luminosa, estava atarefadíssimo. Era domingo e portanto teria de oficiar três missas, inclusive à tarde, e preparar os festejos para a procissão de São Marcos que acabaria em festiva quermesse.

Sua casa era simples, mas limpa. madame Meredíet cuidava de tudo. Seu aspecto era bem diverso do padre. Magra, de uma magreza ossuda que a fazia parecer mais alta; sisuda, pouco falava quando exercia suas atividades na casa do padre.

Trabalhava toda a manhã e ia-se embora ao entardecer, porque, dizia, não ficava bem a uma viúva — embora com 50 anos, mas viúva — permanecer na casa de um homem só. Ela compenetrara-se a tal ponto da necessidade de ser séria, principalmente porque era empregada do vigário, que jamais sorria.

— O povo fala muito — costumava dizer — sou viúva, mas, honesta!

Suas roupas sempre escuras, de gola alta e mangas compridas, faziam-na parecer mais magra, mais ossuda e mais feia.

Mas, madame Merediet não se importava. Não possuía a tão comum vaidade feminina. Esquecia-se mesmo de que era mulher. Sua vida era áspera como ela mesma e sem amor que a pudesse adoçar. Não tinha família, a não ser uma irmã de quem nunca falava, porque tivera a ousadia de dar um mau passo na juventude. Nunca procurara saber do seu paradeiro. Ela já estava certamente condenada ao inferno, e madame Merediet nada poderia fazer para salvá-la.

Às vezes lembrava-se escandalizada da confissão que Anete lhe fizera no passado, e seu rosto cobria-se de rubor. Quando isto acontecia, ia confessar-se imediatamente e frei Antônio a confortava, dizendo-lhe que deveria esquecer a irmã transviada como se jamais tivesse existido. Mas, parecia cruel tentação do demônio, madame Merediet não podia deixar de pensar nela!

A maneira pela qual Anete lhe confessara que amava e que ia ser mãe! Madame Merediet a advertira do pecado cometido, rogando-lhe que fosse pedir conselhos a frei Antônio, mas ela lhe respondera orgulhosamente que era feliz, profundamente feliz!

Anete era o oposto da irmã. Esbelta, não magra, alegre e bela, dona de um olhar brejeiro que a tornava profundamente simpática. Além de tudo era arrogante. Jamais se conformara com a vida humilde dos Merediet, camponeses que, naqueles tempos, trabalhavam de sol a sol para comer, pois as terras eram do seu patrão, que as arrendava com boa porcentagem nas colheitas.

Não! Anete não pertencia àquela vida que julgava mesquinha e miserável. Desejava subir, viver em um mundo que não conhecia, mas, que julgava fascinante! Seu sangue moço, ardente, impetuoso, refletia-se em seu semblante em um traço de força e vontade.

Ao conhecer o jovem Roberto, filho do duque daquelas terras, apaixonara-se ardentemente por ele, com a força impetuosa de suas dezesseis primaveras. Ele representava o mundo que ela admirava e desejava penetrar.

Conhecera-o quando ele viera inspecionar a safra no ano anterior. Seu pai adoecera e ele, tomando a si o encargo administrativo das propriedades, saíra para uma vistoria geral em suas terras, fiscalizando-as para não serem enganados pelos camponeses que, muitas vezes revoltados com o preço elevado que lhes cobravam, ocultavam o montante da colheita.

Vira-a também em uma luminosa primavera e seu olhar exuberante, suas formas elegantes, tentadoras, não lhe saíram da mente.

Roberto Chãtillon, como filho único, herdaria pela morte do pai o título de duque e uma imensa fortuna. Seu aspecto era belo e atraente, principalmente para uma pobre e ambiciosa camponesa como Anete.

Vestia-se sempre luxuosamente e ao contrário do velho duque, seu pai, não era miserável. Sua prodigalidade tornava-o bem-vindo onde aparecesse. Mas, o que muitos não notavam e Anete também não notou, é que ele era perdulário mas não pródigo, egoisticamente perdulário. Se algo lhe agradasse, seria capaz de dar todo o dinheiro que lhe pedissem para possuir o objeto do seu interesse, entretanto, sem ser mau, não concedia um dia a mais aos campônios para saldarem seus compromissos e não os isentava de parte dos pagamentos quando os via em miserável situação financeira.

Ele não compreendia a necessidade do pão, pois que nascera em berço de ouro. Julgar-se-ia mesquinho de discutir uns miseráveis soldos com seus empregados. — Trato é trato — pensava ele. Quanto às necessidades morais e físicas dos pobres camponeses, nem sequer as percebia. Não era mau, era apenas um indiferente.

— Deus, — pensava ele, fizera tudo certo. Não lhe competia mudar as coisas.

Logo mandou um servo a procura de Anete e naquela noite mesmo teve início o romance entre eles.

Roberto, a princípio, julgou entregar-se ao convívio de Anete como já lhe havia acontecido outras vezes, como um passatempo agradável, mas de curta duração. Entretanto, Anete, possuidora de forte personalidade e caráter arrebatado, começou a interessá-lo mais profundamente.

Sagaz, a jovem campônia, percebendo-lhe a volubilidade do caráter sempre facilmente saciado, a ele não se entregou, fugindo-lhe sempre no momento em que ele menos esperava ou desejava. Mas, Roberto era belo, sabia agradar quando queria e Anete amava-o com todo ardor de sua mocidade exuberante. Assim, um dia aconteceu o inevitável: entregaram-se um ao outro.

Ela, desejosa de forçar uma posição social mais elevada, passou a vê-lo frequentemente, depois do acontecido, mas sempre fugindo à sua intimidade, certa de que só assim conseguiria conduzi-lo à meta ideal do matrimônio.

Roberto, fascinado, deslumbrado, apaixonado mesmo, não mais conseguia ficar longe dela e somente os arraigados preconceitos sociais dos seus evitaram que ele a desposasse. Quando a situação se complicou com o aparecimento de um fruto desse amor proibido, Anete pensou que a vinda dessa criança ser-lhe-ia preciosa, eliminando o restante das dúvidas de Roberto, decidindo-o ao tão cobiçado casamento.

Tal, porém, não aconteceu. Roberto, tomado de verdadeiro pânico frente ao escândalo, pensou em tudo, menos em assumir a responsabilidade dos seus atos. Irresponsável pelas muitas facilidades que a vida lhe proporcionara, não compreendeu que o novo ser que deveria nascer, precisava de sua mão protetora de pai, dos seus carinhos e do seu nome.

Não. O egoísmo falou mais alto, e Roberto decidiu-se a afastar Anete de Ateill o mais breve possível para que o acontecimento não se tornasse público. Sabia que Anete o amava, gostava dela também. Sendo assim, armou seu plano: alugaria uma pequena casa para ela em Versailles. Iria vê-la sempre que pudesse. Desta forma, teria satisfeito sua sede de amor e afastaria a possibilidade de ser apontado pelos seus camponeses com um vil conquistador barato que, além de não lhe ser lisonjeiro, poderia prejudicar-lhe os negócios. Gostava de fazer suas coisas, mas não, que elas viessem a público.

Sentia-se feliz por conservar o prestígio perante seus semelhantes, para poder manter totalmente sua autoridade. Com palavras cálidas e prometedoras, envolveu as ambições de Anete, arrastando-a à fuga.

Antes de ir-se, porém, Anete enfrentou a cólera da irmã, cujo código de moral era bastante severo. Esta surpreendera-a no quarto, altas horas, quando arrumava suas coisas. Anete embrulhara seus poucos pertences em um pano riscado, fazendo com eles uma trouxa. Escolhera o que possuía de melhor, que aliás, se resumia em muito pouco e preparava-se para sair quando Liete Merediet, inesperadamente, entrou no quarto.

Surpresa, murmurou:

— Anete! Que vais fazer?

Anete fixou a irmã com firmeza. Havia, em seus grandes olhos castanhos, desafio e determinação.

— O que vês. Vou-me embora.

— Mas, como? Com quem irás e para onde?

— Ainda não sei onde, mas sigo com Roberto rumo à felicidade.

Liete quase nem podia falar de tão assustada. Jamais pensara que sua irmã se atrevesse a tanto. E o futuro?

— Por acaso ele se casará contigo? Acreditas nisso? — murmurou sarcástica.

Anete sorriu confiante.

— Certamente. Assim me prometeu.

Madame Merediet suspirou fundo. Sempre fora muito prática e jamais se entregara ao romantismo. Havia perdido os pais muito cedo e como mais velha tivera que enfrentar árdua luta para prover a subsistência de ambas. Entregara-se com rudeza ao trabalho e às responsabilidades em uma idade em que os primeiros sonhos deveriam desabrochar. Habituara-se assim a ver sempre o lado prático das coisas e o que mais segurança e estabilidade pudesse trazer à existência.

Por isso não justificava a atitude da irmã e nem a compreendia. Pelo contrário. Sentia a sua atitude pelo lado real da vida e conhecia as consequências que poderiam advir desse gesto louco. Anete era muito jovem. Como sua irmã casada e única parenta, devia conversar com ela, tentar fazê-la entender a loucura do seu comportamento.

Suspirando profundamente, Liete Merediet chegou-se para a irmã olhando-a bem nos olhos:

— Anete, és muito jovem. Não sabes o que fazes. A vida é muito dura quando estamos sós contra tudo e desejamos manter nossa honestidade. Esse homem não se casará contigo. Tenho a certeza. Se desejasse fazê-lo, não haveria necessidade dessa fuga. Vais cometer tremendo pecado, Deus te castigará.

Anete apertou os lábios com força, suas mãos crisparam-se apertando o nó da trouxa que sustinha. Havia surda determinação em sua voz quando disse:

— Não adianta, Liete. Não tenho medo do inferno! Não acredito que ele exista realmente.

Madame Merediet, com pequeno grito de susto, tapou-lhe a boca com as mãos.

— Não blasfemes, Anete!

— Digo o que sinto. Sempre detestei esta gente, esta vila, esta miséria. Vivemos nesta casa imunda e sem conforto. Num ambiente onde tudo falta!

— Não sejas ingrata, Anete. Temos o que comer e a casa para viver. Afinal o que desejas mais?

A outra olhou para a irmã com assombro e altivez. Depois, com voz vibrante, olhos brilhantes parecendo não vê-la sequer, respondeu:

— Viver! Tenho sede de viver, de sentir-me alguém, de amar e ser amada, ter luxo e dinheiro para fazer-me bonita. Viver longe deste lugar horrível onde tudo lembra uma rotina incessante e tediosa.

— Estás louca, Anete. Vais de encontro a uma miragem que se escapará de tuas mãos!

— Sei que não podes compreender. Tenho-te pena. Viveste sempre uma vida áspera e sem sonhos. Não tens sensibilidade. É como se estivesses morta. Mas, eu não! Sinto o sangue crepitando nas veias. Amo! Sou amada! O que me impede de ser feliz?

Boquiaberta e horrorizada, Liete olhava a irmã que transfigurada parecia outra mulher.

— Não acredito que ele te ame. Se te amasse, casar-se-ia contigo. Não serás em sua vida senão uma amante que manterá enquanto o satisfizer, mas que deixará de lado quando surgirem outras mais interessantes!

Súbito rubor coloriu as faces de Anete.

— Não sabes o que dizes. Ele me ama! — sua voz era orgulhosa e firme. — Sinto o seu amor quando seus lábios me beijam e quando estou a seu lado! — fingindo não ver o ar escandalizado da irmã, querendo castigá-la mesmo pelas rudes palavras que lhe dissera, continuou: — Como podes saber o que é o amor? És casada, mas o fizeste por interesse, calculadamente, a troco de miserável proteção financeira. Jamais sentiste a glória do amor! A inebriante alegria de pertencer ao homem amado!

— Que dizes? Acaso...

O olhar de Liete tornou-se duro e sua voz metálica, prenunciando a borrasca iminente.

— Sim — a voz de Anete era um murmúrio agora. Emocionada com sua própria situação, sentiu lágrimas descerem-lhe pelas faces. — Por que pensas que desejo ir-me daqui, assim, de repente, sem pensar em casar-me antes? Não posso esperar. Vou ser mãe!

— Meu Deus! Anete!!

Faces escaldantes, Liete Merediet desejou não estar ali naquele instante. Indignada, sentiu que toda sua dignidade construída na moral e na religião, ruía por terra. Sua irmã desonrara-lhe a casa!

O que diriam os outros quando soubessem? Certamente ela seria alvo da mais humilhante situação. O que fazer? Já agora sentia esmorecer o desejo de reter Anete. Sua fuga, apesar de escandalosa, seria melhor do que a publicidade de seu filho sem pai.

Mesmo assim, Liete desejou ultimar as obrigações que como mais velha e casada devia a Anete. Realizando grande e penoso esforço para dominar-se, vencendo a revolta pelo leviano procedimento da irmã, aconselhou:

— Tens a alma denegrida pelo pecado! Procura frei Antônio, confessa e pede-lhe a absolvição!

Anete mais uma vez fixou a irmã demoradamente. Olhos brilhantes, faces coradas pelas emoções contraditórias do futuro incerto, sorriu por fim. Um sorriso confiante, destemido e algo zombeteiro.

— A alma denegrida pelo pecado? Poderias esclarecer-me o que consideras pecado? — vendo Liete pasma pela audácia, continuou provocante — Será então culpado o afeto que consegue gerar um outro ser, pedaço de nossas carnes, mas sem dúvida reflexo do nosso afeto? Não creio que exista pecado nas minhas ações! O amor somente se torna culposo quando atraiçoa ou quando se lho roubamos a outrem. Roberto é livre e eu também. Não irei ao senhor vigário porque mesmo que me considerasse culpada, não poderia fazê-lo. Não acredito que ele possa remediar com sua absolvição o mal que porventura eu houver praticado. Sou ambiciosa bem o sei. Mas, isto não é pecado. Tu mesma não fizeste outra coisa durante toda tua vida senão recalcar teus sentimentos. Mas, eu sei, sei que és igual a mim. Apenas tens medo da opinião dos outros. Jamais amaste teu marido, jamais fizeste algo que realmente desejasses fazer, mas, que fosse de encontro com a opinião da maioria considerada como modelo de virtudes. Pobre Liete! Tenho-te pena! Mas, toma cautela pois que algum dia, não mais conseguirás reprimir a avalanche dos desejos e virá então à tona tua verdadeira personalidade. Agora me vou. Adeus, Liete! Apesar de tudo, és minha única família e eu te estimo.

Abraçou-a, mas percebendo que Liete muito vermelha, olhos baixos, corpo tenso e rijo não retribuía seu abraço, concluiu:

— Fui severa demais para contigo. Perdoa-me. Não desejo ir-me com a recordação da tua inimizade.

Perturbada ainda, Liete tentou sorrir retribuindo-lhe o abraço. Estava perplexa, agitada, e quando Anete rapidamente se ia embora de sua casa, com a pequena e humilde bagagem, sentiu-se envergonhada reconhecendo dentro de si, que, de fato, algo de tudo quanto sua irmã dissera devia ser verdade, pois que surpreendia-se a invejá-la pela coragem de afrontar o mundo daquela maneira e ainda mais, por algo que ela não conseguira ter: um filho!

O tempo passara lento, tedioso, triste para madame Merediet. A morte do seu esposo, obrigara-a a aceitar o emprego que frei Antônio bondosamente lhe oferecera e durante muitos anos vinha ela escrupulosamente desempenhando sua tarefa.

Nada mais esperava, nada mais desejava senão cumprir sempre até o fim seu dever para que seu nome permanecesse símbolo da rigorosa vida que vivera. Nunca mais ouvira falar de Anete naqueles vinte anos. Às vezes, perguntava-se se ela ainda viveria.

Quanto a Roberto Chãtillon, esse era assunto muito conhecido naquelas paragens. Com a morte do pai, herdara-lhe toda a imensa fortuna e casara-se com uma sua prima, possuindo desse matrimônio um casal de filhos. Pouco apareciam na vila, passando a maior parte do tempo em Versailles e Paris.

Madame Merediet apressou suas atividades. Aquele era um dia festivo e frei Antônio não gostava de atrasar suas obrigações.

O serviço era relativamente pouco, mas madame, zelosa, procurava ao máximo esmerar-se. Ia e vinha da cozinha para sala muito atarefada quando a sineta da porta tilintou insistentemente.

Diligente, sem alterar a fisionomia, foi abrir. Deu com o moço de recados do senhor Duque. Muda, esperou.

— Madame, venho em busca de frei Antônio.

— Ele não está, mas não deve demorar.

— Pois dize-lhe que o senhor Duque deseja vê-lo sem demora.

Madame suspirou.

— Frei Antônio está muito atarefado. É urgente?

O rapazelho tinha um ar importante e misterioso quando respondeu:

— Importantíssimo! Tanto que tenho ordens de esperá-lo e conduzi-lo.

Vendo que ele estava disposto a esperar, mandou que entrasse e tomasse assento na sala.

Era já meio-dia quando o vulto familiar de frei Antônio apareceu à soleira de entrada. Vinha suando em bicas, rosto vermelho pelo calor. Trabalhara incessantemente para os últimos preparativos da quermesse fiscalizando o transporte de prendas. Estava exausto! As tribulações daquele dia haviam-no cansado sobremaneira. As idas e vindas, o lufa-lufa para organizar tudo haviam-no deixado excitado e afadigado.

Apesar de faminto e resolvido a repousar durante algumas horas, ouviu pacientemente a mensagem do duque que como sempre não pedia, mas ordenava sua presença imediata em seu suntuoso castelo.

— Irei certamente — respondeu frei Antônio ao mensageiro. — Mas, antes, necessito tomar algum alimento e repousar alguns instantes. Se queres, podes ir adiante que eu irei em seguida.

O rapaz meio zombeteiro olhou o rosto vermelho de frei Antônio e, dando de ombros, respondeu:

— De nenhuma maneira. Recebi ordens de ir convosco e não arredarei pé sozinho. Sabeis como o senhor Duque deseja ser obedecido. Sede breve, portanto, aguardar-vos-ei aqui na sala.

Sem dizer mais nada, frei Antônio embarafustou pela cozinha, onde diligente, madame Meărediet preparava sua suculenta refeição.

O rosto de frei Antônio traía um pouco sua contrariedade. Aquela falta de cortesia do rapazelho o feria. Jamais deixara de comparecer a qualquer chamado do duque e sempre fora cumpridor de sua palavra. Depois, estava cansado. Os anos começavam a pesar-lhe e a casa do duque era no cimo de uma colina, necessitando suas cansadas pernas de muita resistência para lá chegar.

Ele não se julgava vaidoso, pelo contrário, sempre procurava cultivar a humildade, mas a arrogância de Roberto Châtillon era-lhe quase insuportável. Naturalmente precisava vencer esta particularidade do seu caráter, pois que era o duque quem mais substancialmente sustentava a paróquia, bem como o gratificava plenamente na celebração das missas na capela do castelo.

Suspirando resignadamente, frei Antônio lavou-se, passou um pente pela cabeleira branca. Ao sentar-se à mesa, sua fisionomia transformou-se: costeletas de carneiro com batatas grelhadas! Pão, vinho e torta de maçãs! Apressadamente fez ligeira oração, pensamento voltado ao cheiro apetitoso das iguarias que abençoava. Depois gostosamente serviu-se e iniciou a refeição.

— Ainda bem — pensou ele — que pelo menos posso ainda saborear as delícias de uma boa refeição.

Assim que terminou, sentiu-se ligeiramente sonolento. As pernas pareciam de chumbo e os olhos teimosamente recusavam-se a permanecer abertos. Ah! uma sesta! Como lhe seria agradável desfrutá-la naquele momento... Mas a áspera voz de madame Merediet arrancou-o da agradável sensação.

— O rapazelho se impacienta, senhor cura.

— Oh! O rapazelho! Dize-lhe que me apresso.

Resignadamente, esforçando-se por vencer a tremenda modorra que tomava conta de todo seu corpo, frei Antônio levantou-se, tomou o chapéu de largas abas, o breviário e estoicamente reuniu-se ao companheiro que impacientemente o aguardava.

— Finalmente — resmungou o jovem emissário.

Lançando-lhe um olhar que deveria impor respeito, o bondoso frei Antônio pôs-se a caminho com o rapaz.

Caminharam em silêncio, cada um imerso em íntimos pensamentos.

O que desejaria o duque com tanta urgência? Saberia naturalmente que ele tinha outros afazeres naquele dia festivo. Desejaria acaso ofertar alguma nova prenda para os festejos de logo mais? Não. Certamente para isto não necessitaria da sua presença. Bastava remeter-lhe as prendas como sempre fizera. Certamente seriam outros os motivos. Teriam novamente discutido? Ele e sua mulher jamais haviam sido felizes. Como confessor de ambos julgava conhecer-lhes os pensamentos mais íntimos. Não os supunha maus, apenas eram literalmente diferentes e jamais poderiam harmonizar-se. Constantemente enfrentavam crises conjugais, desinteligências motivadas pelos mais insignificantes pretextos. Quando tal acontecia, frei Antônio era procurado como confessor de um ou de outro e à avalanche de queixas que ouvia, procurava responder com conselhos evangélicos cujo conteúdo buscava tornar claro. Frei Antônio sentia-se mal quando tinha que enfrentar tal situação.

Essas criaturas erravam constantemente e pediam-lhe a absolvição dos seus erros que ele não tinha outro remédio senão conceder. Diversas vezes desejara falar-lhes com dureza, chamá-los à responsabilidade da sua situação perante Deus e perante seus filhos que nunca haviam encontrado ambiente cristão no lar. Mas, ele era o humilde cura da aldeia, e o duque, o senhor feudal daquelas terras. Confessava-se com impaciência e sem muita convicção e ouvia-lhe meio caceteado as palavras de arrependimento, de resignação e de humildade. Recebia a penitência como quem se liberta de algo desagradável e, por fim, despedia-o como a um criado, embora com certa deferência. Como dizer-lhe as duras verdades que desejaria? Como lembrar-lhe o leviano procedimento como causa fundamental de sua desarmonia doméstica? Não sentia isso possível.

Com Alice Chãtillon as coisas eram um pouco diferentes. Alice era bonita, mas de uma beleza austera. Educada no mais severo colégio de freiras de Sion, somente de lá saíra para casar-se. Conservava sempre as atitudes rígidas a que a haviam habituado a educação severíssima que recebera. Infeliz no matrimônio, fechara-se ainda mais em sua sobriedade e constantemente se escandalizava com o modernismo da corte. Suas roupas eram finas e cuidadas, mas austeras e escuras. Seu aspecto triste e ostentando sempre uma dignidade profundamente ofendida, tornavam sua presença um suplício para seu alegre e caprichoso marido. Alice era bela apesar dos seus quarenta anos. Seu rosto de traços pronunciados e firmes irradiava a obstinação do seu caráter. Seus cabelos castanhos naturalmente ondulados, seus grandes olhos negros, sua tez morena pálida formavam elegante conjunto com seu esbelto talhe de formas refinadas.

Geralmente, queixava-se do esposo, desabafava com frei Antônio a quem estimava sinceramente. Quando ele lhe aconselhava a prática do perdão e da humildade, ela assentia em tese, mas, quando insinuava-lhe a possibilidade de vir a ser bondosa, companheira e amiga do esposo, revoltava-se obstinadamente e já uma vez lhe dissera:

— Não adianta, frei Antônio. A culpa não é minha. Estais me ouvindo em confissão, conto-vos minhas misérias, mas não podeis invadir o terreno dos meus sentimentos para desautorizar minha noção de honra e dignidade.

Frei Antônio calava-se. O que dizer? Suas palavras jamais encontrariam eco no coração daquela mulher. Ministrava-lhe a absolvição acompanhada de alguns conselhos que muitas vezes reconhecia pueris, sem condições de vencer a barreira do seu coração. Retornava sempre aborrecido do suntuoso palácio. Sentia-se impotente para realizar a harmonização daquele lar. Julgava a duquesa, às vezes, muito severa em atitudes. Não participava da vida social do seu marido. Não o compreendia, nem se esforçava para isto. Não que o estivesse desculpando pelas levianas atitudes e pelos romances fáceis, mas talvez que...

Frei Antônio encabulado percebeu, pelo olhar admirado do irrequieto rapaz que caminhava a seu lado, que estava gesticulando e falando sozinho. Um pouco mais vermelho do que já estava, procurou limpar uns fios brancos que teimosamente persistiam em aderir cada vez mais à sua negra batina, depois, resmungou um "que calor", retirou do bolso com alguma dificuldade o grosso lenço xadrez e enxugou as faces suarentas. Vendo que o companheiro dava de ombros e prosseguia calado, logo voltou às suas conjecturas. Percebia em si mesmo a lacuna da inexperiência. Nunca se havia casado. Mantivera-se quase sempre fiel à castidade!

A esse pensamento lançou furtivo olhar ao companheiro, temeroso que este pudesse perscrutar-lhe o íntimo.

Infelizmente, na mocidade, sucumbira algumas vezes, duas ou três quando muito, às tentações das mulheres, mas, esses pecados furtivos e temerosos jamais lhe haviam fornecido a experiência da vida em comum de marido e mulher. Como poderia aconselhá-los? Nunca se casara! Bem que sentia agora, mais do que nunca, quando velho e algo desiludido do ideal supremo da salvação das almas que, com raríssimas exceções, não desejavam ser salvas, a tristeza da solidão, do celibato. Algumas vezes surpreendia-se a desejar a mão carinhosa de uma companheira, o riso alegre da juventude em sua casa solitária. Sentia-se deprimido, desiludido.

Dedicara toda sua vida ao ideal que abraçara, procurando desempenhá-lo, lutando para vencer tentações de toda natureza. Era estimado, bem o sabia, mas, não conseguira jamais tornar melhor uma criatura humana. Por que seria? Em todo caso, consolava-o o pensamento de que Nosso Senhor Jesus Cristo certamente o abençoaria e teria todo um futuro de repouso e de paz em seu paraíso. Entretanto, sua missão era árdua.

Desconsolado, frei Antônio passeou o olhar pela distância percorrida morro acima e para a que lhe restava ainda percorrer. Estavam no meio do trajeto. Por que afinal não teriam eles se desentendido à noitinha ou pela manhã, quando o sol não estivesse a pino? Ele tinha a impressão que andava sobre brasas. As solas gastas de suas botinas eram sensíveis às pedras do caminho machucando-lhe as solas dos pés. A batina grudava-se em seu corpo suarento e empoeirado. O colarinho sufocava-o.

Esgotado, levou a mão ao pescoço desabotoando os dois primeiros botões. Naquele instante, pareceu-lhe ouvir seu antigo professor de ética com sua voz fanhosa e rouquenha.

— Jamais devereis demonstrar o vosso cansaço ou vosso desmazelo. Um ministro de Deus deve saber manter suas atitudes em concordância com a missão que desempenha. Não podereis pregar a paciência se vos queixais constantemente de cansaço. Deveis manter impecáveis vossos trajes para impor respeito aos demais. Se assim não fizerdes, poderão os outros pensar com justeza: quem não zela por si mesmo e por suas coisas, como poderá zelar pelas coisas de Deus? A aparência é tudo neste mundo. Deveis cuidá-la como vos ensinamos. Limpeza, sobriedade e dignidade de atitudes.

A mão de frei Antônio automaticamente procurou os botões que descasara e tornou a fechá-los.

Fundo suspiro brotou-lhe do peito cansado. Por que as aparências deveriam valer tanto? Naquele instante discordava veementemente do seu antigo professor, mas, conscienciosamente, nem de longe poderia desobedecê-lo. Apesar da tentação, não mais desabotoou a gola.

O rapaz que o acompanhava parecia leve e ágil. Impaciente com o caminhar moroso de frei Antônio, colocara-se à frente, instando-o de quando em vez a que se apressasse. Afinal chegaram aos portões do castelo com grande alívio do bondoso sacerdote.

Capítulo 2

Frei Antônio percebeu que, desta vez, o caso era mais sério já que o próprio duque o esperava impacientemente no amplo terraço de entrada.

Quando o viu, torceu ligeiramente o bigode *raffiné*, procurando as palavras para dizer-lhe. Não as encontrando de pronto, respondeu com ligeiro sinal de cabeça aos cumprimentos do reverendo, que, em virtude do esforço realizado em hora tão pouco agradável, foram menos cordiais do que os habituais. Em seguida, tomou o braço de frei Antônio, conduzindo-o silenciosamente ao seu gabinete particular.

Uma vez lá, cerrou a porta dando volta à chave. Designou com a mão uma cadeira onde frei Antônio tomou assento. Por sua vez, deu volta à escrivaninha de madeira negra, toda encrostada de magnífico trabalho em marfim, sentando-se em sua bela cadeira.

O gabinete de trabalho do duque demonstrava pelo luxo e pelo bom gosto de suas peças, verdadeiras obras de arte, a finura do seu dono.

Roberto Châtillon era ainda incontestavelmente um belo homem. Apesar dos seus quase 50 anos, estava admiravelmente conservado. Seu rosto nobre, altivo, aureolado agora de alguns cabelos brancos, ganhara expressividade. Seus olhos, sempre tão emotivos, eram agora, mais do que nunca, espelho do que lhe ia no íntimo, embora os anos o houvessem ensinado a disciplinar um pouco seus impulsos.

Mais refeito e já à vontade no ambiente sóbrio do gabinete, frei Antônio perscrutou a fisionomia do duque e não lhe foi difícil reconhecer nela estampadas a preocupação e o desgosto. Habituado a ouvir, nada perguntou, aguardando pacientemente as palavras do fidalgo que vieram em seguida.

— Desculpai, Vossa Reverendíssima, se vos mandei chamar em hora tão inoportuna. O assunto, entretanto, é de extrema gravidade e não poderei deixar de esclarecer que necessito da vossa ajuda, que, aliás, saberei recompensar devidamente.

Ouvindo-o mencionar a recompensa, frei Antônio sacudiu energicamente a cabeça.

— Recompensa, só a desejo de Deus, mas, estou à vossa disposição. Em que posso ser útil?

— Bem... frei Antônio, a história é complicada. Nem sei de fato como principiar... — o duque calou-se algo embaraçado. Depois de alguns segundos, tomado de firme decisão, continuou: — A vida muitas vezes nos prepara verdadeiras ciladas. Infelizmente, na mocidade, nós cometemos sempre muitas leviandades.

Frei Antônio ouviu aparentemente circunspecto e atencioso, mas não pôde deixar de pensar que o duque continuava a cometer leviandades, embora já não fosse jovem.

— Estas loucuras, nós as pagamos bem caro. O que me aconteceu hoje é prova cabal do que estou afirmando. Mas, para esclarecer-vos sobre o motivo do meu chamado, preciso confessar-me.

Pela fisionomia de frei Antônio passou um lampejo de idealismo.

— Podeis falar, meu filho. Estou pronto a ouvir.

O duque colocou a sua cadeira frente a do sacerdote e de cabeça baixa aguardou que ele terminasse suas orações.

— Quais os vossos pecados, meu filho?

— Trata-se de uma história que desejo vos contar. Aliás, já a conheceis em parte. Deveis recordar-vos sem dúvida de Anete, a jovem irmã de Liete Merediet.

O padre assentiu com a cabeça.

— Sabeis também que ela foi uma das maiores paixões de minha vida. Eu diria mesmo, o meu grande amor. Sabeis que a levei para Versailles, mas nada ainda vos contei do que sucedeu depois. Em Versailles, comprei-lhe uma bela vivenda, um pouco afastada do centro da cidade e constantemente a visitava, passando lá a maior parte dos meus dias.

Roberto fez ligeira pausa. Percebia-se que lhe era penoso e difícil falar do assunto, mas corajosamente continuou:

— V. Revma., talvez ignore que Anete concordou em sair de Ateill porque ia ser mãe. Mãe de um filho meu.

O padre continuou impassível.

— A criança nasceu alguns meses depois. Uma sadia e linda menina. Anete ficou radiante, mas insistia para que eu legitimasse a criança, desposando-a. Infelizmente, deixei-me enredar pela família e foi nessa ocasião que me resolvi por Alice Montpassant.

Funda ruga cavou-se na fronte de Roberto, agora quase esquecido do momento presente, absorto pelas recordações.

— Talvez, se eu houvesse tido coragem e desposado Anete naquela ocasião, teria sido mais feliz no matrimônio. Ela era adorável. Sua beleza, seu temperamento alegre e amoroso, teria seguramente realizado minha felicidade. Mas, nós somos covardes, reverendo, temos medo das aparências e das opiniões da sociedade.

Tristemente o reverendo concordou com um gesto.

— Deus sabe como tenho sido castigado por essa covardia!

Ele, que fora o algoz de duas mulheres, intitulava-se vítima! Desejava captar a todo custo a simpatia do padre e via nessa posição ótima oportunidade.

— Por causa do noivado com Alice, tive que espaçar minhas visitas a Anete. Quando ela descobriu tudo, tentou o suicídio. Felizmente foi impedida pela criada. Recusou-se a ver-me daí por diante. A princípio, orgulhosamente, concluí que ela deveria precisar de mim para manter a filha, mas, depois compreendi o quanto estava enganado. Receoso que ela tentasse um escândalo, resolvi procurá-la somente depois do casamento. Escrevi-lhe uma carta dizendo-lhe que a amava e que somente casava por conveniência. Que o casamento em nada haveria de influenciar nossa vida, pois que tudo entre nós continuaria na mesma. Que ela esperasse pacientemente, eu saberia recompensá-la regiamente. Certo de que estava senhor da situação, após a remessa da missiva, deixei-me levar no torvelinho dos preparativos para a boda. Casei-me com Alice e logo de início não conseguimos nos compreender. Minha mulher não tolerava que eu a beijasse sequer... Tudo para ela era pecaminoso e desonesto. Perdoe-me, V. Reverendíssima, se abordo o assunto, mas minha mulher era fria como a neve. Um mês após o casamento, já não podia suportar as saudades de Anete e de nossa pequena filha. Fui procurá-las.

O duque fez ligeira pausa, olhos fixos no teto, sem entretanto nada ver senão suas reminiscências.

— Foi em vão que bati na porta da casa onde Anete morava e onde tão felizes havíamos sido. Ninguém me respondeu. Passados os primeiros instantes de estupor, notei o aspecto de abandono em que se encontrava o local. A poeira acumulava-se nos vidros, na varanda, e o mato começava a grassar no jardim. Aturdido, permaneci interdito durante muito tempo. Pensamentos diversos povoavam-me a mente. Com certeza Anete teria ido veranear em alguma parte. Talvez houvesse procurado fugir à dor que as notícias da cerimônia lhe acarretariam. Mas, se assim fora, certamente já deveria ter regressado! Ainda naquele instante, eu procurava fugir à realidade, não pensando sequer na possibilidade de uma separação definitiva entre nós, e principalmente da inocente criatura rosada que estendia os bracinhos redondos quando me via! A noite começara a cobrir a face da Terra, e eu ainda permanecia esperando sem saber o quê. Minha atenção foi porém despertada pelo vulto de uma senhora idosa que, parada no portão de entrada, no jardim, meio embaraçada e incerta, demonstrava visivelmente desejar dizer-me alguma coisa. Imediatamente, encaminhei-me para ela, cumprimentando-a com polidez.

— Senhor, sou moradora da casa vizinha e observei que V. Sa. há muito se encontra aqui. A casa está vazia.

Senti como que um pressentimento da tristeza.

— Não sabia que se haviam mudado!

— Bem me parecia. Se quiserdes acompanhar-me à casa, contar-vos-ei tudo. O assunto é sério e não poderei expô-lo aqui na rua.

Murmurando alguns agradecimentos, prontifiquei-me a acompanhá-la. Senhora Mercedes era o seu nome. De origem galega, seu francês era carregado de ligeiro sotaque que emprestava extraordinária simpatia à sua voz cantante e agradável. Deveria ter pouco mais de 40 anos, os cabelos grisalhos levantados em bandós, na nuca, realçavam ainda mais a negrura dos seus olhos redondos. Aliás, toda ela era redonda pois que bem cheia de corpo. Segui-a entre temeroso e esperançoso. Sempre me mantivera afastado do convívio dos vizinhos quando ia ver Anete. Detestava popularidade em torno do caso, mas Anete certamente não poderia ter vivido reclusa, tanto mais que pouco podia contar comigo para atender às necessidades de nossa filha com relação à sua maneira de criar-se, educar-se, etc. Sabia que ela se havia tornado amicíssima de madame Mercedes que enviuvara a alguns anos e possuía três filhos. Madame Mercedes, gentilmente, conduziu-me à sua sala de estar e lá, depois de me servir um cálice de vinho, tomou assento à minha frente.

— Senhor, rogo-vos desculpas pela intromissão, mas, não foi curiosidade nem...

— Peço-vos — interrompi com um gesto algo impaciente — por Deus, dizei logo tudo quanto sabeis! Não percebeis minha impaciência? O que aconteceu? Onde estão Anete e a criança? Sabeis por acaso? Quando estarão de volta?

— Infelizmente, as notícias não são as que talvez esperáveis. Antes porém, devo dizer-vos que estou a par de toda vossa história. Sem querer opinar sobre a conduta de quem quer que seja, posso dizer-vos, no entanto, que Anete, muito abalada pela vossa atitude, esteve gravemente enferma depois da vossa última visita. Para poder tratá-la convenientemente, bem como à criança, transportei-as para minha casa onde durante um mês procurei confortá-la e aliviá-la. Quando se restabeleceu, tomou a decisão de ir-se para bem longe onde pudesse recomeçar a vida. Conservava em seu coração um ressentimento profundo contra o senhor e não desejava mais tornar a vê-lo. Busquei dissuadi-la mostrando-lhe que, sozinha com a filha e sem ter para onde ir, passaria por muitos dissabores, mas, sabeis da enérgica impulsividade do seu caráter. Não consegui detê-la. Certo dia arrumou seus pertences e se foi com a filha nos braços.

Eu estava agoniado, nervoso. A ansiedade tomou conta de mim. Preso aos lábios de madame Mercedes, perguntei aflito:

— Sabeis para onde foram?

— Infelizmente, não. Disse-me que vendera algumas joias e que iria viajar com a pequena Marise. Posteriormente, quando fixasse residência, escrever-me-ia. Até agora, porém, não recebi notícia alguma.

Retirei-me da residência de madame Mercedes desapontado, insatisfeito e preocupado. Anete não possuía praticamente ninguém no mundo a quem pudesse recorrer. Sabia que ela jamais retornaria à sua antiga família, isto é, junto à sua irmã Liete. Certamente teria que recorrer a mim para seu sustento e de Marise. Quando seu dinheiro acabasse, na certa viria procurar-me e, então, convencê-la-ia a aceitar o meu amor. Passei então a esperar notícias de Anete. Infelizmente, porém, o tempo passava e tais notícias não chegavam. Procurei diversas vezes por madame Mercedes, mas ela nada sabia ou queria dizer. Da paciência com que esperava, certo como estava do amor e da situação que a tornava minha dependente, passei à impaciência e por fim à completa infelicidade.

O duque calou-se, comovido com sua própria mágoa. Frei Antônio interveio:

— Mas, V. Sa. não podendo remediar o mal, deveria pelo menos procurar ser feliz harmonizando-se com vossa esposa. Sois unidos pelos sagrados laços do matrimônio. Se não procurais esquecer, estareis traindo vossos deveres para com a família.

O duque olhou para frei Antônio um pouco surpreso considerando talvez em seu íntimo a ingenuidade daquele homem ao dar-lhe tal conselho.

— Esquecer! Dizeis bem! Mas, quem poderá forçar o esquecimento? Porventura estaremos nós a sofrer rememorando dores do passado, faltas que representam mesmo crimes morais, por nossa própria vontade? Se eu pudesse, há muito teria apagado do pensamento e do coração a figura de Anete e de Marise! Quanto ao meu casamento, considero-o um fracasso completo. Minha esposa descobriu a causa da preocupação e da tristeza que inconscientemente demonstrei e jamais me perdoou. Mas, apesar disto, jamais conseguiríamos ser felizes.

O duque calou-se, absorto, e frei Antônio, lembrando-se dos seus múltiplos afazeres, perguntou:

— Mas, qual afinal o motivo do vosso chamado tão urgente?

— Chegaremos ao ponto, senhor cura. Hoje pela manhã tive uma grande surpresa: recebi carta de Anete!

Frei Antônio arregalou os olhos.

— Sim! Recebi carta de Anete. Aqui está, senhor cura. Podeis lê-la.

Frei Antônio, visivelmente preocupado, tomou as folhas que Roberto lhe estendia e sem comentários, passou à leitura.

Roberto,

Depois de tantos anos, escrevo-te. Sei que tens procurado saber notícias nossas, mas não julguei de bom alvitre, para nós nem para nossa filha, mandá-las. Tua situação é outra. Sei que tens família e principalmente filhos. Tudo entre nós seria impossível. Entretanto, conservo ainda em meu coração o antigo amor que nos uniu. Sei que apesar de tudo, me amavas e talvez ainda guardes no íntimo do teu ser a cálida lembrança das horas que passamos juntos. Sei, e isto me tem confortado apesar de tudo, que não amas tua esposa e que não és feliz. Mas, ainda assim, jamais me atrevi a voltar para ti. Movida pela necessidade, quando saí de nossa casa em Versailles, acabei indo refugiar-me em um convento onde trabalhei durante algum tempo e aprendi os segredos da costura.

Disposta a reconstruir minha vida para poder educar Marise, deixei-a entregue às boas irmãs em Saint Michelle e rumei para Paris a fim de trabalhar. Inútil contar-te o meu desespero, meu esforço, minha solidão. Surgiu então em minha vida a figura bondosa do marquês de Vallience. Apaixonou-se por mim e pediu-me em casamento. Pensando em Marise, no conforto que poderia oferecer-lhe com a fortuna do marquês, aceitei a proposta, ocultando-lhe naturalmente a existência de Marise. Eu não poderia perder aquela oportunidade e conhecia-lhe a intransigência de princípios. Casamo-nos. Ele muito mais velho, embora belo e elegante, revelou-se terrivelmente ciumento. Digo-te que cheguei quase a estimá-lo sinceramente. Mas, o motivo desta carta é Marise. Jamais te escreveria se não fosse por ela. Já atingiu a maioridade e deseja sair do colégio. Está moça feita e precisa mais do que nunca do amparo, do abrigo e do carinho do teu coração. Infelizmente não poderia trazê-la para casa, porque o ciúme de meu marido certamente tornaria sua vida um inferno. Desejo que ela seja feliz. Sacrifiquei a minha mocidade neste casamento, para custear-lhe a melhor educação possível, mas chegou agora a tua vez! És pai! Todos os teus filhos deverão ser iguais para teu coração. Ela merece mais, porque representa um grande amor que frutificou.

Acolhe-a em tua casa e estarás saldando em parte tua dívida do passado. Procura-a em St. Michelle. As irmãs estão a par de tudo. Jamais procures ver-me, não te receberia.

Anete

Frei Antônio estava estupefato. Reconhecia estar frente a um problema delicadíssimo e muito grave.

Roberto bateu nervosamente com a mão fechada sobre a mesa, levantando-se abruptamente.

— Isto ainda não é só! Reverendo, pior foi o que sucedeu depois! Tão emocionado fiquei com a carta de Anete, que ao lê-la, as lágrimas vieram-me aos olhos. Fui surpreendido nessa atitude por Alice que nervosa perguntou-me se algo sucedera aos meninos. Sobressaltado, procurei esconder a carta, mas ela, temerosa, arrancou-ma das mãos. Pela primeira vez ameacei até de espancá-la, mas, tudo inútil, nem aos rogos nem às ameaças, devolveu a carta. Quando corri para ela com a visível intenção de tomá-la pela força, Alice saiu a correr conseguindo trancar-se em seu quarto. Pouco depois ela mesma veio procurar-me aqui, com a carta nas mãos. Jamais vira-a tão pálida. Nada pude dizer-lhe, pois que os termos claros da carta de Anete não deixavam uma brecha sequer por onde pudesse penetrar a fim de serenar a situação. Fitando-me altivamente, Alice falou entre dentes:

— És o maior patife que conheço. Jamais pensei que fosses tão baixo! Resta-me saber o que pretendes fazer com tua bastarda filha.

Seu tom irônico não deixava dúvidas, encobria a tremenda tempestade que lhe roía o íntimo. Envergonhado, murmurei:

— Não sei...

— Naturalmente não pensas recebê-la aqui em nossa casa, junto aos meus filhos!

— O tom indignado, faces contraídas, anunciavam o ponto culminante da borrasca. Contrariado pelo tom que ela usava para comigo, inferior ao que ministrava ao seu mais antipático lacaio, senti despertar em mim um desejo maldoso de feri-la. Fora por sua causa que Anete me deixara! Fora por seu estúpido conceito da vida que não tínhamos conseguido entender-nos.

"Naquele momento não mais me senti culpado, mas apenas vítima. Ela sempre me desprezara procurando esmagar-me com seu orgulho impiedoso. Sua atitude afastou nossos filhos de uma harmonização mais estreita comigo. São obedientes, atenciosos, mas não carinhosos. Ela os envenenou com sua posição de vítima. Nervoso, senti que tudo quanto recalcara, durante aqueles vinte anos de vida em comum, vinha à tona."

— Pois ela é minha filha mais velha e considero-a muito digna da minha estima e da dos irmãos. Se eu resolver, ela virá para cá.

Arrependi-me em seguida de dizer tais palavras, pensara em feri-la, mas vendo a tremenda reação de sua fisionomia, reconheci ter agido mal. Seu rosto ficou branco como mármore e os olhos pareciam querer sair das órbitas. Percebi o extremo esforço que fazia para controlar-se e não desmaiar. Passou a mão pela testa e nem sequer percebeu que as folhas da carta escapavam-se-lhe das mãos, espalhando-se pelo chão.

Fez-se um segundo de penoso silêncio.

— Evidentemente um de nós é demais nesta casa. Com certeza já fizeste a escolha. Adeus!

Procurando ainda controlar-se, deixou o aposento.

Roberto fez ligeira pausa, enxugando o abundante suor que lhe brotava na testa. Frei Antônio percebia o esforço que ele estava realizando para contar-lhe tudo aquilo. Penalizado, o bom padre pousou uma das mãos em seu ombro, como para confortá-lo. Suspirando longamente, o duque continuou:

— A princípio, pensei que ela fosse embora desta casa, que resolvera abandonar-me. Fiquei muito contrariado. O escândalo sempre me horrorizou. Por outro lado, nossa vida em comum seria ainda mais difícil após a cena que tivéramos. Deixei-me ficar aqui, meio embrutecido pelos acontecimentos, rememorando cenas do presente e do passado. Devo ter permanecido assim por algumas horas, ignorava ainda que a tragédia não estava completa. Um criado arrancou-me do torpor, avisando-me que Alice fora encontrada em seu quarto, estendida no chão, possivelmente morta. Corri para lá e V. Revma. bem pode avaliar toda minha angústia. O quadro que deparei gelou-me o sangue. Alice, estendida no chão, pálida inerte. Aflito corri para ela e tomando-a nos braços, coloquei-a sobre o leito. Imediatamente ordenei que fosse chamado o doutor Villemount. Felizmente, Alice não estava morta. Disse-me o doutor que ela ingerira fortíssima dose de pílulas para dormir, naturalmente em busca de uma morte suave. A quantidade, porém, apesar de intoxicar-lhe o organismo, não foi suficiente para matá-la.

Frei Antônio, visivelmente nervoso, movimentava-se em sua poltrona, seriamente preocupado com a gravíssima tentativa de suicídio da esposa do duque. Este calou-se. Pela sua fisionomia transtornada, percebia-se claramente a luta interior. Era-lhe realmente difícil desnudar a outrem um pouco de sua vida íntima e não fosse a ajuda que esperava receber do reverendo, jamais teria lhe contado tudo.

— Agora, frei Antônio, ela dorme ainda sob efeito do remédio que ingeriu. Disse-me o doutor que dormirá algumas horas mais. Ele voltará mais tarde para assisti-la ao despertar, todavia, preveniu-me que seu coração, sob efeito da droga, está muito fraco. Qualquer emoção forte ou desagradável poderá matá-la.

— Que pretendeis fazer? — conseguiu por fim articular frei Antônio.

— Desejaria que, ao acordar, Alice vos encontrasse à sua cabeceira. Ela vos estima. Além do mais, tenho certeza de que sabereis aconselhá-la.

Ligeira pausa seguiu-se às últimas palavras do duque.

— Procurarei fazê-lo. Vossa Senhoria deve convir que a situação é delicada. Vossa esposa cometeu um pecado mortal. Se tivesse morrido, nem mesmo eu poderia abençoar-lhe o corpo. Seria enterrada sem a proteção de Deus, iria sua alma irremissivelmente para o inferno. Felizmente para ela, não morreu. Quis certamente a Divina Providência dar-lhe uma oportunidade de arrependimento. Mas a falta foi cometida e, portanto, o demônio deve ser seu companheiro neste momento. Farei todo o possível para libertá-la de suas garras, trazendo-a novamente ao caminho do Senhor.

O duque escutara caceteado as palavras do bem-intencionado sacerdote. Que lhe importava a alma de sua mulher? Nem sequer tinha a certeza de que a alma existisse realmente. O que ele desejava era restabelecer a harmonia relativa de sua casa, evitando a todo custo que seus filhos, regressando de Versailles, tivessem conhecimento dos últimos acontecimentos.

Entretanto, silenciosamente assentiu, embora o pensamento estivesse voltado a outras preocupações.

— Frei Antônio, o problema agora é minha filha Marise.

— Não pretendeis certamente trazê-la para cá! — Frei Antônio estava indignado.

Roberto suspirou como para tomar coragem.

— Para nossa casa, não. Sei que seria impossível Alice recebê-la. Mas, ao mesmo tempo, deveis convir que não poderei abandoná-la novamente. É minha filha! Minha honra obriga-me a protegê-la!

— Tarde demais vos lembrais dessa proteção!

O duque corou vivamente. Suas mãos crisparam-se nervosas.

— Nunca é tarde para a reparação de uma falta.

— Mas é filha bastarda! Filha do pecado!

— Ora, reverendo... Todos os filhos geram e nascem da mesma maneira!

Vendo o rubor que se espalhava pelas faces rubicundas do padre, rematou:

— Perdoai. Estou nervoso. Não pretendia vos ofender. Vos chamei aqui justamente para que me ajude a proteger minha filha.

— Como assim?

— Deveis lembrar-vos que Marise, além de minha filha, é sobrinha de Liete Merediet — frei Antônio concordou com ligeiro aceno. — Bem, desejo que ela venha residir com a tia em vossa companhia. Naturalmente dotá-la-ei com o suficiente para viver ricamente, bem como serão todos três contemplados em meu testamento. Nada vos faltará.

Frei Antônio olhou surpreendido para o duque, lábios entreabertos, sem saber o que responder. A surpresa emudecera-o. Impaciente, Roberto tornou:

— Então, reverendo, que dizeis?

— Não sei... Não esperava por esta proposta. Surpreende-me deveras. Mas, não haveria outra maneira de ajudá-la, sem trazê-la para Ateill?

Roberto moveu a cabeça impaciente:

— Minha filha é uma moça decente, honesta, ingênua, mantida encerrada em companhia de freiras piedosas até os vinte anos. Como arremessá-la ao mundo sem proteção? Depois, certamente será por pouco tempo, até que eu lhe arranje um casamento conveniente.

Frei Antônio, ainda mal refeito, tartamudeou:

— Mas, é preciso consultar madame Merediet. Francamente, Senhor, não vejo necessidade de irem ambas morar em minha casa. O assunto interessa somente a Liete.

— Já pensei em tudo, frei Antônio. Sei porque vos peço este obséquio. Madame Merediet concordará convosco certamente e o que resolverdes, ela fará. Quanto ao resto, esclareço-vos que para melhor conforto de minha filha, não poderei permitir que ela venha a residir na humilde casa de Liete. Poderia comprar-lhes um casa, mas, sei que o povo da aldeia comentaria, o que seria desagradável tanto para Liete como para Marise.

— Mas, minha casa também não é luxuosa, pelo contrário.

— Ninguém me impedirá de reformá-la convenientemente. Aliás, caro reverendo, o bom estado em que ela se encontra e o conforto de que dispõe fui eu quem os custeou.

O duque falava com voz que procurava tornar delicada, mas, que não encobria de todo seu tom glacial.

— Por fim, reverendo, imagino como deve ser triste uma vida de solidão. Tanto para vós como para madame Merediet, o arranjo proporcionará inúmeras vantagens.

Suspirando longamente, frei Antônio finalmente resolveu:

— Está bem. Vossa Senhoria sabe que Marise encontrará paz em minha casa. Aceito.

O rosto do duque desanuviou-se. Levantando-se, bateu amigavelmente nas costas do sacerdote enquanto dizia:

— Não vos arrependereis certamente. Esta resolução precisa ser comemorada — aproximando-se do aparador onde havia várias garrafas lindamente lavradas juntamente com alguns cálices, serviu ao padre saboroso licor.

Palestraram ainda alguns minutos, tratando dos detalhes, ficando combinado que o padre falaria ainda naquele mesmo dia com Liete Merediet.

Súbito, um criado bateu à porta do gabinete, após breve ordem do duque, penetrou no aposento.

— Chegou o doutor Villemount.

— Está bem. Conduze-o aos aposentos da senhora Duquesa. Dize-lhe que iremos ter com ele.

Após a saída do criado, Roberto segurou fortemente frei Antônio pelo braço. Via-se que estava nervoso. Conduziu-o até os aposentos de Alice. À porta, parou dizendo:

— Entrai, senhor cura. Dizei ao doutor que estarei aguardando na sala ao lado.

Frei Antônio estava cansado. A caminhada em hora tão imprópria, sol a pino, ladeira acima, as emoções da confissão do duque, sua responsabilidade no compromisso assumido, o licor que prazerosamente ingerira, haviam-no esgotado, mas, restava-lhe ainda a penosa tarefa de atender à duquesa. Compondo a fisionomia, procurando conservar-se sereno, penetrou no aposento.

Uma criada recebeu-o, oferecendo-lhe uma cadeira.

— O doutor está examinando a senhora Duquesa, senhor cura. Esperai alguns momentos.

Frei Antônio, sentado em artística cadeira, breviário entre as mãos, procurou ler uma oração, o que lhe foi fácil, embora seu pensamento incessantemente rememorasse os últimos acontecimentos. Sabia-as de cor, podia repeti-las todas do princípio ao fim sem um erro sequer. Achava que a única atitude digna de um ministro de Deus em público era aquela. Adotava-a sempre e quando por um lapso dela se esquecia, surgia-lhe na mente aquele seu professor de ética, com seu ar zangado e ouvia-lhe a voz rouquenha dizendo:

— Quando em público estiverdes esperando que vos recebam, a única atitude digna é a leitura do breviário. Não observeis o que se passa ao redor, pois basta uma distração desta natureza para que o demônio dela se aproveite, insinuando-se em vosso coração.

Frei Antônio não saberia explicar porque de todos os professores que tivera, ficara-lhe tão gravado no íntimo a figura do seu professor de ética. Aliás, nunca se detivera analisando esta particularidade do seu caráter, mas, ele era como uma censura no seu subconsciente. Assim que fugia aos seus princípios, recordava-lhe imediatamente a figura.

— Prezado frei Antônio!

O vigário levantou a cabeça e deu com a figura simpática e grisalha do doutor Villemount. Sua presença causava sempre grande prazer a frei Antônio. Foi com alegria que o abraçou.

— Caro doutor, nossas profissões nos têm reunido frequentemente. Espero que o caso não seja grave desta vez.

O semblante do médico foi sombreado por súbita seriedade.

— Na parte que me corresponde tratar, fiz o que pude, acredito que a vida da senhora Duquesa não corre mais perigo. Entretanto, resta-vos completar o meu trabalho restaurando-lhe a alma que é sem dúvida motivo de séria apreensão neste caso.

Frei Antônio suspirou tristemente:

— Trabalho árduo e difícil, meu caro Villemount. Feridas como as que leva a senhora Duquesa, custam a cicatrizar.

— É justamente o que torna seu caso biologicamente perigoso. É realmente notável a ascendência da mente sobre o corpo, sobre o funcionamento dos órgãos, da circulação, enfim, sobre a própria vida orgânica. A senhora Duquesa vive há longos anos em constante apatia. A desilusão, a incompreensão que reina neste lar, talvez de ambas as partes, fê-la criar uma depressão, um pessimismo realmente pernicioso que lhe tem causado sérias perturbações de origem nervosa. Com o choque sofrido, agravou-se este estado mórbido, levando-a, numa atitude desesperada, a buscar o suicídio.

— Triste resolução, sem dúvida. Confesso minha decepção. A duquesa recebeu boa educação religiosa. Mostrou-se sempre cordata e devota para com seus deveres perante a Igreja. Não esperava semelhante gesto.

Por alguns segundos um brilho malicioso acendeu-se nos olhos azulados e límpidos do médico.

— Meu amigo, como seu médico, há muitos anos venho seguindo o desenrolar dos acontecimentos e confesso que temia um desenlace como este.

Frei Antônio olhou incrédulo para a fisionomia bondosa e já séria do doutor Villemount.

— Mas, sentemo-nos, frei Antônio. A senhora Duquesa ainda não despertou. Esperemos pois.

Já acomodados, o padre reiniciou o assunto.

— Mas, como percebestes que este desenlace se daria?

— Talvez, meu caro amigo, porque não acredite muito na religiosidade humana. Não vos surpreendo certamente. Já temos por diversas vezes conversado sobre este assunto.

— Acreditais, então, que o homem seja incapaz de ter fé, temor e amor a Deus?

Frei Antônio falava temeroso e assustado. Tal pensamento exposto assim cruamente parecia-lhe blasfêmia.

Jacques Villemount sorriu compreensivamente.

— Conheceis os dogmas religiosos, revestistes vosso pensamento com eles e não podeis admitir que sejam criações da hipocrisia humana. Eu, porém, não vivo em um mundo ilusório como o vosso, mas a cada passo presencio os choques da maldade humana e principalmente a hipocrisia que todos revelamos em cada uma das nossas atitudes. Creio em Deus, em um ser supremo que sempre me auxilia a curar os doentes e que reside sem dúvida na parte moral, no âmago da nossa consciência, mas, por isso mesmo, recuso-me a admitir que ele se manifesta através de rituais e rezas de frases feitas. Recuso-me a crer que os homens que se dizem cristãos o sejam realmente, pois a cada passo tomo conhecimento de novos crimes, de novas maldades, de calúnias e de vergonhosas atitudes. Como acreditar na religiosidade humana? Ela não passa de utopia, de uma máscara com que os homens encobrem sua superstição, seu medo frente ao mistério incomensurável da morte!

— Vossa atitude revela pessimismo e é um desafio à sabedoria de Deus. Lamento que não recebais a religião, que não penseis seriamente na salvação da vossa alma!

— Padre, respeito sem dúvida a tarefa sempre espinhosa dos sacerdotes e das freiras, enfim, daqueles que professam a doutrina que abraçais, mas, o que me recuso a admitir, são certos princípios dessa doutrina que são verdadeiras aberrações perante a ciência e perante uma análise mais séria de suas bases.

— Quereis pôr em dúvida os ensinamentos de Nosso Senhor Jesus Cristo?

— De forma alguma. Eles encerram a mais bela e elevada filosofia que nos é dado apreciar. Aceito-os sinceramente. Mas, vossa teologia diverge em muitos pontos com os aludidos ensinamentos. Nego que as bases da vossa religião possam realmente despertar no homem seu amor para com o Criador, sua resignação frente as inevitáveis amarguras da vida. Falta-lhe certamente a palavra de conforto que chegue diretamente ao coração daquele que sofre.

— Como podeis falar assim? Certamente porque desconheceis o benefício da confissão e da comunhão.

Novamente o brilho malicioso volveu ao olhar do médico.

— Ora, frei Antônio.... As confissões humanas dificilmente são completas e ainda que assim fosse, quem nos garante que valham alguma coisa? Terá menos culpa na tentativa de suicídio da senhora Duquesa, o senhor Duque depois da sua confissão? Poderá ela apagar a ferida que ele abriu no coração da esposa? Estará ele liberto do remorso frente à própria consciência e o que é mais importante, não reincidirá na falta? Não será a confissão e a absolvição apenas um estímulo à reincidência uma vez que garante o perdão das faltas e o céu para o pecador?

— Admira-me ouvir da vossa boca conceitos tão perigosos e, o que é pior, claramente vazios da fé e do amor cristãos. Não compreendeis que a confissão apenas reconduz ao redil do Senhor a ovelha desgarrada? Na humilhação a que o pecador se impõe pela confissão revelando seus penosos e vergonhosos segredos a outrem? Em seu sincero arrependimento reside uma parte importante da confissão. Quando existe sinceridade, o pecador nela encontra alívio e conforto. A confissão não estimula a reincidência no pecado. Acontece que a carne é fraca. Esquecido o momento de fé, passado certo tempo, o homem peca novamente. Se se arrepende outra vez, será ouvido em confissão e perdoado. Jesus ensinava que deveremos perdoar sempre, setenta vezes sete. Não estará neste sacramento grandioso da Igreja a revelação da misericórdia Divina?

O semblante do médico permanecia sério. Procurava analisar o ponto de vista do padre, embora não participasse dele. Era um traço forte do seu caráter o amor à justiça, à verdade e consequentemente buscava sempre agir dentro desses princípios.

O silêncio fez-se por alguns segundos, enquanto frei Antônio permanecia entusiasmado com sua própria alegação em defesa da doutrina que abraçara.

— Certo está, meu caro senhor cura, que o perdão é um belíssimo sentimento. Protesto por julgardes meus conceitos vazios de fé e de amor cristãos. Absolutamente. Admiro o Cristo e seria feliz se pudesse imitá-lo em todas as minhas atitudes. Mas, se ele nos ensina a perdoar sempre, também nos garante que não sairemos do cativeiro até pagarmos o último ceitil. Como compreender este ponto?

— O senhor doutor perde-se em inúteis cogitações. Existem sérios problemas que não nos é dado penetrar. Apenas a Deus concerne. Não devemos nos preocupar com eles, apenas seguir o que a Igreja nos ensina pois que Jesus assim determinou.

— Senhor cura, dizer a um médico que não conjecture os porquês das coisas é inútil e pueril. Já observastes com vagar os fenômenos da natureza? Já sentistes como apesar de pródiga ela é extremamente prática? Habituei-me a analisar tudo antes de aceitar uma doutrina ou tese. Pesquisar, averiguar, faz parte da minha vida. Se assim não fosse jamais poderia restaurar a saúde de quem quer que seja. Sendo a natureza tão pródiga quanto prática, para algo deve ter-nos fornecido esta maravilha que é o raciocínio, esta faculdade que nos emancipa frente aos nossos irmãos irracionais. Será porventura falta de fé e amor estimular este raciocínio que o próprio Deus nos deu e buscar compreender o porquê das coisas, da vida na sua mais ampla finalidade? Não creio. Aceitar uma doutrina de olhos fechados apenas porque outrem no-la indicou, seria uma ofensa à nossa própria inteligência.

— Duvidais então da palavra de N. S. Jesus Cristo?

O padre estava agora rubro de indignação.

O doutor Villemount sorriu maliciosamente e dando amigável palmadinha no ombro do padre, tornou sereno:

— Não vos zangueis comigo, frei Antônio. Meu amor à verdade leva-me às vezes longe demais. Longe de mim a ideia de duvidar das palavras de Jesus. Apenas duvido e muito das palavras dos homens. E as religiões, meu caro, são obra humana. Jesus pregou sua doutrina a toda Terra, mas alguns pretendem terem se apropriado dela e em seu nome julgam, condenam, absolvem, ajuízam, conforme seus humanos concílios e suas humanas instituições.

— Vejo positivamente que não sois religioso.

— Não mesmo. As religiões foram copiadas uma das outras, enxertadas com conceitos elevados de grandes missionários de Deus, mas, estão longe de ser o ideal. Algo que explique, além da elevação dos sentimentos, o porquê da vida e de que maneira atua a tão apregoada justiça de Deus, em um mundo triste, doloroso, onde a injustiça, a calúnia, o crime, a luxúria e a hipocrisia andam sempre por cima.

— Meu prezado doutor. Entristece-me ouvir tais conceitos dos vossos lábios. Embora tenhais afirmado crer em Deus, não acho isto possível. Sois materialista. Falastes tudo quanto desejastes, agora ouvi o que tenho a dizer: além de materialista, sois pretensioso. Desejáveis talvez algum prodígio para crer que Deus sabe todas as coisas e que lhe pertence forçosamente o direito de revelar ou não a maneira pela qual atua. Muitas vezes a instrução em excesso torna-se perigosa para quem a possui. O ignorante aceita a verdade com uma compreensão explicável pois que reconhece intimamente a sabedoria da Igreja. Por isso Jesus já dizia que o reino dos céus é dos humildes e dos pobres de espírito.

Frei Antônio parou alguns segundos. Depois dando entonação mais séria a sua voz continuou:

— Deixai estas dúvidas, estas leituras que forçosamente vos têm influenciado. Procurai apenas amar a Deus cumprindo fielmente com vossos deveres cristãos. Ide à missa ao menos uma vez por mês, comungai ao menos uma vez por ano e sentireis que tudo ficará simples para vosso coração.

Villemount sorriu.

— Não resta dúvida que seria realmente muito simples, aparentemente, mas acontece que não desejo ser ignorante. Meu ideal é outro, caro senhor cura. Sabeis por acaso o que significa a medicina? O inferno que pode ser para nossa consciência deixar de salvar uma vida por ignorar a maneira de fazê-lo? Enganai-vos quanto ao destino da humanidade. Conservá-la ignorante como pretendeis, é roubar-lhe o direito aos benefícios que advém da compreensão e da cultura. Se não me falha a memória, fostes vítima de uma séria cólica renal. Como foi que restabelecestes vossa saúde? Confiando-vos à assistência de um médico que por coincidência foi este vosso amigo. Certamente, se não existissem os que investigam, os que duvidam, os que dedicam sua vida ao trabalho científico para melhorar o nível de vida neste mundo, estaríamos certamente de paus nas mãos, desnudos e selvagens, vivendo a vida primitiva. Reverendo, eu seria um hipócrita se reduzisse minha vida ao vosso conselho.

— Sois mesmo irredutível. Mas, não me rendo. Estimo-vos, pretendo salvar vossa alma, mesmo contra vossa vontade. Nestes próximos dias irei à vossa casa levar-vos alguns livros dignos de serem lidos.

Ao tom de amigável brincadeira de frei Antônio, Villemount sorriu prazenteiro:

— Terei imenso prazer em receber-vos e em palestrar convosco.

Palestraram alguns instantes mais e logo foram interrompidos pela criada:

— Senhor doutor, a senhora Duquesa está acordando!

— Vamos, frei Antônio.

O médico, conduzindo o padre pelo braço, penetrou na alcova de Alice.

Realmente, ela remexia-se no leito, mas, ainda não estava bem desperta. Via-se que sofria. Seu formoso rosto contraía-se em angustiante ríctus.

Frei Antônio encarou o doutor em expectativa. O médico, após auscultar a doente, disse-lhe em voz baixa:

— Sentai-vos ao lado do leito. Se ela falar, respondei com carinho e conforto. Não mencioneis o nome do esposo nem os últimos acontecimentos.

Frei Antônio concordou com um aceno e sentou-se em uma cadeira ao lado da cabeceira da doente. Esta revolveu-se no leito por alguns minutos mais, enquanto seu rosto demonstrava angustioso sofrimento.

— Frei Antônio, embora dormindo, ela sofre. Certamente vítima da convulsão mental provocada pela crise emocional.

Agora, as lágrimas rolavam pelas faces de Alice. Seu rosto convulsionou-se mais e por fim seus soluços irromperam qual torrente livre da barragem que a comprimia. Tanto o médico como o padre permaneceram silenciosos, esperando que ela serenasse.

Quando os soluços diminuíram, frei Antônio com voz serena e compreensiva começou:

— Acalmai-vos. Tudo passou. Tende confiança. Nosso Senhor Jesus Cristo vos ajudará.

Alice parecia nem sequer haver escutado. Continuou soluçando baixinho. Frei Antônio continuou falando, buscando confortá-la, encorajá-la. O doutor, entrementes, forçou-a a ingerir um remédio. Afinal, depois de alguns bons minutos ela pareceu realmente tornar a lucidez. Endereçou um olhar em torno, parecendo ver por fim a figura de frei Antônio, murmurou:

— Estais aqui, frei Antônio! É evidente que ainda permaneço neste mundo! Será que até este recurso me é negado?

— Vamos, senhora Duquesa. Acabai com esta atitude que muito desmerece vossa fé, vosso culto cristão. Afinal a situação não é tão grave assim, mas mesmo que fosse, vossa atitude não se justifica.

A serena energia da voz de frei Antônio pareceu sacudir a enferma da sua letargia. Suspirando profundamente, ela tornou:

— Dizeis isto porque não conheceis a extensão da minha desgraça! Minha dignidade de esposa e mãe foi irremediavelmente atingida. Meus filhos foram desmerecidos e ultrajados. Como continuar vivendo quando a desonra e a ofensa reinam em nosso triste lar? Como suportar a presença da filha bastarda de meu esposo em convivência com meus lícitos filhos?

Frei Antônio sacudiu a cabeça ligeiramente, seu olhar tornou-se grave:

— Senhora Duquesa. Sabeis da estima que vos dedico, bem como aos vossos filhos que batizei e vi crescer. Afirmo-vos sinceramente que vos enganais supondo que o senhor Duque pretende trazer para cá a pessoa a que vos referis. Vossa atitude é impensada e imprudente.

— Por acaso ainda o defendeis?

Mais uma vez o padre sacudiu a cabeça.

— Em absoluto. Concordo com vossa senhoria até certo ponto. Vosso esposo foi leviano e inconsequente. Mas, este erro foi há muito tempo, na sua mocidade. Vossa senhoria sabia de tudo há muito tempo. Por que continuar relembrando o erro fatal que tem contribuído decisivamente para a desarmonia deste lar?

— Mas padre, ele disse-me que a traria para cá!

— Ora... as palavras! Diz-se muitas coisas quando se está sob forte crise emocional. Minha palavra sempre vos mereceu confiança, pois bem, afirmo-vos que a pessoa referida não virá para esta casa. Falei com o senhor Duque e sei que ele jamais pensou seriamente em tal. Acalmai-vos pois. Vossa vida é muito preciosa para vossos filhos. Eles seriam os mais atingidos se vosso ato se houvesse consumado.

Alice parecia quieta e mais calma. As últimas palavras de frei Antônio tiveram o dom de serená-la um pouco.

— Filha, dói-me saber que não estais arrependida do ato praticado. Buscai afastar-vos da tentação, do pessimismo e dos maus pensamentos. Rogai a Deus que vos perdoe. Rogai sinceramente e ele vos abrirá os braços descendo até vós na sagrada comunhão e depois, estareis mais confortada, pronta a continuar vivendo normalmente.

— Padre, por ora eu não sinto ainda o arrependimento. Estou exausta e creio mesmo que desejo dormir um pouco.

— Está bem, senhora Duquesa. Descansai tranquila. Tudo está em paz em vosso lar agora. Pedirei a Deus por vós.

A doente adormeceu. Frei Antônio murmurou fervorosa prece. Realmente desejava auxiliar a harmonia daqueles seres que ali viviam tão perto uns dos outros, mas ao mesmo tempo tão distantes.

Frei Antônio não viu, não pôde ver, que sua prece foi prontamente atendida. Dois seres de alvas vestes prostaram-se à cabeceira da enferma afastando dali os vultos negros e sombrios que se agrupavam. Suas alvas mãos afagavam carinhosamente a doente que dormiu um sono calmo e sem sonhos.

Depois de conversar com o doutor, que agora já estava mais satisfeito com o estado da sua cliente, entendeu-se ainda uma vez com o duque acertando os detalhes do seu plano para acolher Marise.

Retirou-se por fim o reverendo, com a promessa de levar o caso ao conhecimento de Liete, conseguindo-lhe a cooperação necessária.

Frei Antônio retornou apressado, lembrando-se dos muitos afazeres que ainda lhe restavam para aquele dia. Felizmente possuía alguns amigos dedicados em quem podia confiar. Certamente teriam já adiantado os preparativos.

Passava das cinco quando chegou à casa. Nem tempo para um rápido repouso lhe restava. Na sala, Liete Merediet esperava, sentada a um canto. Terminara seus afazeres e aguardava o retorno do senhor cura para servir-lhe o jantar.

Abanou a cabeça quando o viu chegar suarento, trôpego, exausto.

— Meu Deus! Abusam certamente da vossa bondade. Quando vos darão um pouco de calma? E logo hoje?

Frei Antônio pacientemente tornou:

— Não sejas impaciente. E principalmente não critiques fatos que desconheces. Vou lavar-me um pouco e logo estarei à mesa.

Pouco depois, mais refeito na roupa limpa e os doridos pés metidos em chinelos confortáveis, tomou assento à mesa.

Apesar das preocupações daquele dia, ou talvez por isso mesmo, seu apetite estava aguçadíssimo. Sua fome aumentava consideravelmente quando desgostoso, preocupado ou entediado. Era uma certa compensação que inconscientemente dispensava ao seu espírito. Porque o organismo ingere, mas, o espírito saboreia. Quanto mais preocupado, mais comia.

Depois de muito mastigar, deliciar-se com a saborosa refeição, dirigiu-se a Liete:

— Preciso falar-te. O assunto é delicado e muito importante. Senta-te... — e depois de breve pausa — Nunca mais tiveste notícias de tua irmã Anete?

Liete estremeceu ligeiramente enquanto seu rosto purpureava-se.

— Não, senhor cura.

— Pois vou contar-te tudo. Estou autorizado a fazê-lo.

Pausadamente relatou sua entrevista com o duque, uma vez que este o autorizara a tal. Calada, cabeça baixa, ela ouviu e embora procurasse recalcar a emoção, suas mãos tremiam ligeiramente.

— Estou encarregado pelo duque de fazer-te uma proposta. Ele precisa de uma família para proteger sua filha com Anete. Pensou em ti. És tia de Marise e seu único parente. Deseja que recebas a jovem em tua companhia e venham morar nesta casa, sob minha proteção. Custeará todas as nossas despesas bem como dotará Marise regiamente. Que dizes?

Apanhada de surpresa, Liete não sabia o que dizer. Ficou calada por alguns instantes, depois perguntou:

— E vossa reverendíssima, aceitou o acordo?

— Aceitei e por duas razões muito sólidas. Esta moça é de muito boa educação. Cresceu internada no colégio de St. Michelle e necessita da minha proteção moral. Depois, não será por muito tempo. O senhor Duque deseja casá-la assim que for possível.

Madame Merediet estava excitada. Habituara-se à rotina dos últimos anos e agora tudo seria diferente. Não podia recusar aquele compromisso, aliás, não desejava fazê-lo. Sentia-se importante com aquela atribuição. O orgulhoso Roberto necessitava dela: Liete Merediet! Baixando o olhar para que frei Antônio não visse o brilho de satisfação e orgulho que nele havia, articulou:

— Aceito, senhor cura, mas com uma condição. Ela virá para minha companhia, terá portanto que sujeitar-se à minha tutela e obedecer-me.

— Certamente, Liete. Outra causa não desejava o senhor Duque senão protegê-la. Minha iniciativa prende-se tão somente a este objetivo. Ademais vivemos tão sós que a companhia da jovem nos proporcionará momentos de alegria. É nosso dever de cristãos abrigar essa moça que não tem culpa da leviandade dos pais.

Liete concordou plenamente. Passaram então a acertar os detalhes.

Frei Antônio ficou satisfeitíssimo com o recado do sacristão de que tudo estava pronto para a festa de logo mais e na mais perfeita ordem. Alegremente resolveu descansar um pouco. Tinha tempo até as seis e meia, quando deveria preparar-se para o início das solenidades logo mais às sete.

Estirou-se no leito e a sensação de repouso foi-lhe tão agradável que não pôde deixar de mentalmente agradecer a Deus, que lhe permitia o tão desejado momento de descanso. Adormeceu suavemente.

Sonhou que estava caminhando por uma estrada muito estreita e triste cujas pedras continuavam a ferir-lhe os pés já tão doloridos. Estava já resignado com seus sofrimentos, quando notou que o caminho alargava e uma jovem de radiosa beleza surgiu à sua frente, alegre e feliz. Não parecia contar mais do que 15 anos, era formosa, mas sua beleza não lhe vinha dos traços fisionômicos, mas, da serena lucidez dos seus olhos, da radiosa pureza de sua expressão.

Frei Antônio retribuiu-lhe o sorriso. Ela, tomando-lhe a mão carinhosamente, murmurou:

— Estás cansado, teus pés doem e os anos já pesam sobre teu corpo. Vem. Conduzir-te-ei a um local onde retemperarás tuas forças.

Neste instante, frei Antônio sentiu seu cansaço desaparecer. Seus pés não mais pousavam no chão e uma agradável sensação de leveza o invadiu. Percebeu que deslizavam por jardins e prados floridos onde os pássaros cantavam alegremente. Parecia-lhe mesmo ouvir suave música no ar.

— Estou no paraíso — pensou ele.

A jovem olhou-o e sorriu.

— Estamos longe ainda do paraíso — disse-lhe atenciosa.

Frei Antônio perturbou-se compreendendo que ela lera-lhe os pensamentos. Pouco depois chegaram a uma assembleia. Ele percebeu que alguém falava em alta voz. Dizia:

— A responsabilidade é nossa. Nós assumimos os compromissos morais que desejamos. Devemos evitar o fracasso e vencer os obstáculos. O arrependimento é um sentimento doloroso de desencanto. A verdadeira felicidade consiste em vencermos as lutas interiores. Quando nos propo-mos à realização de algo bom, sabemos que fatalmente teremos que lutar contra as nossas próprias fraquezas e com o ambiente que criamos, no qual nos habituamos a viver no passado e que nos torna agradável a permanência nas coisas imediatistas. Sempre que lutamos contra o tédio e seguimos o desejo de alimentar nosso espírito aprimorando-o, satisfazendo-lhe a sede de elevação, encontramos nossos vícios e fraquezas com mais frequência, sofrendo-lhe as tentações. Vencê-los é trabalho nosso. Quando conseguirmos, sentiremos despontar uma nova luz dentro de nós. Seremos mais fortes, passaremos a compreender mais a criação e as criaturas. Nos tornaremos mais felizes. Se formos vencidos, porém, o tédio será ainda mais forte e seremos cada vez mais fracos, infelizes, sem vontade nem força. Estaremos enfrentando a crítica da nossa consciência. Seremos transformados em seres amargos e desiludidos, sem fé nem em si mesmos, pedaços de folhas atiradas pelo vento, ao sabor da vida.

Lutemos agora, sejam quais forem os obstáculos. Lutemos para manter os compromissos assumidos, para que nossa consciência se fortifique dilatando sua confiança em nossas próprias forças e principalmente no Criador.

Encerrando a palestra, o orador fez breve e comovente prece ao Pai Celestial.

Frei Antônio ouviu-lhe as palavras com agrado, procurando vislumbrar sua figura. Sua fisionomia pareceu-lhe muito familiar. O orador pareceu reconhecê-lo também. Aproximou-se e apertou-lhe amistosamente a mão.

O que palestraram, frei Antônio não se recorda, mas, sentiu-se bem com sua presença otimista, alegre, que acordara em seu íntimo profunda vontade de vencer.

Depois, sua jovem cicerone tomou-lhe a mão e conduziu-o para outro local.

Encontrou-se em uma cela de convento. Uma freira estava trabalhando em delicado bordado enquanto uma jovem sentada ao seu lado parecia absorta e pensativa.

Frei Antônio notou que não tinham sido vistos por elas. A freira levantou a cabeça e impacientou-se:

— Marise! Presta atenção. Como queres aprender o ponto se permaneces assim distraída? Em que pensas?

A jovem e formosa moça sobressaltou-se e respondeu:

— Perdão. Pensava no que será de minha vida. Ah! se eu pudesse sair daqui!

— Então não gostas de nós!... Queres deixar-nos!

A moça corou vivamente. Seu formoso rosto alvo ficou ainda mais belo, realçado o castanho de seus bastos cabelos e o brilho de seus olhos azuis.

— Não é bem isso, sóror Maria. É que não sou criança. Desejo conhecer a vida, viver! Tenho desejos de ver o mundo, saber como se vive fora desta casa. Gosto de todos daqui, mas, tenho vinte anos e preciso construir minha vida.

Neste ponto a jovem cicerone de frei Antônio disse-lhe:

— Agora que já a viste, voltemos pois que é hora.

Frei Antônio despertou assustado com as pancadas insistentes na porta. Liete prevenia-o da necessidade de levantar-se.

Levantou-se ainda meio atordoado pelo sono e, enquanto lavava o rosto na bacia do lavatório, procurava recordar-se do sonho tão interessante. Por mais que se esforçasse, não conseguia recompô-lo fielmente, mas conservava muito viva as emoções agradáveis que sentira.

O que mais lhe surgia nitidamente no pensamento era a figura de Marise. Sorriu de leve. Como deveria estar preocupado com o que se passara naquele dia para sonhar e criar até uma figura que ele ainda nem conhecia! Mas, os sonhos são assim, confusos e complicados. Sorriu mais uma vez. Depois de preparados saiu, dirigindo-se à Igreja onde deveria dar início às festividades.

Capítulo 3

A carruagem bamboleava-se algo preguiçosa, levantando no leito da estrada uma nuvem de poeira, enquanto que os cascos dos animais batendo nos pedregulhos do caminho com ruído monótono, provocava mais sonolência no único passageiro que conduzia.

A um solavanco inesperado, frei Antônio assustou-se ligeiramente, arrancado do seu agradável cochilo. Viajava desde cedo rumo a St. Michelle. Combinara com o duque ir pessoalmente buscar Marise no convento. Deveria entender-se com a superiora a fim de inteirar-se de tudo quanto se referia a ela. Até que ponto conheceria a verdade sobre o seu nascimento? O duque desejava passar ignorado tanto quanto possível. Sempre se sentira pouco a vontade frente às consequências de suas faltas, embora nem por isso deixasse de praticá-las novamente se tivesse ensejo. Por isso, alugara uma carruagem para frei Antônio ir até o convento ao invés de emprestar-lhe a sua.

Frei Antônio já tomara o lanche cuidadosamente preparado por Liete que permanecera em casa à espera da sobrinha.

O dia estava quente, e frei Antônio suarento no interior do carro que era um forno. O sol o apanhava em cheio esquentando suas almofadas que pareciam um braseiro, envolvendo o viajante em uma espécie de modorra.

Finalmente, às duas da tarde, pararam frente aos solenes portais de St. Michelle. A uma palavra do cocheiro, o porteiro abriu o largo portão de madeira e a carruagem penetrou em agradável alameda sombreada por copadas árvores que transmitiram a frei Antônio uma frescura deliciosa.

Anunciado pela porteira, frei Antônio foi recebido imediatamente pela madre superiora. Esta, conhecendo-lhe pelo aspecto a fadiga, afavelmente conduziu-o a uma rústica, mas agradável sala, onde mandou que lhe fosse servido refresco com alguns biscoitos.

Depois de palestrarem sobre alguns assuntos inerentes às suas ordens religiosas, o silêncio se fez e frei Antônio compreendeu que chegara o momento de tratar do assunto que o levara até lá.

Calmamente expôs o caso à sua interlocutora que atenciosamente o ouviu.

— Não me causa surpresa a atitude de Marise. Ela é uma boa menina, muito estudiosa. A estimamos bastante, mas, está iludida com as belezas transitórias de um mundo que desconhece. Gostaríamos que tomasse o véu e continuasse conosco, mas falta-lhe a verdadeira vocação. Se permanecesse aqui, ser-lhe-iam certamente poupadas muitas amarguras, muitas mágoas, que o contacto com o mundo lhe trará. Sabemos que lá as desilusões são inevitáveis. Entretanto, não poderíamos forçá-la a permanecer. Podeis pois levá-la.

— Dizei, irmã Flávia, Marise conhece o passado dos pais?

A freira suspirou tristemente.

— Infelizmente. Sua mãe não consentiu que ela permanecesse ignorando a verdade. Não pudemos evitar que ela tomasse conhecimento de tudo. Aliás, sempre que pode, Anete tem comparecido ao convento para vê-la.

Frei Antônio esboçou surpresa:

— E... seu marido... o marquês de Valience... sabe?

A madre superiora sacudiu negativamente a cabeça:

— Suas visitas aqui não lhe provocam suspeitas. Sabe que sua esposa foi nossa hóspede.

— E como recebe a jovem sua situação tão delicada?

— Vivendo sempre reclusa entre pessoas que a estimam, não conhece bem ainda o significado da sua situação perante a sociedade em que deseja viver — a voz da madre traía certa inquietação — este é um dos motivos pelos quais eu desejaria que ela ficasse entre nós.

— Não vos preocupeis. Ela terá em mim e em sua tia que a espera, o amparo e a compreensão que necessita. Depois, o duque tudo fará para que ela seja feliz.

Madre Flávia suspirou fundo:

— Está bem. A vontade de Deus é mais sábia do que a nossa. Espero que ela seja feliz em sua nova vida. Agora, se desejais repousar um pouco, conduzir-vos-ei à cela dos hóspedes.

— Não posso demorar-me. Não tenho substituto na paróquia e múltiplos afazeres me esperam. Seria bom se pudéssemos seguir o quanto antes.

O semblante de Madre Flávia traiu sua emoção. Procurou controlar-se, mas era evidente que a partida da jovem a entristecia.

— Está bem. Irei ter com ela imediatamente e ajudá-la a preparar-se. Com licença.

Suavemente deslizou pelo aposento num ruge-ruge delicado de suas saias amplas e engomadas.

Frei Antônio, confortavelmente acomodado em gostosa poltrona, permaneceu aguardando seu retorno em companhia da jovem que seria, dali por diante, sua protegida. Como seria ela? Naturalmente uma menina igual as demais que tantas vezes vislumbrara nos colégios e conventos que visitara.

Repentinamente, acudiu-lhe à memória a imagem da jovem que vira em sonhos. Como ela permanecia viva em sua mente! Sorriu interiormente de seus próprios pensamentos. Certamente a realidade seria bem diferente! Sua mente preocupada forjara aquela imagem que não existia.

Os minutos corriam lentamente para frei Antônio que se encontrava muito à vontade naquele ambiente de móveis escuros e sóbrios, cheirando a umidade apesar do verão, escrupulosamente limpos. Preguiçosamente levantou-se, encaminhando-se para uma janela.

Realmente o convento de St. Michelle era um imponente edifício. De lá, descortinava-se parte de sua fachada de largas pedras, com uma cruz esculpida em relevo sobre a porta de entrada. Os jardins naquela época do ano estavam lindamente floridos e os pássaros alegravam o ambiente com seus cantos, formando bizarro contraste com a seriedade do mosteiro.

Frei Antônio foi subtraído à sua contemplação pela voz da Madre Superiora que retornava.

— Lamento nossa demora, senhor cura.

Frei Antônio voltou-se solícito dizendo:

— Contemplava a magnífica paisagem que nos oferece esta casa. Os minutos escoaram-se rápidos — só então reparou na jovem que um pouco atrás da superiora aguardava cabisbaixa. Trazia sobre as vestes uma capa azul-marinho muito ampla, que lhe cobria os braços e um capuz caído às costas. Pequena maleta descansava a seus pés.

O velho sacerdote estremeceu subitamente emocionado. Parecia-lhe já ter visto aqueles belos cabelos castanhos.

— Vem cá, minha filha — disse a superiora, e voltando-se para frei Antônio: — Esta é Marise.

A jovem levantou para ele dois olhos excitados e brilhantes. Via-se que chorara e seu rosto conservava sinais de grande emoção. Frei Antônio não pôde conter uma exclamação de susto. Estava diante da jovem com quem sonhara alguns dias atrás.

— É ela! — exclamou sem poder conter-se.

— Vossa Revma. já a conhecia? — estranhou a madre.

Frei Antônio sentiu-se embaraçado. Como poderia explicar o sucedido? Temia parecer ridículo. Procurando serenar-se, disfarçou:

— A ela? Não. Mas é muito parecida com a mãe!

A explicação satisfez, embora Marise não estivesse preocupada com isso. Dirigindo-se à jovem, ele disse:

— Sabes que vim buscar-te?

Marise, olhando-o fixamente nos olhos, respondeu:

— Sim. A madre colocou-me a par da nova situação.

— Desejas vir comigo?

Sem desviar o olhar da fisionomia vermelha e bondosa de frei Antônio, Marise tornou:

— Sim.

Ao tomar conhecimento da decisão que seu pai tomara sobre seu destino, Marise não pudera furtar-se a um certo temor. Desejosa de sair do convento, havia escrito à sua mãe manifestando esse desejo. Até aquele dia não obtivera resposta. Agora que a hora chegara, sentia-se um pouco temerosa em deixar a proteção das freiras para conviver com pessoas desconhecidas. Contemplando porém a figura bondosa de frei Antônio, seus temores diluíram-se. Somente restava a excitação. Durante os últimos anos aguardara ansiosamente o momento de viver sua própria vida longe da monotonia do convento, contudo, agora que esse momento chegara, sentia-se mergulhada em melancolia. O rumo de sua vida ia mudar. Sentiria saudades das pessoas que aprendera a estimar no colégio, que fora até então, seu lar, mas ao mesmo tempo desejava viver, conhecer o mundo, ver coisas novas.

Frei Antônio, conforme combinara com o duque, prontificou--se a pagar as despesas eventuais da educação de Marise, porém, Anete já se havia encarregado deste particular. Ultimaram pois os preparativos para o regresso a Ateill.

O crepúsculo descia sobre a Terra, envolvendo em sombras o céu que os últimos raios solares matizavam de um rosa incandescente. Para frei Antônio tornou-se muito mais agradável o regresso por diversos e poderosos motivos: o calor abrandara e uma brisa ligeira penetrava gostosamente pelas janelas abertas. A certeza de haver cumprido sua tarefa sem grandes problemas e ainda porque a figura bela e serena da jovem despertava-lhe incontida simpatia.

No início da viagem, haviam palestrado sobre coisas triviais. A vida de Marise no colégio, o que aprendera nos anos em que lá estivera, a vida em Ateill, sua tia Liete e o sistema social daquela comunidade.

Marise ouvia tudo com prazer, procurando esquecer-se da triste despedida de momentos antes, das lágrimas que lutara por reter, mas que por fim haviam rolado abundantes.

A vida que frei Antônio descreveu, decepcionaria qualquer moça. Era sóbria e sem grandes emoções. Para Marise, porém, comparada à monotonia do colégio, parecia um paraíso. Seus olhos, que frei Antônio reconheceu luminosos, brilhavam de alegria.

Entretanto, ela não era pródiga em palavras e esgotado o assunto, caiu sobre eles o silêncio. O silêncio sempre fala. Ele pode ser opressivo, ofensivo, compreensivo, amigo confortante, piedoso, malévolo ou odioso.

O silêncio acusa, mente, perdoa, consola, conforme o momento e as criaturas. Marise gostava da linguagem do silêncio. Aquele era apenas um silêncio natural e agradável onde a liberdade de pensamento era positiva.

É difícil fazermos companhia a outra criatura de maneira feliz. Existem pessoas que se julgam na obrigação de manter uma palestra, pensando assim serem amáveis, outras ouvem com o mesmo fim, mas, o bom companheiro é aquele que não tolhe com sua presença a liberdade do seu interlocutor. Fala o necessário, ouve o necessário e conhece o momento psicológico do silêncio. Marise e frei Antônio eram bons companheiros, apesar do recente conhecimento, da diferença de idades, etc.

Assim, enquanto ela, fixando a paisagem, olhos semicerrados, recostada na almofada do carro, sonhava com o futuro, frei Antônio pensava na estranha coincidência do seu sonho. Teria sido um sonho profético? Uma visão?

Não! Não poderia ter sido. Essas coisas somente acontecem aos santos, e ele, bem o sabia, estava longe da santidade. O que seria então? Teria N. S. Jesus Cristo feito com que ele sonhasse com ela? Mas, para quê?

Em todo caso, fosse como fosse, não contaria o fato a ninguém para não correr o risco de ver-se ridicularizado.

Finalmente a carruagem parou frente a casa do padre junto à Igreja. A casa fora pintada naqueles dias e conservava ainda o cheiro agradável das coisas novas. Sofrera também consertos e reparos que lhe haviam melhorado o aspecto. O duque comprara, ele mesmo, os móveis para o quarto da filha e combinara com Liete a compra do enxoval de Marise que seria feita em Paris.

Na entrada, o vulto escuro de madame Meredіet os esperava. Sua fisionomia dura revelava ligeiro tremor, apenas levemente perceptível. Havia se mudado naquele dia e a curiosidade dos habitantes da aldeia fora despertada. Pressentiam algo de diferente e as mulheres já cochichavam quando a viam, perguntando-se o porquê de tantos preparativos.

Os comentários tinham chegado a tal ponto que, diante das lágrimas de madame Merediet, temerosa da sua reputação, frei Antônio fora obrigado em um dos sermões a esclarecer: traria para casa sua sobrinha Marise, órfã de pai e mãe que passaria a residir em sua companhia. Agradeceu publicamente a colaboração de madame Merediet, sua proteção à jovem de quem ele era o único parente vivo.

Assim, todos se satisfizeram e apenas a curiosidade os fazia ainda comentar o assunto, perguntando-se como seria ela.

Frei Antônio odiava mentir, porque reconhecia estar cometendo pecado, mas, ao mesmo tempo, pensava que o fim justificava os meios, Jesus compreenderia que a verdade jamais deveria ser revelada pois que atingiria a honra de criaturas inocentes. A aldeia era pequena e todos se conheciam. A satisfação pública tornara-se indispensável à boa acolhida de Marise.

Extremamente curiosa e com carinhosa delicadeza, Marise fixou o semblante da tia que via pela primeira vez. Seus olhares se encontraram. O de Liete, duro, mas cortês, onde se pintava também fugitiva curiosidade. Abraçaram-se as duas na soleira. Liete beijou formalmente a testa da sobrinha dando-lhe as boas vindas.

Marise não pôde deixar de notar a falta de semelhança entre sua mãe e sua tia. Entretanto, afastou este pensamento pouco agradável e com entusiasmo acompanhou-a para o interior da casa.

Apesar de modificada, a casa de frei Antônio ainda era austera, com exceção do quarto de Marise. O duque fizera questão de decorá-lo de maneira alegre e jovial como convinha à idade da filha.

Mas em Marise — a quem a sobriedade de St. Michelle pesava — a pequena casa despertou grande entusiasmo.

— Então, Marise, gostas do teu aposento?

A jovem voltou seu olhar luminoso para frei Antônio.

— Adoro! Quem o decorou?

Embaraçado, frei Antônio não respondeu de pronto. Ela continuou:

— Teria sido o senhor? — ele abanou a cabeça em negativa. — Tia Liete não é possível. Não desejo ofender-vos, minha tia, mas acredito que este — designou o quarto com gesto — não é do vosso gosto.

— Pois acertou, menina. Não gosto deste quarto. É enfeitado demais. Não vejo necessidade de tantos babados e cortinas. Isto só nos dará transtorno para limpá-lo.

Marise, longe de decepcionar-se, riu sonoramente. Seu riso ecoou agradavelmente naquele ambiente onde os jovens nunca haviam existido.

— Pois minha tia, ele é exatamente como eu desejaria. Mas, se não fostes vós, quem...

Ficou alguns segundos pensativa, depois, súbito rubor invadiu-lhe as faces. Até aquele momento não haviam falado sobre seu pai. Marise desejava conhecê-lo, mas, ao mesmo tempo, sentia profundo ressentimento, um misto de ciúme e ternura que jamais confessara a ninguém. Não se julgava uma filha do pecado nem condenava o erro dos pais. Compreendia-lhes e desculpava-lhes as fraquezas. O abandono de que fora vítima por parte deles a magoava, embora não desejasse confessá-lo nem a si mesma.

Agora pensava nele. Sem dúvida, ao seu bom gosto devia o arranjo primoroso do seu pequeno mas confortável quarto.

Temendo que seus interlocutores lessem em seu rosto a natureza complexa dos seus sentimentos, voltou-lhes as costas, fingindo examinar a maravilhosa cama, macia, larga, rodeada por suaves cortinas cor-de-rosa, confeccionadas em fazenda finíssima e transparente. Vendo que seus novos amigos continuavam calados, Marise tornou:

— Não importa. Basta que ele seja meu, o que me agrada muitíssimo.

Frei Antônio suspirou aliviado. A jovem, apesar de ingênua e do sistema rígido em que fora educada, demonstrava uma compreensão que na presente situação muito o alegrava, por facilitar-lhe a tarefa.

— Estimo que gostes. Agora desejas naturalmente repousar um pouco.

— Nada disso. Primeiro tomareis ligeira refeição, depois então, podereis descansar.

— Seja... Seja... — concordou frei Antônio pois que a ideia lhe sorria de certa maneira. — Esperar-te-emos na sala.

— Estarei lá, dentro de alguns instantes.

Quando se viu só, Marise cerrou a porta e alegremente pôs-se a examinar detalhadamente o quarto. Nunca possuíra nada para si. No colégio tudo era de todas e se quisesse ficar só para pensar, precisava recorrer a diversos estratagemas. Algumas vezes fingia-se de doente. Receosas de moléstias contagiosas, as freiras tinham um quarto separado em que as internadas permaneciam até a constatação da moléstia ou sua cura.

Quando a doença não aparecia, como na maioria das vezes era o caso de Marise, administravam-lhe duas colheres de óleo purgativo, o que a deixava realmente doente por dois ou três dias. Mas, Marise não se importava. Pelo menos vivera alguns dias só em um quarto, como uma dama.

Era sociável, mas às vezes a felicidade de suas colegas que passavam as férias em casa, que falavam dos pais com naturalidade, que recebiam bolos e presentes, deixavam-na sentir-se solitária e triste. Como represália estudava com afinco e suas notas sempre haviam sido melhores do que as delas. Era uma forma de ver-se respeitada — pensava ela — e uma maneira de ver-se independente quando crescesse. Seus pais não a quiseram, mas haveria de mostrar-lhes não necessitar da sua proteção, de bastar-se a si mesma.

Aceitara a proteção do pai temporariamente. Somente assim poderia sair daquela prisão coletiva, como intimamente denominava o convento. Estava cheia de sonhos! Sonhos de artista! Marise pintava. Gostava de fazê-lo. Tinha facilidade para o desenho. Surpreendera agradavelmente seus mestres no colégio. Até a bem pouco, seus trabalhos haviam sido pequenos e sem o real valor artístico. No futuro dedicar-se-ia ao trabalho, com a certeza de poder vencer. Na escola, fora forçada a pintar como e o quê o professor desejava. Ele cortara todo seu impulso natural, tachando-a de reformista e sem noção do estilo clássico, mas Marise possuía estilo próprio, algo dentro de si que necessitava extravasar. Acreditava no próprio talento.

Pensativa, abriu a mala que descansava sobre pequena mesa. Seus objetos queridos foram sendo com rapidez distribuídos pelo quarto humanizando-o. Colocou as roupas, que eram poucas, nas gavetas. Foi quando notou uma caixa lavrada e de tamanho regular sobre um pequeno consolo.

— Que beleza! — pensou. Tomou-a com ambas as mãos para examiná-la melhor. Curiosa, girou a pequena chave de prata que a fechava. Sua tampa levantou-se automaticamente e o som alegre de um minueto encheu o ar. O pequeno susto de Marise transformou-se em entusiasmo. Dentro, um envelope lacrado. Leu: Para Marise.

Emocionada, tomou-o com mãos trêmulas. Colocando a caixa aberta sobre o consolo, abriu o envelope e leu:

"Minha querida filha. Desejo que o aposento esteja a teu gosto. Não me foi possível esperar-te hoje, como seria do meu agrado, entretanto, esteja certa de que meu pensamento está contigo. Rogo aceites esta pequena lembrança que aqui está. Irei ver-te dentro em breve e então conversaremos sobre o teu futuro e sobre o meu passado.

Afetuoso abraço de teu pai."

A carta não continha o nome, mas Marise nem sequer percebeu o detalhe prudente do duque. Com mãos trêmulas, pegou o pequeno saco de veludo que estava cuidadosamente arrumado no fundo da caixa. Quando o abriu, vivo rubor tingiu de emoção suas lindas faces. Continha maravilhoso colar de brilhantes e esmeraldas que rutilaram ante seus olhos maravilhados. Devia valer uma fortuna! Atados por finíssimo cordão dourado, estavam também os brincos em conjunto. Passado o primeiro entusiasmo, a expressão de Marise transformou-se. Então era isto! Com aquelas pedras ele pretendia comprar-lhe a estima! Como seu pai não a conhecia! Julgava que o brilho fascinante de algumas pedras pudessem apagar os anos de solidão, de ausência do lar, a falta do carinho paterno!

Contrariada, enfiou rapidamente as joias no saco, recolocando-o na caixa, fechou-a novamente. A música cessou e Marise sentiu vontade de chorar.

Algumas pancadas soaram na porta do quarto.

— Marise, estamos a espera para a ceia.

— Desculpem. Não me demorarei.

Resoluta, enxugou as lágrimas, tirou a capa que ainda envergava, fez rápida toalete e saiu em seguida, para participar da ceia mesmo sem apetite.

Capítulo 4

Os dias que se seguiram, foram para Marise suaves, deliciosos. A descoberta da vida cotidiana da aldeia enchera-a de entusiasmo, alegria e confiança. Rapidamente familiarizara-se com Liete que, apesar de disfarçar, tomara-se de ternura pela sobrinha que viera preencher o vazio de sua vida sem filhos e sem objetivos.

Sentindo-se longe e livre dos enormes muros de St. Michelle, Marise procurava desfrutar o mais possível a vida campestre, extasiando-se frente as campinas magníficas que avistava do alto da torre da Igreja. Frequentemente, saía a passeio pelos bosques, descobrindo feliz a vida dos pássaros, das borboletas e das flores.

Ninguém diria, vendo-a rosada pelo sol, a correr pelos campos, com os teimosos anéis da sedosa cabeleira castanha caindo-lhe pela testa, ouvindo o chasquear do seu riso alegre e feliz, que Marise já completara vinte anos.

Frei Antônio habituara-se com facilidade à presença alegre da moça que transformou sua vida, fazendo emergir do seu coração o amor de pai, até então desconhecido. A princípio, fora somente sua jovialidade que o atraíra, mas, depois, conhecendo-a melhor, aprendeu a admirar sua lucidez e sua mentalidade adulta.

Marise sempre olhava firmemente nos olhos das pessoas com as quais conversava. Captava rapidamente a simpatia pela sinceridade e pelo respeito com que se relacionava com elas. Frei Antônio admirava particularmente sua capacidade de conhecer o íntimo de cada um, sabendo como conviver com todos de maneira adequada.

Assim, naqueles trinta dias que estava residindo ali, Marise havia conquistado completamente a confiança e estima de frei Antônio. Era com prazer que o velho sacerdote conversava com ela, expondo-lhe alguns dos seus problemas com a paróquia e os paroquianos, surpreso por ouvir-lhe sempre opiniões sensatas e práticas. Algumas vezes chegava mesmo a esquecer-se que conversava com uma mulher, além do mais, jovem.

Certa manhã, Marise levantou-se não muito cedo como de costume e preparava-se para sair quando Liete alvoroçada bateu-lhe à porta do quarto.

— Marise! Marise, minha filha!

— Entra, titia — e reparando na fisionomia transtornada de Liete — O que há? Parece que a casa pegou fogo!

— Não brinque, Marise. Finalmente ele veio!! Veio ver-te!

Marise empalideceu. “Ele” certamente seria seu pai. Finalmente! Esperava sempre por essa visita com um sobressalto no coração. Desejava-a e temia-a ao mesmo tempo. Por que não viera antes? Teria receio ou falta de estima?

Enfim, o tão desejado e ao mesmo tempo temido momento chegara. Enfrentá-lo-ia serenamente. Procurando dominar-se, segurou Liete pelos ombros enquanto dizia:

— Não te preocupes. Saberei como agir. Diz-lhe, por favor, que descerei dentro de alguns minutos.

Ao contato em seus ombros dos dedos firmes da sobrinha, Liete recuperou o habitual sangue frio e recompondo a fisionomia, tornou:

— Direi. Naturalmente sabes como recebê-lo.

Saiu enquanto Marise procurava o espelho buscando nele sua imagem excitada e nervosa. Lavou o rosto em água fria, empoou-o ligeiramente. Quanto ao traje, serviria aquele mesmo. Seu coração estava aos saltos no peito debatendo-se entre a curiosidade e o receio. Como seria ele?

Entrementes, Roberto esperava na sala. Seu pensamento divagava. Como Marise o receberia? Desde que ela chegara, desejara vê-la, mas um sentimento de culpa, mais forte do que sua vontade, o abatia impedindo-o de ir até a casa do padre.

Temia a presença da filha, temia antes de mais nada as suas censuras pela atitude que tomara no passado com referência a Anete e a ela mesma. Mas, sentia que fugindo novamente à sua responsabilidade, retardando o momento de uma explicação entre ambos, estaria consolidando a muralha que a separação erguera entre eles, criando assim uma dificuldade maior a ser removida.

Resolveu, por fim, enfrentar a situação, mas, embora lutasse para aparentar calma na tentativa de encobrir seus sentimentos, havia certo temor em seus olhos.

Sabia por frei Antônio que sua Marise já não era criança. Haveria de conquistar-lhe a estima, fazendo-a compreender o passado.

Em pé, frente a uma das janelas, o duque esperava, olhos fixos na paisagem sem entretanto nada ver. De repente, notou que suas mãos estavam geladas e molhadas.

— Estou nervoso! — pensou. — Tolice. Afinal tenho feito todo o possível para remediar meu erro!

Afastou-se da janela algo impaciente. Por que demorava tanto? Teria o atrevimento de recusar-se a recebê-lo? Roberto passou o lenço de cambraia guarnecido de finíssima renda pela testa um pouco suada.

— Não. Ela não faria isto! MeredIet o avisara de que ela desceria em seguida.

Sentou-se. Seus olhos voltaram-se para o quadro pendurado na parede. Jesus crucificado. Suspirou. Aquele, apesar de inocente, fora crucificado, e ele? Ele era culpado de muitas coisas e apesar da absolvição bondosa de frei Antônio, sua consciência às vezes o incomodava chamando-o à responsabilidade.

O perdão era barato — pensava, — mas o esquecimento muito caro. Se fora perdoado, por que não podia esquecer os erros passados dos quais Marise era apenas ínfima parcela? Seria sua consciência mais forte do que o perdão de Deus? Mas teria Deus, através do padre, perdoado realmente?

— Estou divagando! — pensou sacudindo a cabeça como para expulsar os pensamentos inoportunos.

Apanhou um livro sobre a mesa e começou a folheá-lo maquinalmente. Um ligeiro ruído, a porta gemeu sonoramente sob os gonzos e Marise surgiu diante dele.

Um pouco enleados, surpresos, fitaram-se. Roberto esqueceu-se de tudo quanto pensara momentos antes, deixando-se envolver por doce emoção. A jovem que tinha diante de si era linda, muito mais do que imaginara. Mas, além da beleza do seu rosto de linhas puras, do maravilhoso contraste formado pela alvura de sua tez com o castanho dourado dos seus ondulados cabelos, olhos profundos de um azul muito escuro, da elegância de suas formas ressaltadas pela singela sobriedade do seu vestido, havia aquele olhar luminoso, franco, que sustentando o olhar do interlocutor, buscava desnudar-lhe o caráter.

Surpreendeu-se, desejando a todo custo conquistar a estima de tão formosa filha.

Marise, entretanto, muito emocionada, faces coradas, penetrara na sala preparada para uma possível desilusão. Entretanto, a elegante figura do duque, bem como a súplica que lera em seu olhar, haviam-na emocionado favoravelmente. Seus olhos se encontraram. Um olhar foi suficiente para que ela compreendesse de um lance a volubilidade do seu caráter.

Um tanto embaraçada, adiantou-se, estendendo-lhe as mãos.

— Senhor, esperava ansiosamente vossa visita. Lamento ter-vos feito esperar.

Vencendo a emoção, Roberto tomou-lhe a mão levando-a aos lábios. Desejaria tê-la abraçado, porém, seu constrangimento não permitiu.

— Marise! Marise! Minha filha, quantos anos! Mas como és linda!

Sustendo nas suas a pequena mão da filha, Roberto não se cansava de admirá-la. Marise sorria um pouco envaidecida.

Depois de algumas exclamações de júbilo, conduziu-a para uma cadeira sentando-se em outra, a seu lado.

— Suponho que sabes por tua mãe todo nosso passado — Roberto falava compassivamente, estudando no rosto da filha as reações que suas palavras provocavam.

Marise calmamente assentiu.

— Não sei a maneira pela qual Anete relatou nossa história. Temo que em seu ressentimento tenha exagerado minhas atitudes... — calou-se embaraçado.

— É possível... — mas notando o olhar ansioso do duque, aduziu: — Não tenho intenção de julgar ninguém, muito menos meus pais.

A inquietação do duque aumentou. A atitude nobre da filha despertou mais forte nele o sentimento de culpa. Desejou naquela hora gritar que fora o único culpado de tudo. Conteve-se, porém, e disse:

— Fui culpado, bem o sei, mas posso afirmar-te que Anete foi meu único amor! Ainda agora, depois de tantos anos, ao rever-te, sinto despertar em mim mais do que nunca as saudades de Anete. Sou culpado e tu não me desprezas?

Surpresa, Marise fitou o semblante torturado do pai.

— Não — respondeu lentamente, como se tentasse uma análise mais profunda dos seus sentimentos.

O duque, agora cabisbaixo, sentiu-se embaraçado. Vivo estava mais do que nunca em sua consciência o verdadeiro lugar que aquela formosa criatura deveria ocupar em sua casa, em sua vida, em sua fortuna. Ele, apesar de sentir-se magoado intimamente com a situação social e financeira da filha, não se sentia com forças para reparar publicamente seu erro, dando-lhe o nome e o lugar que moralmente lhe pertencia. Somente poderia ajudá-la às escondidas, o que desejava fazer regiamente. Seria uma espécie de compensação às demais necessidades.

— Alegra-me saber que não me desprezas. Afianço-te que ninguém tem sido mais castigado do que eu. Meu casamento desde o princípio tem sido um fracasso, o que mais ainda me faz lamentar não ter enfrentado a sociedade, a miséria se preciso fora, para casar-me com tua mãe.

O duque desejava despertar a simpatia e a piedade no coração da filha. Marise, vendo confirmar-se pelas palavras do pai a impressão de fraqueza e leviandade que formara de sua pessoa logo ao primeiro olhar, sentiu-se envergonhada intimamente por ele, pela sua falta de discrição confiando-lhe um problema tão íntimo que sua nobreza de caráter deveria silenciar.

— Senhor! O passado é passado. Devemos esquecê-lo. Tenho para mim que nesta vida somos aquilo que desejamos. Colhemos sempre, não os frutos do que aparentamos ser, mas do que realmente somos.

— Queres dizer que sou também culpado pelo fracasso do meu casamento?

— Por favor, senhor. Mudemos de assunto...

— Não, filha. Desejo conhecer teu pensamento, tua maneira de ser, teus pontos de vista. Continuemos, responde.

Marise perturbou-se um pouco.

— Temo que não vos agrade minha maneira de pensar.

O duque teimosamente renovou:

— Não importa. Fala.

— Vosso casamento, antes de realizar-se, estava destinado ao fracasso mais completo.

— Então não me crês culpado? Compreendes que fui uma vítima?

Marise sacudiu a cabeça num movimento inconscientemente gracioso:

— Absolutamente. Prefiro não falar em culpa. Acredito que um matrimônio para ser feliz deve ter como base o amor recíproco, o respeito, a amizade. Um casamento baseado nas aparências, nas conveniências sociais, jamais levará a uma união verdadeira. Será sempre malsucedido.

O duque, impressionado com a opinião dela, reconhecendo certa verdade em suas palavras, conservou-se calado e pensativo por alguns instantes. Depois levantou-se acariciando levemente a cabeça da filha.

— Tão jovem e sem ainda teres casado, possuís a experiência que eu somente agora, depois de longos anos de angústia e incompreensões, consegui armazenar. Surpreendes-me!

— Não compreendeis que da vossa e das atitudes de minha mãe resultaram minha opinião ? Credes por ventura que apesar do colégio me vedar certas verdades eu não as tenha há muito compreendido? Somente o amor justifica o casamento. O Senhor, por exemplo, temeroso de legitimar perante as leis humanas um amor verdadeiro e sincero, vos escravizastes a um preconceito, mantendo um lar de mentira, onde uma esposa mesmo que vos amasse jamais poderia ser venturosa. Minha mãe, desiludida do amor, pensando em meu futuro, desposou um tirano que, por ironia da sorte, teve a coragem de enfrentar o preconceito, não para libertá-la dele, mas para torná-la sua escrava. Agora, as moedas de ouro, as joias, não lhe servem para ajudar-me como pensara a princípio, pois que o marido, ciente de que não é amado, tornou-se mais ciumento do que demonstrara anteriormente e fiscaliza-lhe os gastos, os objetos e até os pensamentos. Credes que não possuo suficiente experiência do assunto?

Roberto comovera-se diante da franqueza apaixonada da filha. Compreendeu num relance que pensara somente em si mesmo, esquecendo as consequências que seus gestos e os de Anete teriam trazido ao caráter da filha quando em formação. Emocionado sinceramente, Roberto abraçou-a com ternura.

— Tens razão, minha filha. Tudo quanto fizer de hoje em diante, será pouco para proteger-te e amar-te como mereces! Crês que poderás gostar um pouco do teu pobre pai?

Marise, tocada pelo tom suave e sincero do duque, sentiu que, apesar de suas fraquezas, aquele homem despertava em seu coração grande e profunda afeição.

Sem saber o que dizer, levantou-se nas pontas dos pés e beijou-o de leve na face. Roberto abraçou-a com força enquanto lutava com a emoção. Sua filha Julie jamais o beijara e tivera para com ele demonstrações de carinho. Seu coração, ávido de amor, sentiu-se mais feliz em saber que teria dali por diante uma afeição sincera para acalentar.

Transcorridos alguns momentos afastou-a brandamente e fitando-a carinhosamente, disse como que para disfarçar a emoção:

— Agora precisamos combinar muitas coisas! Senta-te novamente a meu lado e conversemos. Era meu desejo levar-te para minha casa, oferecendo-te o lugar que de direito te pertence. Porém, sabes que não vivo só. Minha mulher jamais permitiria tua presença.

Ligeiramente Marise enrubesceu. Era-lhe embaraçoso saber que outra mulher ocupava o lugar que deveria ser de sua mãe em situação normal e ainda mais o rancor, o ciúme e o desprezo que essa mulher deveria dispensar-lhe.

— Tranquilizai-vos. Jamais aceitaria viver em vossa casa nas presentes condições.

— Bem — resmungou o duque embaraçado. — Também pensei nisto. Mas a falta de tolerância de minha esposa não impede que eu cumpra, na medida do possível, meus deveres de pai. Na semana próxima, dar-te-ei o suficiente para a compra de um enxoval completo. Desejo que possuas tudo quanto meus outros filhos possuem. Teus desejos serão ordens e terei o grato prazer de realizá-los. Já conversei com Liete a respeito. Irás com ela a Paris. Porém, compra a teu gosto que considero apurado. A pobre madame não estaria a altura de fazê-lo.

Vendo que a moça tornara-se algo preocupada e triste, indagou para animá-la:

— Conheces Paris?

— Não. Nunca saí do colégio, mesmo durante as férias — seu semblante animou-se de incontido entusiasmo. — Gostaria de conhecê-la!

Pois podes ir. Fica em Paris o tempo que quiseres. Poderás também conhecer Versailles. E... dize-me, o que desejas mais fazer?

Marise baixou a cabeça com arzinho sério e algo receoso:

— Tem outra coisa muito importante para mim e que certamente não me deixará em Paris por muito tempo. Entretanto, não vos direi nada por agora, ser-vos-á uma surpresa.

— Queres guardar segredo, não insisto. Confio na tua capacidade de ação. Marise sorriu. Receava que ele caçoasse de suas pretensões artísticas como pintora.

Quando uma hora mais tarde ele se foi, havia conquistado definitivamente a simpatia da filha. Sua cultura, seu gosto pela música, pintura, pelas artes em geral, aliados à maneira elegante e cortês de expressar-se haviam-na enternecido. Justificava agora, em parte, a paixão que despertara no coração de Anete. Essa particularidade, entretanto, não a impedia de instintivamente perceber suas fraquezas. Sentia-as naturalmente, sem intenção de crítica. Em razão da sua situação, sentindo-se insegura, aprendera a confiar na própria intuição, na tentativa de proteger-se. Desse modo desenvolvera bastante sua sensibilidade. Contudo, seu olhar penetrante, sincero, não se fixava para analisar, criticar ou ferir, mas, simplesmente para descobrir um suporte à sua amizade, à sua estima.

Muito excitada, Liete tornou à sala sequiosa dos detalhes de tão longa entrevista. Percebera em Marise uma certa altivez, uma independência, que a fizera temer pelo êxito do encontro. Mas, agora, pelo ar satisfeito com que o duque se retirara, percebia que tudo deveria ter corrido bem.

Apesar da vergonha pelo procedimento da irmã que conservara durante todos aqueles anos, orgulhava-se agora da nobreza da sua sobrinha, de ser alvo das atenções do duque e ainda mais, do casamento de Anete com um marquês. Como se sentiria orgulhosa se Anete voltasse para a Aldeia! Até a bem pouco tempo estremecia de pesar e receio diante dessa ideia, mas agora, sentia-se desejosa de contar a todos o que acontecera com sua irmã.

Marise, com um ar alegre na fisionomia, abraçou Liete dizendo:

— Querida Liete. Amanhã mesmo seguiremos rumo a Paris! — e diante do assustado ar da tia, prosseguiu: — Combinei tudo com o senhor Duque. Hoje mesmo irá um mensageiro seu a Paris conversar com seu tabelião e amigo que providenciará nossas acomodações. Oh! Liete. Como sou feliz!

A fisionomia dura de Liete abrandou-se um pouco ante o entusiasmo de Marise. Suspirou enquanto dizia:

— Não te esqueças entretanto que deverei cuidar de ti. Só irei se me prometeres obediência. Paris é perigoso para duas mulheres como nós. Dizem até que os homens assaltam e raptam as mulheres nas ruas em pleno dia!

Dessa vez Marise riu com gosto.

— Que exagero, titia! Em todo caso, — motejou ela — levaremos dois punhais conosco.

— É uma boa ideia. Não esquecerei.

Enquanto as duas conversavam alegres, o duque rumava para o castelo. Guiava o belo animal que montava, com doçura, lentamente, procurando desfrutar as delícias da manhã, que embora avançada, era fresca e agradável.

Roberto sentia-se leve e alegre. Parecia-lhe ter-se libertado de um grande peso com aquela visita e ainda mais, com a amizade nova mas sincera da filha.

Retardou ao máximo seu regresso ao castelo, conduzindo a animal preguiçosamente. Desejava esquecer sua situação penosa dentro do lar, principalmente tão em contraste com o ambiente que desfrutara a pouco.

Sua mulher, desde a malograda tentativa de suicídio, quase não lhe dirigia a palavra. Seus filhos, já de regresso, pareciam haverem-se tornado mais reservados e distantes. Tratavam-no cortesmente, mas como a um estranho, enquanto adoravam a mãe, expandindo-se intencionalmente de forma exagerada com ela, quando em sua presença. Não que ele sentisse ciúmes, pensava, mas doía-lhe como pai, ver-se relegado como um criminoso.

De natural expansivo e amante das alegrias, sentia-se constrangido dentro de sua própria casa, vendo-se na contingência de agravar ainda mais a situação fugindo ao contato com os seus sempre que podia. Jamais qualquer um deles mencionara os últimos acontecimentos, mas Roberto pressentia que seus filhos sabiam de tudo. Alice certamente não perdera a oportunidade para fazer-se vítima mais uma vez.

Não fossem os negócios, iria a Paris. Aliás, a corte com suas alegrias e distrações estava lhe fazendo falta. Súbito, teve brilhante ideia: iria também a Paris! Assim poderia fugir ao ambiente triste de seu lar. Uma vez lá, estaria à vontade para ver Marise. Seria delicioso! Passeariam juntos, conversariam, estreitando assim a amizade que já se esboçava. Impaciente por temperamento, entrou em casa disposto a preparar o necessário e viajar naquela mesma noite.

Enquanto em seu gabinete aprestava seus deveres imediatos, Roberto pensava seriamente na vida sem alegrias que desfrutava.

O som harmonioso de um piano tangido suavemente, arrancou-o de suas meditações. Julie! Sim, era Julie. Como poderia ela ser tão fria para com ele e tocar daquela maneira doce e suavemente melancólica? Como conciliar a sensibilidade de artista com a frieza glacial que testemunhava ao próprio pai? Era bem verdade que ele,encerrado em seu orgulho, jamais procurara vencer a barreira que os separava. Tinha consciência de sempre haver sido um bom pai. Educara seus filhos nos melhores colégios proporcionando-lhes sempre recursos financeiros para brilharem em toda parte. Ainda no ano anterior apresentara oficialmente sua filha na corte, como uma verdadeira rainha. Desde então proporcionava-lhe sempre temporadas em Paris ou Versailles, para que se divertisse. Que mais desejaria ela? Seus carinhos certamente que não, desprezava-o!

Quanto a Roberto, apesar de respeitoso e obediente às suas ordens, não era seu amigo. O duque sentia-se sufocar nesse ambiente frio, quase hostil. Os amores fáceis que outrora tanto o seduziam, agora pela continuidade e pelo hábito, causavam-lhe tédio. Encontrava-se ele naquela encruzilhada em que o homem já maduro, para de repente sua corrida vertiginosa em busca de suas emoções, pensa, examina, lança uma vista de olhos sobre o passado e compreende o ritmo acelerado, mas ilusório e vazio que imprimira à sua existência até então. Sente necessidade das coisas simples, mas fundamentais da vida. Do amor, da amizade, da harmonia. Tudo quanto valorizara na mocidade não mais o satisfaz, pois seu espírito pede algo mais para alimentar-se. É a própria consciência, mestra inconfundível do raciocínio, que o chama à responsabilidade de maneira sutil, através da insatisfação íntima.

O espírito emancipando-se da adolescência, julga-se dono da vida, quer gozá-la, sorvê-la em toda plenitude. O corpo jovem, forte, dá-lhe a ousadia necessária de não pensar no amanhã. Mas, quando essa fase acaba, ele entra então na busca das coisas que antes mal notava ou algumas vezes escarnecera. Pobre Roberto Chãtillon. Não soubera disciplinar os sentimentos, respeitar sua natureza, agir de maneira adequada e agora tinha como resultado a frustração e o vazio. Longe de assumir a responsabilidade dos seus atos, preferia colocar-se como uma vítima, justificando sua infelicidade pela atitude de sua família.

Era uma fuga própria do seu caráter. Preferia pensar que sua mulher era a maior culpada. Iria para sua casa em Paris e lá permaneceria o máximo possível e talvez, porque não dizer, tivesse oportunidade de rever Anete! No seu cansaço emotivo, no seu passado vazio, restava a figura apaixonada de Anete e a doçura de sua filha Marise. Quem sabe encontraria ainda o carinho perdido?

Naquela mesma tarde, quando em seu gabinete ultimava os preparativos para partir, algumas pancadas secas na porta o surpreenderam.

— Entra — ordenou.

A porta abriu-se lentamente. Um moço belo e elegante penetrou no aposento. Tinha já 19 anos, porém, aparentava ainda menos. A estatura normal, magro, a pele clara e delicada. Belos olhos castanhos. Cabelos crespos e rebeldes aureolavam-lhe o rosto de traços delicados.

— Peço-vos licença, meu pai.

Surpreendido, o duque cortesmente ofereceu-lhe uma cadeira. Estas visitas do filho eram raras e o pai se perguntou: o que desejaria ele, dinheiro?

— Pai, se tomei a liberdade de interromper vosso trabalho, foi porque necessito falar-vos. Não pretendia fazê-lo esta noite, porém, vossa partida inesperada força-me a tomar esta atitude.

O rapaz, tímido de natureza, estava embaraçado. As palavras brotavam dificultosas em sua boca.

A atitude embaraçada do filho despertou no duque um assomo de simpatia. Afinal era ele seu único filho varão. Sobre ele pesaria um dia a responsabilidade dos duques de Merlain. Interrompeu o que estava fazendo e disse:

— Fizeste bem. Fala.

— Senhor, sinto-me algo constrangido pois que jamais falei convosco sobre este assunto. Desejo casar-me, isto é, peço-vos licença para casar-me.

Uma expressão de assombro estampou-se no rosto do duque.

— Casar! Não achas ainda muito cedo?

— Não, meu pai. Tenho já quase vinte anos; completarei no começo do próximo ano. Depois, penso que já estou suficientemente maduro para isto.

O duque permaneceu silencioso e sério por alguns instantes. O inesperado deixava-o sem saber o que dizer. Era bem verdade que seu filho já estava em idade casadoira. Subitamente indagou:

— Mas, se pedes licença para casar, é porque já possuis uma noiva... quem é ela?

O jovem Roberto suspirou ligeiramente enquanto pelo seu rosto espalhava-se algum rubor.

— Estou enamorado, meu pai. Trata-se de uma jovem bela e digna, filha de uma das melhores linhagens da França. É rica e sei que me aceitará.

As explicações satisfizeram o duque. Sem poder encontrar nada para negar o consentimento, objetou:

— E tua mãe, já sabe?

— Não, senhor. Nada há ainda acertado. Apenas cortejei um pouco mademoiselle Etiene, mas desejo antes obter vossa aprovação para depois pedir a mamãe que, tenho a certeza, adorará minha escolhida.

Diante da atenção do filho para com ele, Roberto, vaidoso por índole, sentiu-se satisfeito.

— Esta jovem chama-se...

— Etiene Lisant, filha única do marquês de Vallience.

Roberto sobressaltou-se tremendamente. Filha do marquês de Vallience, o marido de Anete! Para esconder a perturbação, voltou-se de costas para o filho e pareceu entretido em examinar um dos papéis que estavam sobre a mesa.

— Marquês de Vallience! — murmurou sem sentir, com voz sumida.

— Sim, meu pai. Deveis conhecê-lo bem, penso.

— Sim, meu filho. Conheço-o. Porém, há longos anos não o vejo — sem poder dominar-se, perguntou: — Ele tem viajado muito. Está agora em Paris?

— Provavelmente. Porém, não frequenta a corte há muitos anos.

O duque permaneceu silencioso alguns segundos enquanto um mundo de perguntas e problemas surgiam em seu cérebro aflito.

— Mas... eu não sabia que ele tinha uma filha — e sem poder deter as palavras, continuou: — Não sei se poderei consentir neste casamento. Talvez não saibas que ele casou-se com uma simples camponesa que, além do mais, não era honesta!

Vendo o rubor tingir as faces do filho, Roberto arrependeu-se imediatamente do que dissera. Por que manchar ainda mais a reputação daquela que seduzira? Porém, o ciúme fora incontrolável. Anete, sua Anete, esposa de outro homem! Nunca a tendo visto com o marido, procurara deliberadamente afastar essa ideia da mente, porém, vendo mencionar uma filha, prova bastante convincente e material do casamento de Anete com o marquês, seu sangue inflamara-se cheio de ódio e ciúme.

Como permitir que seu filho se casasse com a outra filha de Anete?

O jovem Roberto, porém, que não pretendia desistir com facilidade, retrucou um pouco alterado:

— Admira-me ouvir tais palavras dos vossos lábios! Porém, enganai-vos. A senhora Marquesa, a quem tive a honra de observar de longe algumas vezes, em sua residência, ou mesmo na Igreja, é uma senhora digna, fina e honesta. Sua reputação na corte é perfeita. Todos a respeitam por suas virtudes. Se não possui a nobreza do nascimento, tem a do coração que é muito mais valiosa. Não aceito vossa objeção para recusar a aprovação de meu casamento com Etiene!

O duque bebeu avidamente as palavras do filho. Finalmente notícias de Anete! O desejo de ir a Paris reapareceu sôfrego. Subitamente um sorriso irônico estampou-se em sua fisionomia enquanto disse:

— Vejo que estás determinado. Porém, se me recusei a dar-te o consentimento foi porque tenho sérios motivos.

— Quais? — inquiriu o jovem jogando desafiadoramente a cabeça para trás.

— Dizem mais de perto a tua mãe. Consulta-a. Estou certo de que ela recusará a consentir no teu casamento com essa moça. Porém, para não pensares que estou contra tuas aspirações, digo-te que, se ela concordar, darei boamente o meu consentimento.

O sorriso voltou à fisionomia jovem do rapaz.

— Está bem, meu pai. Tenho certeza de que ela não me negará. Vou procurá-la agora mesmo.

Deixando o pai mais do que nunca interessado em ultimar seus preparativos para ausentar-se, o jovem Roberto retirou-se.

Desejava esclarecer o assunto o quanto antes, pois todo seu futuro e o de Etiene dependia daquele entendimento. Qual o mistério que envolvia sua mãe em relação aos Vallience? Sentia-se preocupado e embora procurasse interiormente convencer-se de que tudo sairia bem, não podia furtar-se a uma espécie de sobressalto, a um certo receio.

Encontrou sua mãe lendo na biblioteca. Vendo-lhe o semblante triste e as profundas olheiras que circundavam-lhe os olhos fazendo com que seu rosto parecesse ainda mais encovado, Roberto sentiu dentro de si um assomo de ternura.

Impulsivamente, abraçou-a beijando-lhe levemente os cabelos.

Alice levantou os olhos e sorriu. Seu rosto iluminou-se refletindo a adoração que sentia pelo filho.

— Surpreendes-me, Roberto. Tu a esta hora, aqui? Não desejas ler com certeza.

Seu tom brincalhão continha um átimo de graciosa ironia. Roberto não gostava dos livros. Pelo contrário, evitava sempre que podia seu contato. Achava-os enfadonhos e maçantes. Ao inverso de sua mãe cujo prazer maior consistia na leitura. Gostava da literatura romântica, poesias, contos, etc. Era assim que buscava fugir da realidade dolorosa de sua vida amorosa.

— Tens razão, mamãe. Vim a tua procura. Preciso falar-te.

Notando o ar preocupado do filho, Alice sobressaltou-se:

— O que há?

— Trata-se de um assunto muito sério. Permita que eu me sente. — Quando se viu sentado a seus pés em uma pequena banqueta, continuou:

— Sabes que em janeiro completo vinte anos.

Alice aquiesceu.

— Sendo assim, resolvi casar-me para o que peço-te o consentimento.

Alice sorriu um pouco aliviada, mas vendo a seriedade do filho, perguntou:

— Tu a amas?

— Sim.

— Ela pertence a boa família?

— Uma das casas mais nobres de França.

Desta vez o rosto de Alice iluminou-se e um sorriso entusiasta brotou-lhe nos lábios.

— Então, tu amavas em segredo! O guardavas até de mim que sou tua amiga e só desejo a tua felicidade!

Roberto pareceu tranquilizar-se um pouco. Afinal, por que teria com sua mãe um segredo? E logo com relação a Etiene?

Com a mente povoada de contos românticos, Alice pediu ao filho que relatasse sua história de amor. Um pouco encabulado, Roberto tornou:

— É uma história simples. Conheci-a no Bois, há dois anos. Era quase uma menina. Passeava com a governanta quando esta deixou cair o lenço. Apanhei-o e devolvi-o. Fui obrigado a apresentar-me. Indaguei dos amigos e soube que a encantadora menina morava em San Valicen e aos sábados costumava ir com a governanta ao Bois. Pensei em ir ao Bois todos os sábados. Tive a honra de passar-lhe alguns bilhetes. Percebi que era correspondido. Sorria-me sempre. Uma vez em Notre Dame a encontrei e pudemos conversar um pouco na Igreja, muito reservadamente. Antes de voltar para cá, porém, compreendi que a amava e desejava tomá-la por esposa. Falei com o senhor meu pai pedindo-lhe o consentimento. Ele, porém, procedeu de maneira incompreensível. Disse-me que falasse contigo e se consentisses, ele por sua vez consentiria.

Intrigada, Alice permaneceu alguns instantes silenciosa. Por que o duque colocara sobre ela toda responsabilidade do matrimônio do filho?

— Então mamãe, que dizes?

— Considero estranha a atitude de teu pai. Deveríamos pelo menos discutir juntos este assunto, mas, não importa. Se como dizes, a tua escolhida é de boa linhagem e o amor existe entre ambos, não vejo motivos para opor-me. Mas, dize, a que família pertence, conheço-a?

— Certamente. Trata-se da filha única do marquês de Vallience.

— De quem? — perguntou Alice parecendo não haver compreendido.

— Do marquês de Vallience.

Alice levantou-se imediatamente, pálida e nervosa, pondo-se a passear pelo aposento. Já agora, Roberto não ocultava a preocupação. Por que o nome dos Vallience produzia tanta reação em sua mãe?

Alice parou frente à janela, de costas voltadas para o filho, buscando assim ocultar-lhe seus sentimentos. Seu filho desejava desposar a filha da odiosa Anete! Oh! Deus, por que deveria sofrer esse castigo? Como consentir em tal união? Nunca soubera negar-lhe o menor capricho, como poderia impedi-lo de ser feliz? Frente a um dilema tão doloroso, Alice sentiu-se impotente e triste. Mais uma vez o desânimo tomou conta do seu ser. As lágrimas rolaram dos seus olhos cansados e sua cabeça em atitude desalentada pendeu para frente, apoiando-se de encontro ao vitral da janela.

Lentamente, Roberto levantou-se e aproximou-se dela. Estava emocionado, pálido, temeroso. Suas mãos trêmulas pousaram no braço de Alice forçando-a a voltar-se.

— Choras? Tu que há pouco sorrias ouvindo minha história de amor, choras? Minha felicidade te causa sofrimento? Diz-me, peço-te. Se meu casamento te causa sofrimento, desistirei dele, mas, desejo primeiro saber se teu motivo é realmente justificável. Meu pai falou-me sobre a origem plebeia da marquesa, será isto que te contraria?

Alice apoiou a cabeça no ombro do filho sem saber o que dizer. Devia contar-lhe a verdade? Como ele insistisse na pergunta, respondeu:

— É mais do que isso. Essa mulher é uma camponesa que além do mais não era honesta.

Os braços que abraçavam carinhosos penderam subitamente frios. Rosto transtornado, olhos duros, o rapaz tornou:

— São calúnias. Essa senhora é honesta e digna. É muito respeitada na corte embora não a frequente. Possui um marido tirano e egoísta, entretanto, suporta tudo resignadamente. Vive reclusa quase, embora seja muito mais jovem do que ele. Gostaria de saber de onde tiraram, o senhor meu pai e a senhora, essa triste calúnia.

Alice não conseguiu dominar desta vez a indignação. Anete roubara-lhe o amor do marido e agora era tão calorosamente defendida pelo seu próprio filho, voltando-o também contra ela?

— Como ousas falar-me assim? Julgas-me capaz de mentir, caluniar? Essa história, tendo-a eu vivido dia a dia em minha própria alma! Caluniadora, eu? Crês então que deveria aceitar em minha casa, como tua esposa, a filha da amante de teu pai?

Diante destas palavras, por alguns instantes, Roberto sentiu que suas vistas se turvavam. Amante de seu pai?

Deixou-se cair em uma cadeira segurando a cabeça entre as mãos.

Alice caiu em si, trêmula e desorientada, sem saber como suavizar aquela cena desagradável e dolorosa.

— Não é possível, minha mãe. Como soubeste? O marquês tem um ciúme doentio da esposa, não a deixa um só instante!

Vendo que ele duvidava ainda, Alice sentiu-se novamente dominada pelo ódio.

— Sabes já da história vergonhosa no passado de teu pai com aquela camponesa, a irmã de Liete Merediet. Pois bem, depois que teu pai a deixou para casar-se comigo, ela por sua vez conseguiu iludir o marquês e casar-se com ele. Não sei se eles se encontraram depois. É possível até que a jovem que amas seja tua irmã.

Alice sabia ser mentira o que dizia, sabia pela carta de Anete que jamais eles tinham se encontrado depois que ele se casara, mas o ódio, o desejo de vingar-se daquela mulher e do próprio marido, fizeram-na maldosamente lançar-lhes tão terrível acusação.

Horrorizado, cego de vergonha e de revolta, Roberto saiu quase correndo da sala. Alice deixou-se cair em uma poltrona, hirta, já quase sem lágrimas. Julgara vingar-se de Anete e Roberto, porém, ainda não percebera que derramara o fel do ódio, da revolta e da desilusão no coração do filho.

Capítulo 5

Ao deixar sua mãe na biblioteca, Roberto caminhou desorientado para seus aposentos, trancando-se por dentro.

Deixou-se cair em uma poltrona nervoso e desalentado. Jamais desejara tanto uma coisa como casar-se com a bela Etiene. Deveria renunciar à felicidade simplesmente porque seu pai fora leviano?

Mil pensamentos turbilhonavam em seu cérebro excitado, ora receosos, ora destemidos. Poderia reagir, sair de casa e casar-se contra a vontade de sua mãe, mas seu aspecto triste, cansado, infeliz, acudia-lhe à mente e sentia-se sem coragem para causar-lhe mais este sofrimento. O que fazer? A quem recorrer? Ele não conhecia ninguém que o pudesse aconselhar naquela contingência.

Talvez que... frei Antônio, o bondoso pároco, pudesse dar-lhe, senão a felicidade, pelo menos um pouco de paz.

O jovem Roberto, emotivo ao extremo, não sabia reagir e enfrentar a situação. Era um fraco, um tímido, o que lhe tornava o mundo interior angustiado e vacilante. Toda sua vida jamais tivera a coragem para dizer ou sustentar sua opinião frente aos demais nos menores e mais insignificantes assuntos. Como agora tomar uma atitude sozinho? Por fim decidiu-se a procurar frei Antônio.

O crepúsculo descia sobre aquela parte da Terra e as primeiras estrelas já começavam a aparecer. Indiferente às belezas primaveris que floriam nos jardins suntuosos do castelo, o jovem Roberto caminhou nervosamente a passos rápidos.

Ia a pé, cabeça descoberta, olhos voltados aos seus próprios problemas. Teve, porém, sua atenção atraída por um rumor desusado de cantos, violinos, risos e alegria, tudo cadenciado ao ruído de cascos de animal e rodas que gemiam ruidosamente.

Surpreendido, buscou com o olhar descobrir de onde ele se originava. Cruzando o caminho numa das curvas da estrada, uma caravana caminhava vagarosamente.

— Ciganos — pensou ele. — Ficarão aqui, na aldeia?

Os ciganos sempre o fascinavam. Sonhador por natureza, imaginava que a vida dos ciganos fosse cheia de encantamento e de irresponsabilidade, o que muito o atraía. Não via a precariedade de conforto, de higiene, de cultura que possuíam. A monotonia de caminhar errantes, tornava igual todos os lugares por mais díspares que fossem. Um povo inculto, faminto, quase órfão, que apesar disso ria e cantava, vendendo a alegria e a arte para ganhar o pão.

Mas, para Roberto, vida fácil, bem alimentado, suntuosa casa, muitas terras, excessos de bens materiais, os ciganos transformavam-se em reis da liberdade, em donos de si mesmos.

Naquele instante, olhando as carroças que lentamente seguiam, vistas àquela distância como que recortadas no céu chamejante do entardecer, Roberto pensou em como seria feliz se tivesse nascido cigano, sem preconceitos de nenhuma espécie.

Uma vez, na infância, vira na aldeia um cigano que acampara naquelas paragens, enfrentar sozinho seis homens, vencendo-os, apenas porque lhes ouvira um gracejo insignificante. Diante de tanta demonstração de coragem, em seu espírito se gravou o cigano como um símbolo de força, de valentia e de ousadia.

Caminhou na direção das carroças, fascinado pela alegria que lá reinava, num desejo incontido de esquecimento. Desde sua infância que os ciganos não mais haviam voltado a Ateill, iriam acampar ali?

Percebeu, depois de alguns minutos, que carroças saíam da estrada, entravam por um campo aberto formando um círculo. Iam acampar. Por quanto tempo? Permaneceu a distância observando-os.

Alguns homens, mulheres e irrequietas crianças haviam saltado das carroças e cuidavam da instalação do acampamento.

Um homem alto, forte, de meia-idade, barbado, olhos vivos de um azul muito escuro, trajado de roupas vistosas, com o peito coberto de correntes douradas e os dedos cheios de anéis, com um pequeno açoite nas mãos irrequietas dava ordens em alta voz. Em poucos minutos, havia uma fogueira crepitando no centro do acampamento e o cheiro gostoso de carne assada impregnava o ar.

Roberto sentou-se distraído e continuou observando a azáfama dos ciganos.

Estavam agora comendo sua refeição e ouvia-se o riso das mulheres, o alarido das crianças e a palestra animada dos homens, entremeadas de pragas e palavrões. O ambiente era característico: o ar impregnado de fumaça, os homens, cheirando a vinho e a carne, vestidos com roupas coloridas, eram iluminados pela luz bruxuleante das chamas da fogueira que lambiam o ar emprestando ao ambiente um aspecto irreal, exótico.

Roberto lembrou-se por fim de que precisava ir ver o frei Antônio, mas já agora sem muita vontade. Sabia o que ele certamente lhe diria. Conhecia-lhe o palavrório. Aconselharia a renúncia, o esquecimento, o lembrar-se sempre dos sofrimentos de sua mãe, a paciência, o respeito aos deveres filiais. Não. Ele não desejava sermão.

Estava no cimo de uma elevação bem próxima à aldeia. De lá, o jovem Roberto, sentado no tronco de uma velha árvore, podia vislumbrar-lhe as casas, agora já banhadas pelo magnífico luar.

De repente, percebeu que um vulto caminhava lentamente em sua direção. Assustou-se um pouco, mas esperou. Fixando melhor, percebeu que era um homem ainda moço, forte e moreno. Quando ele se aproximou mais, pôde vislumbrar-lhe o rosto bem barbeado, a roupa asseada. Viera do acampamento cigano, mas, apesar das roupas um pouco semelhantes, não parecia cigano. Não usava joias e nem botas. Calçava sandálias de couro.

Aproximando-se mais, sorriu amavelmente para Roberto que retribuiu-lhe o sorriso, reconhecendo que seu rosto inspirava confiança e simpatia.

— Incomodo? — perguntou o recém-vindo.

— De maneira nenhuma.

— Estava admirando a beleza deste lugar. Que calma, que serenidade nos proporciona ao espírito!

Roberto sorriu descrente:

— Acabais de chegar, mas que eu vivo aqui, acho a aldeia monótona e triste.

— São pontos de vista, meu jovem senhor.

Roberto viu que os olhos do interlocutor brilhavam amavelmente com alguma ponta de malícia.

— Não sou tão jovem como pensais, logo completarei vinte anos!

— Não foi minha intenção ofender-vos. Apenas, não sabendo como chamar-vos...

— Apresento-me — e levantando-se — sou Roberto Chãtillon, filho único do Duque de Merlain.

O outro inclinou-se elegante.

— Eu sou apenas Ciro. Tenho imenso prazer em conhecer-vos.

Roberto inclinou-se levemente.

— Obrigado, senhor.

O assunto morreu por alguns instantes enquanto ambos procuravam instintivamente analisarem-se.

Por fim, Ciro com um gesto largo designando o local onde Roberto momentos antes se sentava, disse-lhe:

— Vejo que sois amante da solidão. Lamento haver interrompido vossa meditação. Mas, retiro-me em seguida.

— Não, por favor, — murmurou Roberto impulsivamente — não se vá.

Não desejava que o desconhecido se fosse porque ele representava novidade, distração. Depois, poderia informar-se sobre a vida fascinante dos ciganos, esquecer pelo menos por instantes seu doloroso e quase insolúvel problema. Ficar novamente só, representava voltar à realidade.

— Não gosto da solidão, pelo contrário, detesto-a! — Havia uma nota amarga em sua voz e suas preocupações haviam-no feito esquecer a timidez.

— A solidão é nossa melhor amiga. É nela que costumamos nos aprofundar na compreensão de nós mesmos, é através dela que restabelecemos o equilíbrio do nosso espírito para podermos agir sempre com serenidade.

— Depende de quem somos e da vida que levamos. Quando somos feridos pelos golpes rudes do destino, ela nos prejudica tornando sempre presente nossa dor.

Ciro familiarmente sentou-se ao lado do jovem aristocrata. Seus olhos refletiam simpatia e doçura.

— E crês por ventura que a fuga é o melhor remédio? Quando nos evadimos voluntariamente da realidade porque ela nos é penosa, criamos a necessidade constante de um mundo ilusório, palpitante, atordoante, que absorva todos os pensamentos, mas aos poucos esse viver nos esgota, o cansaço nos atormenta e nos tornamos trôpegos escravos: fugitivos de nós mesmos. Quando caímos por fim sem forças, verificaremos que os velhos problemas ainda permanecem.

Roberto ouviu surpreendido as palavras do interlocutor. Sua voz clara e serena balsamizava-lhe o espírito vacilante e cansado.

— Vossas palavras são pessimistas. O que fazer então?

— Enfrentar a realidade. Vencê-la!

— Mas, como?

— Obedecendo nossa consciência, estaremos agindo sempre bem. Afinal, o que são alguns poucos anos aqui na Terra frente à eternidade?

Roberto, ferido ainda pelo desgosto de algumas horas antes, aduziu amargo:

— Existirá mesmo esta eternidade? Às vezes penso que ela é um ardil com que os homens tentam amedrontarem-se uns aos outros para protegerem-se reciprocamente. Com receio do inferno ou interessados em obter um lugar mais agradável no céu, eles se comportam melhor!

— Ah! meu amigo, se os homens acreditassem realmente na eternidade da alma e de Deus, se tivessem temor ao inferno e desejo real de irem para os céus, os crimes e as maldades teriam desaparecido da face da Terra!

Interessado no ponto de vista do seu interlocutor, tão diferente dos demais, ele perguntou:

— Acreditais no inferno?

Havia um princípio de zombaria na sua voz.

— Sim. Porém, ele não é como imaginais. Ele é uma escola onde o homem aprende a viver, reeduca seu espírito refazendo-se com o próprio esforço para conseguir errar menos e ter mais sabedoria, ser mais feliz.

— Mas, como podeis acreditar nisso? Nunca ouvi doutrina mais exótica. Podeis provar o que dizeis? De onde tirastes tais conclusões?

— Da vida. Ela nos ensina a cada passo e, ainda mais, de um pequeno livro que se chama o Novo Testamento.

— O Novo Testamento?

— Sim. Um dos livros da Bíblia.

— Ah!... — Roberto permaneceu por instantes meditando, depois tornou:

— Estranho... um só livro provocar tantas dissensões, tantas religiões, tantas opiniões contraditórias...

— Já o lestes?

— Não. Sou católico. Mas, fala mais, explica-me mais tua filosofia.

— Não posso explicar-te em algumas palavras a ciência de viver, o porquê das nossas dores, as leis que regem este mundo, porém, posso dizer-te que elas são sábias e perfeitas como seu Criador. Se sofremos, apenas colhemos o que plantamos. Se vivemos neste mundo, que sem dúvida representa aos olhos de muitos uma das repartições do inferno quando deveria ser a escola, a luta em busca do progresso espiritual, é porque dele necessitamos para aprender a viver melhor, e para resolver os assuntos que deixamos inacabados em outras existências que já vivemos.

Roberto estava estupefato.

— Mas, por que dizem que o inferno é o fogo eterno, onde está o fogo neste mundo, se é que ele é tão mau assim...

— Eu não acredito que o inferno esteja neste mundo. Ele está sim no coração do homem. O mundo é belo, perfeito, puro, pois que é obra de Deus que o criou para nele sermos felizes. Fez-nos em embrião para que desenvolvêssemos nossas faculdades latentes no bem. Deu-nos liberdade de ação para angariarmos com o nosso próprio esforço a experiência. Assim, sem conhecer bem a realidade, o homem salta do bem para o mal e colhe as consequências dessas ações. Mas, o fogo do inferno existe na fervescência das paixões humanas, no âmago da personalidade de cada um que erra porque ignora, às vezes, mesmo a própria extensão do seu erro. Então, volta a este mundo-escola quantas vezes for preciso para aprender. E como aprender senão pela própria experiência? O sofrimento ensina mais do que muitos sermões bem mastigados, porque egoístas e desconfiados que somos, sabemos somente crer e sentir aquilo que nos atinge.

O silêncio fez-se espontâneo por alguns instantes. Pensando em seu pai, que agora desprezava ainda mais, o jovem Roberto aventurou:

— Mas, por que acreditais existir um inferno no fogo das paixões? Não proporcionam elas gozo a quem as possui? Não tripudiam às vezes sobre os sentimentos humanos e são bem-sucedidos? Pelo menos conseguem o que desejam seja como for.

— Meu amigo, vejo que conheces apenas a superfície, a aparência. O fogo dos vícios a que o homem se escravizou, torna-o infeliz e insatisfeito. Rouba-lhe a serenidade, a paz, obriga-o a violentar a própria consciência para servir ao desejo, às exigências cada vez maiores das suas paixões. Elas queimam, não satisfazem, pelo contrário, aumentam a sede.

— Serão então infelizes ou serão a própria encarnação do demônio?

Ciro, olhos postos no infinito, parecia quase irreal naquele cenário agreste, sob o luar. Seu aspecto sereno, belo, o tom firme e convicto de sua voz, impressionaram profundamente o cérebro nervoso e tímido do jovem Roberto. Foi com atenção e respeito que ouviu-se a resposta pausada:

— Realmente, nós temos muito de demônios em nossas ações, entretanto, apenas posso definir isso tudo em uma palavra: ignorância! O homem vive neste mundo guiado pelo instinto. Seu raciocínio é moroso, mas não tanto que o impeça de sentir as consequências de suas ações, porém, habituado a lutar para conseguir ganhar seu pão, aí colocou a finalidade da vida, como se ela se resumisse somente numa única e curta existência aqui na Terra. Ora, a vida é infinita como o próprio Criador e é nesse sentido que o próprio livro sagrado nos orienta quando diz textualmente: Deus criou o homem à sua semelhança.

Admirado, o rapaz interrompeu:

— Tendes uma doutrina estranha! E a velha história de Adão e Eva e do barro?

— Acreditas porventura que o infinito Criador de todas as coisas possua um corpo semelhante ao nosso?

— Não compreendo. Se ele nos criou à sua semelhança, naturalmente seremos iguais a ele, mas, nós morremos... Como pode ser isto?

— Enganas-te. Nós somos imortais, somos eternos, o que chamamos morte é apenas o desgaste deste corpo de carne que nos foi dado para que neste mundo pudéssemos aprender, por determinado tempo, as experiências de que necessitamos.

Roberto abanou a cabeça incrédulo.

— Dizeis coisas estranhas, não posso compreendê-las...

Ciro sorriu de leve.

— Tens razão. Deixei-me seduzir pelo prazer da palestra, mas não estás ainda preparado para estas revelações. O assunto é fascinante, porém, requer esforço e estudo. Venho estudando, observando a longos anos e no entanto pouco ainda consegui compreender. Não poderia esclarecer-te em poucas palavras.

— Vossa doutrina é contrária a todos meus princípios religiosos, entretanto, talvez por isso mesmo, gostaria de conhecê-la melhor.

Levantando-se, Ciro pousou a mão sobre o ombro do rapaz:

— Pois venha procurar-me quantas vezes quiser. Ficaremos na aldeia durante algum tempo. Podes ir ao acampamento sem receio. Basta dizer que és meu amigo.

E antes que o jovem pudesse dizer algo mais, Ciro desceu a encosta rumo ao acampamento agora já animado apenas pelo som de um violino triste e apaixonado.

— Criatura estranha... — pensou ele... — Não é um cigano certamente. O que fará então no acampamento?

Parecera-lhe um homem culto e inteligente, entretanto, que ideias extravagantes possuía! Haveria de voltar brevemente para conhecer de perto o acampamento e travar relações mais íntimas com ele.

Capítulo 6

Empertigado em pomposo traje de festas, o jovem Roberto, diante do espelho, impacientava-se com seu camareiro que se demorava no arranjo das delicadas fivelas que fechavam seu luxuoso sapato de cetim. Estava elegantíssimo. O castelo de Merlain, de habitual tão sóbrio e melancólico como seus moradores, brilhava agora em todo esplendor de seus candelabros e pratarias. Os Merlain recebiam naquela noite.

A ocasião era especial. Alice, a Duquesa de Merlain, possuía um primo de excelente linhagem, realçada ainda mais pelo seu matrimônio com a condessa de Vallier, viúva, grande amiga da rainha, que a fizera uma de suas damas de honra.

Dias atrás, Alice recebera uma carta desse primo, contando-lhe que sua esposa desejava visitá-los e conhecer o famoso castelo.

Alice não teve outro recurso senão responder-lhe com um convite amável para uma permanência em sua casa. A condessa, agora sua prima, aceitou prontamente respondendo em uma carta amável de estilo leve, dizendo-se disposta a deixar a agradável temporada de Paris com suas festas de verão para partir imediatamente.

Para Alice esta situação criara uma série de ocupações novas. O duque estava em Paris há um mês, não poderia deixar de notificar-lhe a visita dos hóspedes de categoria que ele deveria prestigiar com sua presença.

Alice enfrentaria qualquer situação íntima, realizaria qualquer esforço para não faltar com seus deveres sociais, ou deixar que os outros percebessem o fracasso de sua vida conjugal.

Mandara um portador a Paris, avisando aos primos que os esperava e ao marido participando-lhe os acontecimentos.

O duque regressou contrariado, aborrecido. A temporada em Paris estava ótima. Ele pouco tinha comparecido à corte, mas os dias com Marise haviam tido para ele especial encanto. Acompanhara-a por toda parte, madame Merediet também. Juntos reviraram as lojas gastando o duque prodigamente, comprando tudo o que Marise mencionasse, ou que ele sentisse desejo de oferecer-lhe. Iam às confeitarias, ao Bois, às exposições de arte, aos teatros, às Igrejas, enfim, divertiram-se bastante.

Marise adaptara-se facilmente às roupas finas e seu bom gosto tornara-a ainda mais bela. O duque sentia-se orgulhoso em acompanhá-la, notando os olhares de admiração que sua presença atraía.

Voltar para casa naquela altura não lhe foi agradável, mas sabia que não poderia deixar de receber os hóspedes. Em um reinado onde o rei era fraco e apagado, onde a mulher mandava e reinava, o duque sabia ser-lhe perigoso e desfavorável uma desfeita à condessinha. Ademais seu temperamento cortês e gentil não seria capaz de furtar-se ao dever de entreter os hóspedes.

Sabia, entretanto, que o ambiente pesado do seu lar não era propício para que sua nova prima se divertisse. Convidou pois mais alguns amigos, dois casais a quem estimava, para que o ambiente se amenizasse.

Quanto a Marise, vendo-o contrariado, declarou que também regressaria. Já comprara demais. Em outra ocasião, voltariam a Paris para continuarem seus passeios.

Finalmente pronto, o jovem Roberto deixou os aposentos indo bater suavemente nos aposentos de Julie. A camareira abriu e curvando-se, convidou-o a entrar.

Roberto entrou e não vendo logo a irmã, impacientou-se:

— Julie, Julie, estamos atrasados. Os hóspedes não podem descer antes!

Um riso alegre e cristalino encheu o ar.

— Meu querido, estou pronta. Já vou. Até parece que vais ao teu casamento!

Quando ela apareceu, ele surpreendeu-se:

— Julie!

Jamais a vira tão bela. Vestia um rico vestido de brocado verde bordado de pedrarias, de saia muito ampla. Um ousado decote deixava aparecer a opulência do seu colo moreno, enriquecido por belíssimo colar.

Ao contrário do irmão, possuía traços firmes, pele morena-pálida e grandes olhos escuros. Era muito bonita. Herdara da mãe a esbelta e elegante figura. Possuía um corpo belíssimo e provocante. Os cabelos penteados cuidadosamente na última moda da corte — que naqueles tempos variavam como o vento — e os brincos em forma de pingentes refulgiam impulsionados por seus graciosos movimentos.

— O que te assusta? Não gostas do meu vestido novo?

Roberto sacudiu a cabeça interdito. Jamais ousara contrariar a irmã que apesar de mais nova, possuía vontade firme e positiva. Sempre conseguia o que desejava. Sua altivez e seu orgulho sempre presentes em seus menores movimentos emprestavam-lhe a aparência de certa frieza ou indiferença frente a todos os acontecimentos emocionais que a envolvessem, porém, atrás da aparência havia uma alma vibrante e sequiosa de emoções fortes.

Sem esperar pela resposta balbuciante do irmão, que aliás em nada a interessava, consciente que estava de sua beleza, Julie tomou-o pelo braço e assim desceram até o salão onde se efetuaria um concerto, especialmente organizado pelo jovem Roberto.

Lá já estavam o duque e a duquesa, cujo olhar brilhou de satisfação frente à beleza física de seus filhos.

O duque estava mal-humorado e triste. Acabara de ter uma discussão com Alice e sentia ímpetos de sair dali, onde sentia-se sufocar.

Chegara ao salão e já a encontrara lá, ocupada em vistoriá-lo pela última vez antes que chegassem os convidados. Recebera-o com ligeira inclinação de cabeça. Desde que ele regressara há dois dias, mal haviam trocado palavras, a não ser as estritamente necessárias, porém, Alice, percebendo-lhe o tédio por haver sido obrigado a retornar ao lar, sentia-se ofendida. Notando sua atitude calada e algo triste, começou:

— Lamento haver sido forçada a interromper tua temporada em Paris. Não fossem as particularidades tão especiais dos hóspedes, não o teria incomodado.

— Não importa. Sei o meu dever social. Cumpristes teu dever avisando-me.

— A propósito de Paris, peço-te que sejas mais discreto. Não posso impedir-te de manter aventuras galantes com jovens e levianas criaturas, porém, estamos muito próximos de Paris. Não é aconselhável que te apresentes publicamente com elas em lugares decentes. Temo que teu procedimento ofenda a reputação dos nossos filhos. Julie está em idade casadoura. É teu dever de pai evitar situações desagradáveis que possam prejudicá-los.

O tom frio e malévolo das palavras de Alice irritaram ainda mais o duque que se esforçou por alcançar-lhe a intenção. Compreendeu por fim e seu rosto cobriu-se de um vermelho vivo. Ficou furioso. Nunca fizera uma temporada tão inocente em Paris e, por ironia da sorte, suspeitavam até das suas relações com a filha!

Procurando controlar-se para não provocar uma cena violenta em local e momento tão impróprios, cerrou os punhos raivosamente. Passados alguns instantes em que a duquesa julgou havê-lo abatido, disse entre dentes:

— Não recebo tuas malévolas insinuações. A mim como pai compete zelar pelo futuro de meus filhos. Conheço o meu dever, se assim não fosse, há muito a teria libertado da necessidade de suportar minha presença.

Alice nada mais disse. Sentiu que ele falava com a máxima sinceridade. Temerosa que ele tomasse a extrema decisão de deixá-la, o que seria muito pior para seus filhos, resolveu não tocar mais no assunto. De certa forma, os hóspedes haviam sido providenciais.

Pouco depois da chegada dos jovens anfitriões, os hóspedes começaram a descer.

Para o brilho da recepção, haviam convidado alguns nobres que residiam naquelas paragens ou que por lá passavam em temporada. Dentro de pouco tempo o salão revestia-se de um murmúrio alegre e ruidoso.

A certa altura, o jovem Roberto, empertigado, dirigiu-se a um dos cantos do salão onde havia um pequeno círculo em relevo formando um palco gracioso. Sobre ele viam-se algumas cadeiras e um belíssimo piano. Subindo ao estrado, Roberto estendeu os braços pedindo silêncio. Imediatamente a atenção dos presentes convergiu para ele.

— Senhores, senhoras, sabeis do prazer e da honra que temos ao receber-vos nesta agradável oportunidade. Desejosos de proporcionar-vos momentos de alegre entretenimento, organizamos este pequeno sarau. Querendo fugir ao comum, para melhor vos entreter, não ouvireis hoje música erudita, nem concertistas famosos. Convidamos para esta noite, um grupo de ciganos que tocam com arte e maestria. Desejo que eles possam agradar-vos tanto quanto a mim.

Curvando-se levemente, Roberto desceu o degrau e tomou assento ao lado dos hóspedes de honra. Os demais instalaram-se a gosto, nas elegantes cadeiras dispostas em fileiras frente ao gracioso palco.

Quando havia o silêncio da expectativa, as velas foram apagadas e somente os castiçais ao lado do palco permaneciam ardentes. As grossas cortinas de veludo dourado que formavam o fundo do palco oscilaram, e alguns homens sobraçando violinos penetraram por elas. Eram cinco ao todo. Vestiam-se de maneira vistosa. Suas correntes e medalhas refulgiam e tilintavam aos menores movimentos. Dois eram já de meia-idade e três, ainda jovens.

Fitando a elegante e nobre assistência, seus olhos brilhavam desdenhosos e inatingíveis.

Vivendo de expedientes, observadores por necessidade, sentiram logo, refletindo nos olhares dos nobres assistentes, a curiosidade, o desprezo, e principalmente a ostensiva demonstração desses sentimentos que eles não julgavam precisar ocultar frente a criaturas tão inferiores. Entreolharam-se durante alguns segundos e compreenderam-se.

Começaram a tocar em seguida e uma cálida melodia encheu o ar. Amantes da música por índole, sentindo-a dentro de si, eles tocavam pelo prazer de tocar, de sentir dentro dos seus corações a magia das suas vibrações.

À medida que tocavam, com alegria foram notando a transformação das fisionomias que os fitavam. Primeiro a surpresa, depois a atenção e agora já um certo enlevo. Isto lhes bastou para o orgulho. Trataram de dar tudo quanto possuíam, de tocar com o máximo de sentimento.

Um deles, porém, havia, cujo coração tumultuava no ardor do ódio e da vingança. Chamava-se Rublo. De porte elegante, alto, destacava-se dos demais. Tinha o rosto moreno cuja barba cerrada, embora raspada, deixava em sua pele um tom azulado. Os olhos verdes, o nariz reto, o queixo proeminente, quadrado na ponta, atestava a determinação do seu caráter. Possuía cabelos negros e abundantes que emprestavam ao seu rosto um ar de menino embora estivesse beirando os trinta anos.

Rublo tocava com ardor que se refletia em seus olhos vibrantes. Porém, eles estavam fixos em Julie!

A moça, desde que os ciganos tinham entrado, havia notado a presença de Rublo sentindo-lhe a marcante personalidade. Seu olhar direto e ardente, queimava-a, enchendo-lhe o coração de inquietação.

Corajosamente, procurando aparentar indiferença, desdém, sustentou-lhe o olhar, mas sentiu que necessitava de toda sua força de vontade para fazê-lo.

Dos seus olhos saíam chispas de emoção, ora violentas, ora suaves. Julie viu que ele não desviou o olhar que parecia dizer: toco para ti!

Quando pararam de tocar, os aplausos fruíram espontâneos, entusiastas. Depois de breves instantes, reiniciaram. Agora uma música alegre e vibrante. As cortinas movimentaram-se novamente e uma jovem mulher surgiu rodopiando descalça, os longos cabelos negros esvoaçando, constratando com o vivo colorido de sua ampla saia.

A graciosa bailarina parecia ter asas, tal a leveza dos seus passos saltitantes. Quando a música cessou, verdadeira ovação desabou sobre eles.

Ao término do concerto, o jovem Roberto foi vivamente cumprimentado pelo espetáculo brilhante que lhes oferecera.

A seguir teve início a lauta ceia no salão vizinho que os entreteve alegres durante algumas horas.

Julie, porém, sentia-se insatisfeita e nervosa. Aprontara-se com tanto esmero para a recepção, conseguira ser o centro da admiração geral, mas agora esta sensação não mais lhe importava.

O duque, também, pelos aborrecimentos que tivera com a esposa, desejava que tudo terminasse logo, para poder estar só. Aquele constante fingimento de uma alegria que estava longe de sentir, provocava-lhe enervante sensação de cansaço.

Assim que todos se retiraram para o salão onde permaneceriam ainda algumas horas em agradável palestra antes de se retirarem, Julie apanhou uma echarpe e jogando-a sobre os ombros, saiu para o jardim.

Olhando o céu magnífico e estrelado, Julie pensava:

— Devo reagir! A vida é bela e me pertence. Sou jovem. Formosa, rica, feliz! Por que agora esta súbita tristeza?

Sacudiu os ombros imperceptivelmente.

— Não pensarei mais nisto. Nunca acreditei em pressentimentos. Não seria agora que eles haveriam de amedrontar-me.

Caminhou alguns metros imersa em seus pensamentos. Subitamente teve tremendo sobressalto: um enorme vulto saiu de trás de um arbusto, barrando-lhe o caminho.

Quis gritar, mas o inesperado roubou-lhe a voz. Reconheceu logo, no brilho intenso daquele olhar, o cigano!

Rublo, sem nada dizer, contemplou-lhe o rosto com prazer e orgulho.

Reagindo com esforço à força persuasiva daqueles olhos, Julie conseguiu finalmente articular com voz que procurou tornar impassível e colérica:

— Que fazes aqui, cigano! Por acaso meu pai ainda não te pagou? Ou as sobras da ceia não conseguiram matar tua fome?

Os olhos verdes do cigano tornaram-se quase negros. Agarrando-lhe um dos pulsos com força, respondeu com voz rouca:

— Serás minha, te afirmo! Rublo jamais perdeu quando desejou ganhar. Não conseguirás desprezar-me por muito tempo. Ainda me amarás!

E antes que ela pudesse tomar qualquer atitude, puxou-a para si, beijando-lhe os lábios vermelhos.

Tomada de surpresa, Julie tentou libertar-se dos braços que a cingiam, mas eles pareciam de ferro. Num assomo de fúria, mordeu-lhe os lábios com violência.

Com um gemido de dor, Rublo afrouxou o abraço. O sangue gotejou em borbotões salpicando também o vestido de Julie, que valeu-se da surpresa do cigano para soltar-se de seus braços.

— Fora daqui, cigano imundo! Fora ou soltarei os cães!

Fitando-a com os olhos brilhantes, Rublo tornou com voz suave:

— As coisas mudarão e tudo será diferente. Rublo nunca havia amado, mas, agora, ama! Reafirmo-te que serás minha! Mas, não pretendo violentar-te a vontade. Quero o teu amor. Só me pertencerás quando tiverdes esse desejo. Adeus!!

Ele desapareceu rápido, antes que ela pudesse desabafar todo seu ódio.

Nervosa, sentiu frio e resolveu entrar, mas as gotículas de sangue ainda eram visíveis. Disfarçou o mais que pôde, cobrindo-as com a echarpe. Procurou alcançar seu quarto sem ser vista.

Que audácia daquele cigano! Como se atrevera a agir assim com ela, filha do Duque de Merlain? Jamais permitira a homem algum aquelas intimidades. E logo um cigano! Era inegável que jamais encontrara um homem ousado como ele, de certa forma admirava-lhe a coragem, mas, ao mesmo tempo, a convicção profunda que ele demonstrara no que afirmara, irritara-a ao extremo.

Julgava que ela seria capaz de pertencer-lhe! Que absurdo!

Pela sua memória passou como um relâmpago a força daqueles braços, lembrou-se da maciez dos seus lábios. Estremeceu.

Deveria contar ao pai o sucedido, obrigando-o a expulsar os ciganos da aldeia? Súbito, sentiu vontade de rir ante o grotesco da cena de momentos antes. Qual, o melhor seria não se preocupar mais com isso. Certamente logo eles partiriam e não mais o veria.

Chamou a camareira e mandou que a preparasse para deitar-se. Não mais desceria ao salão.

Rublo, com as costas da mão limpando o sangue que gotejava ainda, insistente, galgou rapidamente a estrada juntando-se a um companheiro que o esperava.

— Que houve, foste ferido?

— Não são só as ciganas que possuem bons dentes. As nobres damas também sabem morder.

O outro casquilhou uma risada maliciosa:

— Andaste depressa, Rublo!

— Que queres, não sei esperar. Depois, ela é insolente e pretensiosa. Hei de fazê-la pagar caro pelo insulto que me dirigiu.

O outro abanou a cabeça indeciso.

— A empreitada é perigosa. Não acho que dê bons resultados. Desiste, Rublo, enquanto é tempo.

Rublo agarrou seu companheiro violentamente pelo braço obrigando-o a parar.

— Não repitas isto, Marcos. Sei o que faço! Viste como ele ria, feliz, despreocupado, no meio do luxo e da riqueza. Entretanto, Mirka morreu miseravelmente. Hei de vingar-me e ninguém conseguirá deter-me.

A voz de Rublo estava repassada de ódio e seus dentes rangiam com força. Seu aspecto era feroz.

— Está bem. Faze o que quiseres. Afinal, a vingança é um direito que te assiste.

Rublo largou o braço do outro e pareceu serenar um pouco. Recomeçaram a caminhar.

— Sabes que não tenho vivido senão para o meu ódio. Somente ele me tem dado forças para continuar esperando. Ele ainda sentirá a força do ódio cigano.

Marcos limitou-se a dar de ombros. Conhecia a obstinação do companheiro.

Continuaram caminhando em silêncio e em breve seus vultos desapareceram na promiscuidade do acampamento.

Capítulo 7

O sol iluminava a aldeia na linda e perfumada manhã primaveril quando Marise, corada pelo esforço, subiu a encosta à procura de inspiração para o quadro que resolvera iniciar.

Com os bastos cabelos protegidos pelo vasto chapéu gracioso, ela harmonizava-se perfeitamente com a suavidade fresca da manhã.

Até ali — pensava — estivera descansando, divertindo-se, adaptando-se à nova vida, mas, agora, sentia a necessidade de ocupar-se com algo útil e agradável. Ia em busca de um motivo para fixar em sua tela. Pensara nos ciganos.

Frei Antônio lhe falara neles assim que regressara. Ele sentia pena da vida sem Deus que viviam. Tentara dirigir-se a alguns deles na rua, com intenção de convertê-los, mas fora recebido com ironia e chacota.

Diante da impossibilidade de modificá-los, passou então a desejar que eles partissem o quanto antes, notando a influência nociva que exerciam nos habitantes da aldeia, vendendo-lhes objetos sacrílegos para mascotes, abusando em proveito próprio das crendices e superstições do povo.

Ainda há poucos dias, haviam-lhe contado que um cigano havia curado um doente libertando-o de uma paralisia do braço direito, que o incomodava havia vários anos. Frei Antônio abanara a cabeça, descrente, exortando na Igreja aos seus paroquianos que não procurassem os ciganos pois que eles certamente pactuavam com o demônio. Como poderiam curar se nem sequer respeitavam a Deus?

Frei Antônio estava indignado e mesmo disposto a ir procurar o duque, solicitando-lhe a expulsão dos ciganos, porque sabia que muitos aldeões não haviam seguido seus prudentes conselhos, correndo o boato mesmo de que havia um cigano santo no acampamento.

Frei Antônio estremecia de horror diante de tal sacrilégio! Marise, porém, sorria não levando a sério nem a crendice dos simplórios camponeses, nem o excesso de zelo de frei Antônio.

Estava curiosa. Jamais vira um acampamento cigano. A certa altura, parou enternecida. Divisara o acampamento.

Um crescente entusiasmo dominou-a. Aproximou-se e não viu a precariedade de conforto, de higiene, a sordidez do ambiente.

Seus olhos olhavam com interesse puramente artístico. O quadro era, sob este aspecto, soberbo.

Ficou por alguns instantes interdita, depois resolveu-se. Pintaria uma das carroças cujos varais descansava sobre alguns caixotes, para permitir aos animais que gozassem da liberdade. Uma pequena fogueira ardia à sua frente e uma jovem mulher, sentada na relva, mexia a carne no espeto rústico de pau. Suas negras tranças caindo-lhe pelos ombros sobre o peito, contrastavam com o branco de sua blusa ousada em gracioso conjunto com sua saia florida e de cores berrantes.

Ao seu lado, formosa criança brincava entretida em encher de terra uma pequena lata que despejava em seguida.

Completava a cena um cão cujo olhar brilhante ia da carne à jovem mulher esperançoso e faminto.

Marise procurou instalar-se discretamente. Montou o cavalete preparando-se com afinco para iniciar o esboço do seu primeiro trabalho em Ateill.

Trabalhou incessantemente durante algumas horas, sem ser percebida pelos ciganos que continuaram suas atividades normais.

Já agora, a jovem mulher não estava mais ao pé do fogo, nem o cão, nem a criança, mas ela conseguira um rápido esboço e trabalharia nele auxiliado pela memória.

De retorno à casa, fez-se misteriosa para Liete e frei Antônio não permitindo que vissem o seu esboço, temerosa de que a forçassem a desistir de ir ao acampamento.

À tarde, em seu quarto, trabalhou ativamente e a tela foi gradativamente criando vida.

Durante alguns dias, pôde trabalhar, mas a certa altura parou. Faltava-lhe certo detalhe que sua memória não conseguia recordar.

Resolveu, assim, voltar ao acampamento em busca da particularidade que necessitava.

Alegre, sobraçando o cavalete e a maleta dos pincéis, saiu. Em passos rápidos, galgou a encosta e dentro de alguns minutos encontrou-se no local desejado. Armou o cavalete e verificou que a carroça ainda permanecia na mesma posição. Sorriu intimamente satisfeita e entusiasta reiniciou o trabalho. Mas, não conseguiu passar despercebida desta vez. Sua presença foi notada por algumas crianças do acampamento que reconhecendo a cigana da tela saíram aos gritos contando a novidade.

Logo, Marise viu-se cercada por um grupo de mulheres curiosas, inclusive a que retratara. Orgulhosas e admiradas, observavam o trabalho da jovem que continuava pintando imperturbável.

Marise amedrontara-se a princípio, porém, percebendo-lhes a atitude de respeito, compreendeu que elas a admiravam.

Pouco depois, um cigano, atraído pelo alarido, aproximou-se. Verificando do que se tratava, dirigiu-se à moça em tom pouco amável.

— Como ousais pintar nosso acampamento sem autorização?

Ligeiramente assustada diante da atitude hostil do cigano que pela maneira de falar parecia o chefe, com voz suave respondeu:

— Não julguei que para pintar meu humilde trabalho necessitasse da vossa autorização. Se soubesse, tê-la-ia solicitado.

Verificando a atitude simples e digna da moça, o cigano resolveu tirar vantagens da situação. Ela vestia-se com apurado luxo, devia ter dinheiro. Mudando completamente de tom, já maneiroso ele tornou:

— Não é a primeira vez que um de nós pousa para um quadro, mas, os pintores de Paris costumam pagar generosamente para isto. Entretanto, se quiserdes remediar o mal ainda está em tempo: paga!

Marise compreendeu que aqueles homens eram realmente perigosos. Mas não os temia.

Vendo a mão do cigano estendida, esperando, ela, olhando-o algo desafiadora, tornou:

— Não vos pagarei, visto que não fostes vós o modelo, mas a ela realmente devo alguma coisa.

Com um gesto gracioso tirou do pulso uma linda pulseira de ouro e delicadamente colocou-a na cigana. Os olhos da jovem mulher brilharam de prazer por alguns segundos, depois fixaram-se no cigano com algum temor.

Este, porém, olhou para Marise, curvou-se algo servil enquanto disse:

— Seja como desejais, porém, previno-vos que o chefe aqui sou eu e que qualquer negócio deverá ser tratado comigo.

Marise, notando a ameaça no olhar do cigano, sobressaltou-se. Foi aí que seus olhos se fixaram em alguém atrás que, braços cruzados sobre o peito, observava a cena com interesse. Sua figura simples e sem atavios, impressionou a moça que a ele se dirigiu. Permaneceu por algum tempo fitando-o. Ele sorriu.

Marise caiu em si. Encabulou. Ele, percebendo-lhe o embaraço, curvou-se ligeiramente:

— Meu nome é Ciro.

Sem saber o que dizer, Marise procurou uma desculpa para sua atitude ousada.

— O vosso rosto — disse por fim — é muito expressivo do ponto de vista artístico. Gostaria de pintá-lo. Devo pedir para isto a permissão do vosso chefe?

Ciro olhou-a algo divertido:

— Não creio que minha figura mereça esta honra. Sugiro um melhor aproveitamento da vossa arte e dos vossos pincéis.

Subitamente, parecendo esquecer-se das palavras pronunciadas havia poucos instantes, Marise murmurou:

— Quem sois?

Pelo olhar de Ciro passou um lampejo emotivo. Porém, retrucou sereno:

— Quem pensais que eu seja?

Confusa, a jovem baixou a cabeça embaraçada.

— É prudente ir-me embora. Vosso chefe não gostou da minha visita. Estou mesmo ligeiramente apreensiva. Comenti a leviandade de me adornar com joias valiosas e temo... — calou-se embaraçada.

Ciro relanceou o olhar pelas joias de Marise e ao redor, verificando que o chefe a um canto conversava com dois ciganos e lançava furtivos olhares à moça.

Temendo que eles a assaltassem quando saísse dali, pensou em acompanhá-la até certo ponto, colocando-a a salvo. Porém disse:

— Por que confias em mim?

A moça fitando-o nos olhos respondeu:

— A confiança é algo que não se explica. Em meio ao sobressalto, vi o vosso rosto e senti vossa serenidade. A serenidade não se espelha na fisionomia daqueles cujos pensamentos são tumultuosos. Somente quem goza da paz de consciência pode refletir a serenidade na fisionomia.

Ciro limitou-se a dizer:

— Acompanhar-vos-ei até a aldeia.

Juntando seus pertences sob o olhar admirado e algo enfurecido dos ciganos, os dois deixaram o acampamento.

Sobraçando o cavalete de Marise, Ciro caminhava silencioso. A moça, porém, sentiu-se dominada por grande curiosidade. Quem seria aquele homem? Vestia-se quase como um cigano, mas sua atitude era a de um fidalgo. Sem poder conter-se mais, parou e fixando-o, perguntou-lhe:

— Por que vos reunistes aos ciganos?

Imperturbável, ele respondeu:

— Não pareço cigano?

Ela abanou a cabeça em negativa.

— Talvez não seja mesmo, mas, para que falar de mim? O culto de nós mesmos nada mais faz do que tornar-nos enfatuados e vaidosos. O mundo deveria ser uma grande fraternidade onde a personalidade individual se anulasse em benefício do todo. Somente assim poderíamos ser fortes e felizes.

— Penso que és um bom... — adivinhou ela.

— Enganas-te. É perigoso julgar. Nossos conhecimentos não o permitem. O homem não conhece nem a si mesmo. Forma opinião excessivamente lisonjeira de si mesmo. Apega-se a essa ilusão e pensa que é aquilo que desejaria ser e sente-se com direito de julgar o seu próximo. Às vezes a vida necessita sacudi-lo fortemente através da dor para reconduzi-lo à verdade.

— Sinto que sois um filósofo. Falais da vida com conhecimento. Qual a maior virtude a aprender?

— A humildade. O humilde sabe amoldar-se às condições mais singelas da vida sem sofrimento nem humilhação interior. É preciso ser humilde para ser realmente grande no concerto universal — fez ligeira pausa. Vendo que ela o escutava com atenção, continuou apontando o chão:

— A terra, por exemplo, com seu trabalho profícuo e silencioso nos tem dado tudo. Dela tiramos o alimento, a água, os minerais, quase que a totalidade dos elementos de que necessitamos para viver e o que lhe damos em troca? Apenas a calcamos aos pés indiferentes e superiores. Entretanto, será ela que um dia abrir-se-á generosamente para receber os despojos de nossas carnes, transformando-as da putrefação à construção de novos elementos vitais. Ela, dentro da sua humildade, continua cumprindo sua tarefa grandiosa, silenciosamente, sem esperar recompensa. Essa deverá ser sempre nossa atitude dentro da vida. Somente assim estaremos bem.

Caminharam silenciosamente mais algum tempo. As palavras de Ciro haviam calado fundo no coração e na inteligência viva de Marise.

— Vossas palavras traduzem meditação e sabedoria. São dignas de uma análise mais séria.

— A sabedoria não reside nas minhas palavras, mas na própria natureza. Ela, como perfeita mensagem do Criador, nos ensina uma infinidade de coisas, que por si só nos traçam a verdadeira linha de conduta dentro da vida. Feliz aquele que consegue ler e assimilar as suas proveitosas lições! Mas, já estamos quase na entrada da aldeia. Convém que eu me vá.

Marise suspirou imperceptivelmente:

— Que pena! Chegamos tão depressa...

Ciro olhou-a. Seus olhos possuíam indefinível expressão. Marise sentiu desejos de retardar ao máximo a partida de Ciro. Sua presença era-lhe agradável e sua palestra interessantíssima. Para retê-lo, tornou:

— Um momento ainda, desejo vossa opinião.

Com um gesto rápido descobriu a tela que Ciro colocara no chão. Levantando-a, continuou:

— Que tal parece?

Ciro fixou o quadro com serenidade. Depois de examiná-lo cuidadosamente declarou:

— Péssimo. A proporção está desigual neste ângulo e as cores fortes demais para a manhã primaveril.

Um tanto decepcionada e surpreendida, Marise defendeu-se:

— Mas os ciganos vestem-se de cores berrantes!

— Certo. Mas, a exuberância cigana numa tela como esta onde a cena matinal é terna e ingênua, poderia ser retratada na expressão dos olhos e na curva dos lábios. Entretanto, reconheço vossas qualidades artísticas. Deu expressão viva à criança e ao cão. É um trabalho de principiante, cujas qualidades se esboçam e que bem dirigidas poderão frutificar amplamente.

Marise estava admirada.

— Vejo que entendeis de arte. Realmente é meu primeiro trabalho desde que saí do colégio.

Vendo a fisionomia triste e decepcionada da moça, Ciro objetou:

— Não desanimeis. Tive que ser sincero. A mentira me repugna. A verdade ajuda sempre mais. Olhai, vou mostrar-vos, posso?

— Mas é claro!

Montaram o cavalete e Ciro misturou algumas tintas e começou a trabalhar na tela de Marise.

A princípio ela aceitara aquela atitude para tentar também reduzi-lo ao fracasso como pintor. Desejava que ele estragasse sua tela somente para salvar seu amor-próprio, porém, este pensamento evaporou-se logo de início vendo a segurança com que ele manejava as tintas conseguindo tonalidades insuspeitadas.

Mostrando os defeitos do trabalho, ele começou a pintar.

O silêncio se fez e somente o rápido subir e descer dos pincéis interessava-lhe. Ciro trabalhava com uma atividade realmente impressionante. Marise observou admirada que todo seu aspecto parecia ter-se transformado.

Seus olhos brilhavam estranhamente fixos no trabalho e seus movimentos seguros eram rapidíssimos. Trabalhou assim durante uma hora ininterrupta e à medida que trabalhava, o quadro modificava-se, enchendo-se de vida e de uma espécie de auréola matinal. Súbito, com um gesto brusco largou o pincel. O quadro estava pronto!

Marise fitou a tela maravilhada. Quando se refez um pouco, balbuciou:

— Sois um artista. Um verdadeiro artista! Permiti que vos aperte a mão.

Ciro limpou a mão e estendeu-a para a jovem que disse sorrindo:

— Envergonho-me agora de desejar ser artista!

— Não deveis dizer isto. Para tudo necessitamos de esforço e trabalho. Por acaso este trabalho vos foi útil? Observastes os defeitos que necessitais corrigir?

— Sim. Creio que a lição foi de muita utilidade. Agradeço-vos. Agora sei que não sois um cigano, mas um grande artista!

— Nós, os pintores, fazemos apenas pálidas cópias de suas telas vibrantes e maravilhosas. Mas, pintar é útil porque nos obriga a olhar para as belezas das cores e das paisagens que nos rodeiam. Pronto. Os pincéis estão limpos e guardados na caixa. Creio que devo ir-me agora.

Movida por insopitável impulso, Marise perguntou:

— Vossa amizade me é preciosa, ver-vos-ei outra vez?

— Quem sabe? O destino pode favorecer ou evitar outros encontros. Esperemos.

Algo decepcionada, ela tornou:

— Parece-me que o prazer não é recíproco de um reencontro.

Vendo-lhe a fisionomia algo magoada, Ciro enterneceu-se:

— Não se trata disso. Mas, nem sempre o que nos dá prazer é aquilo que devemos fazer. Às vezes, por causa mesmo dele é que devemos recuar.

Marise corou ligeiramente diante da alusão delicada e algo intencional, principalmente pela expressão que leu no olhar dele. Ligeiramente embaraçada. disse:

— Adeus, então. Gostaria de pedir-vos algumas lições de pintura. Penso seriamente em dedicar-me a ela, desde a infância. Porém, hoje aprendi que ainda necessito de muitos conhecimentos para trabalhar com segurança e êxito. Reconheço que seria abusar da vossa bondade. Adeus...

Ciro apertou mais uma vez entre as suas a mão da moça que logo após, sobraçando seus apetrechos, rumou para casa.

Ele ficou parado, olhos fixos na graciosa figura que se distanciava e em seu olhar havia um mundo de ternura. Quando ela desapareceu em uma curva da rua, ele ainda permaneceu lá por algum tempo mais, quieto, olhos fixos no mesmo ponto, enevoados de mágoa. Pensou:

— O sapo e a estrela! Não devo mais vê-la, agora já é muito tarde!

Marise, entretanto, passos rápidos, leves, seguia para casa.

Lá chegando, encontrou na sala, em palestra com frei Antônio, o doutor Villemount. Um pouco enrubescida pela caminhada e ainda mais por saber que o bom padre não aprovaria seu passeio daquela tarde, Marise, descansando os objetos no chão, apressou-se em cumprimentar o médico, pessoa que realmente estimava. Gostava da sua atitude séria, sempre franca e principalmente da sua palestra culta e inteligente.

— Mas que surpresa, senhor doutor! Que prazer!

O médico sorridente levantou-se gentilmente para apertar a mão da moça.

— Infelizmente estou de passagem, não vou me demorar — e voltando-se para frei Antônio — estes ares fizeram bem à tua sobrinha. Está corada, forte.

— Graças a Deus, Villemount — concordou o padre orgulhosamente.

Ele sugestionara-se de tal forma com a sua qualidade de tio de Marise que se esquecera quase da verdade.

Atentando para o cavalete da moça, o médico, querendo ser gentil, objetou:

— Nossa jovem Marise é também artista? Podemos vê-lo?

— Não vale a pena, senhor doutor. É um ensaio insignificante.

A moça olhava receosa para a tela coberta e para os dois homens.

— Sois modesta com certeza! Deixai-me ver... Também aprecio a arte e prometo ser franco. Porém, pressinto que sois uma boa pintora.

Assim falando, o médico pegou a tela descobrindo-a por inteiro. Seus olhos se fixaram na nela, a princípio com tolerância, mas depois sua expressão foi se transformando em assombro, em admiração.

Frei Antônio, entretanto, estava mais vermelho do que de costume e a jovem percebeu que se zangara.

— É inacreditável, Marise! O mesmo estilo, a mesma nuance de cores, que semelhança extraordinária! Copiaste de algum quadro famoso? — perguntou o médico por fim.

— Não, foi da natureza.

— Então, sois um prodígio. Somente um pintor conseguia pintar assim, mas infelizmente morreu há vários anos. Sois uma verdadeira artista. Meus parabéns.

Marise sentiu-se envergonhada. Ela não gostava de situações dúbias.

— Devo contar-vos alguma coisa sobre este trabalho. Meu querido tio, sei que desaprovas com certeza o tema que tentei reproduzir na tela, desgosta-me contrariar-te. Contar-vos-ei toda verdade.

Em poucas palavras ela relatou-lhe fielmente sua aventura no acampamento cigano, sem omitir nenhum detalhe. Ao término da narrativa o padre advertiu:

— Minha filha, tua curiosidade poderia ter-te trazido consequências perigosas. Ai meu Deus! — gemeu ele. — Ainda levaste joias! Não sei como não te mataram! Promete-me que nunca mais irás às proximidades do acampamento.

— Interessante... Tenho ouvido falar muitas coisas curiosas sobre este homem que vive com os ciganos. Quem será ele? A credulidade dos campônios vai às raias do absurdo quando falam a seu respeito. Chamam-no santo!

Frei Antônio enfureceu-se:

— Deus meu que sacrilégio! Que Nosso Senhor Jesus Cristo perdoe esta gente ignorante!

Marise, porém, olhos brilhantes, nem pareceu ouvir as palavras do padre, apenas respondeu ao médico:

— É apenas um homem, senhor doutor, mas um homem bom, honesto, eu diria quase puro! Seus olhos são límpidos e serenos. Suas palavras sábias e modestas. Confio nele, doutor.

Frei Antônio estava admirado. Marise realmente possuía capacidade de análise. Sabia que poderia confiar nas suas observações, mas naquele momento não queria fazê-lo. Preferia crer que talvez ele já a tivesse influenciado malevolamente, iludindo sua boa fé. Isto porém não aconteceu com o médico que parecia intrigado.

— É estranho. Quem será este homem? É inegavelmente um grande pintor. Será por acaso... não, não pode ser. Ele morreu há muitos anos! Entretanto, seu estilo era inconfundível.

Interessada, Marise perguntou:

— A quem vos referis?

O médico maneou a cabeça.

— Nada, menina. Apenas algumas indagações íntimas. Marise, qualquer dia irei pessoalmente conhecer esse homem.

Frei Antônio explodiu:

— Mas é inacreditável! Até o materialista Villemount às voltas com o tal cigano!

O médico sorriu meio divertido enquanto dizia:

— Ao materialista não se pode negar o livre direito de pesquisar. A verdade acima de tudo, meu caro frei Antônio.

— A verdade está bem clara sem necessidade de uma aproximação com ele. Para mim este cigano é mais astuto e hipócrita do que os demais.

— Pois eu não aceito uma ideia antes da devida comprovação. Ainda mais quando uma pessoa como Marise, a quem considero sensata, emite uma opinião tão interessante sobre o assunto. Depois, há já várias semanas que venho ouvindo sobre esse homem as mais disparatadas histórias.

Frei Antônio meneava a cabeça indignado. O médico continuou:

— Contar-vos-ei um interessante caso que ocorreu comigo há alguns dias atrás e que me deu o que pensar. Certa cliente levou-me há dias uma criança de 5 anos, gravemente enferma. Examinando-a, pude constatar positivos e sérios sintomas de febre maligna. A paciente estava prostrada, lábios roxos e para ser sincero àquela mãe, dei-lhe poucas esperanças de cura. Ao mesmo tempo procurei confortá-la.

Receitei-lhe uma beberagem, algumas compressas, e ela se foi, com a filha nos braços, desolada e aflita. Impressionado com o caso, pois que o hábito da medicina não impede sempre uma certa angústia diante da morte próxima, saí o menos possível de casa naquele dia. A noite, pouco dormi, tal a certeza de que seria procurado por aquela pobre mãe. Porém, ela não apareceu naquela noite, nem no dia seguinte. Dois dias depois, veio ver-me e pude constatar que sua filha, embora magra e abatida, estava em franca convalescença. Embora satisfeito, fiquei surpreso com aquela melhora tão rápida e completa. Para minha orientação em outros casos, perguntei-lhe alegre:

— Seguiste à risca minha prescrição?

Para surpresa minha, ela respondeu:

— Preciso contar-vos tudo, senhor doutor. Aquele dia saí daqui desesperada com a gravidade do estado da menina. No meu desespero, lembrei-me de ter-vos ouvido dizer que Deus me ajudaria a salvá-la. Sem pensar em mais nada, ao chegar em casa, caí de joelhos e rezei, pedi com todas as minhas forças que Ele salvasse minha filha. Quando terminei, não sei por que, acudiu-me à mente a figura do santo cigano. Imediatamente, embrulhei a menina e embora com esforço levei-a até o acampamento. Assim que ele me recebeu, tive imensa confiança em sua figura. Devo continuar, senhor doutor?

— Mas é claro, conta-me tudo.

— Tomou-me a criança dos braços e conduziu-nos à uma carroça onde a depositou no leito. Seus olhos olhavam-nos com tanto carinho e amizade que no desespero em que me encontrava não pude mais sufocar a dor. Deixando que os soluços tomassem conta de mim, implorei-lhe que salvasse minha filha. Com uma voz tão bondosa e serena que jamais poderei esquecer, ele disse-me:

— Não chores. Deus tudo vê e Jesus que nos ampara sempre, não te faltará nesta hora de prova. Somente eles poderão curar tua filha. Se dependesse da minha vontade certamente já o teria feito, entretanto, posso ajudar-te a pedir. Nosso pensamento é força, luz e realização. Agora, pede, ora com todas as forças do teu coração enquanto farei o que puder.

Vi quando ele, acercando-se do leito, levantou os braços para o Alto, permanecendo assim por algum tempo, depois, colocando as mãos espalmadas sobre a cabeça de minha filha, cerrou os olhos parecendo em profunda meditação. A certa altura, disse-me:

— Ore, ajude-me!

— Coloquei toda minha vontade naquela oração, mas pude ainda observar que o corpo da menina agitava-se em um extertor e cobria-se de suor. Olhei para o cigano e sua figura impressionou-me. Estava branco como cera. Não parecia ser deste mundo. Pouco depois, disse-me:

— Podes levar tua filha. A bondade de Deus resolveu ajudar-te. Ela ficará boa. Agradece-lhe pois, dedicando o resto da tua vida ao aperfeiçoamento do teu espírito, procurando ser sempre pura, boa para com o teu próximo. Assim deverás pagar ao senhor teu Deus.

Entontecida, louca de alegria, tornei:

— Senhor, dizei vosso preço. Sou pobre mas ainda que tenha que trabalhar o resto da vida, vos pagarei o que pedirdes.

Ele sorriu e respondeu:

— Procura fazer o que te disse. Eu nada fiz. Deves pagar a quem realmente fez-te algumas coisa: Deus. Segue sinceramente o que te ensinei a pouco e tudo estará pago. Quanto a mim, traze tua filha amanhã para que eu veja seu estado. Agora vai em paz. Sossege teu coração e descanse, tudo já passou.

Ele pousou a mão delicada em minha cabeça e senti meu corpo encher-se de um agradável calor. Quando saí dali, ia grata e consolada. Enrolei bem a criança que suava por todos os poros. Senhor doutor, quando mais tarde ela parou de suar, estava sem febre e tranquila. Pediu-me até um pouco de leite! Foi um milagre, doutor! O cigano é mesmo santo!

— Boquiaberto, constatei que realmente a convalescença apresentava-se clara e parecia caminhar rapidamente. Ainda duvidoso, perguntei-lhe:

— E os medicamentos?

— Não os comprei, senhor. Para vos ser franca, não possuía meios para fazê-lo.

Depois de examinar detidamente a criança, dei-lhe alta, aconselhando boa alimentação e um fortificante. Que dizeis disto, frei Antônio?

Frei Antônio estava perplexo:

— Villemount! Queres mesmo acreditar que o tal cigano seja um santo? Isto nada mais foi do que uma simples coincidência. A menina curou-se porque deveria curar-se, só isso.

— Vossa explicação não soluciona o problema. Sou um médico clínico há muitos anos, tantos, que nem sei bem quantos. Vi a criança, sei que seu estado era gravíssimo. Embora não entre no mérito da santidade ou não do cigano, o caso realizou-se e eu sou testemunha!

— Pois eu não creio!

— Mas, frei Antônio, que sacrilégio! — pilheriou o médico. — Eu que passo por materialista não duvido que o caso se tenha dado, mas vós, que pregais a bondade de Deus, não acreditais que ele tenha beneficiado uma aflita criatura? É estranho!

— Deus poderia fazê-lo, não duvido, mas nunca por intermédio de um cigano!

— Lembrai-vos, senhor cura, que o Deus que Jesus nos ensinou a conhecer é justo, bondoso e diante dessa justiça e dessa bondade, todos somos iguais.

— Acreditas então que esse charlatão seja um santo, um enviado de Deus?

— Não ousaria afirmá-lo. Entretanto, propus-me a investigar diretamente o assunto. O caso é realmente surpreendente. A realidade fala por si mesma. Somente depois de vê-lo, poderei acrescentar algo mais.

Marise ouvira calada. Meditando profundamente, tornou:

— Talvez seja quase um santo, quem sabe! Mas, eu acredito simplesmente que a qualquer coração piedoso, carinhoso, que possua alguma pureza de propósito e deseje sinceramente ajudar, como Ciro àquela pobre mulher, Deus ouviria sua prece. Chego quase a afirmar que foi isto o que aconteceu.

Frei Antônio permaneceu calado, porém, seu ar de profundo desagrado falava do que lhe ia pelo pensamento.

— Bem, mudemos de assunto, Marise, que o senhor cura não está muito à vontade.

Vendo o ar bem-humorado de Villemount, frei Antônio sorriu procurando afastar da mente seus pensamentos belicosos.

— Em absoluto. Podereis falar dele tanto quanto desejardes, mas, o que me contraria é ver-vos sugestionados por esses ciganos. Francamente, jamais pensei que tal coisa pudesse acontecer.

— Ora, meu tio, não leveis tão a sério este assunto. Comentamos apenas. Somos curiosos, nada mais.

— Devo prevenir-te. Não deves mais ir ao acampamento cigano sob qualquer circunstância.

— Não irei mais, podeis ficar tranquilo. Minha curiosidade ficou satisfeita.

Após as despedidas do médico, Marise recolheu-se aos seus aposentos, juntamente com sua preciosa tela.

Tudo quanto lhe havia acontecido naquele dia, calara profundamente em seu coração. O rosto sereno de Ciro não lhe saía do pensamento.

Capítulo 8

O crepúsculo descia sobre aquela face da Terra, desenhando nos céus arabescos coloridos ainda pelos últimos raios de sol. Subindo a encosta, caminhando lentamente, Villemount alcançou o acampamento dos ciganos.

Era a primeira vez que para lá se dirigia, porém, era já conhecido de alguns dos ciganos, que doentes o haviam procurado em seu consultório. Respeitavam-no e portanto sua visita foi recebida com cortesia e deferência.

— Nosso chefe foi à aldeia, senhor doutor, não pode obsequiar-vos como seria do nosso agrado, porém, interpretando o pensamento dos meus amigos, saúdo-vos. Vossa presença nos honra e nos alegra.

— Sinto-me feliz com isso, Rublo. Porém, aqui vim para falar com Ciro. Podeis conduzir-me até onde se encontra?

— A estas horas ele certamente está em meditação. Vinde, é perto daqui.

Villemount seguiu o cigano que o conduziu a um declive do terreno onde um homem, de costas, sentado sob uma árvore, parecia imerso em profunda meditação.

— Podeis ir, Rublo, eu mesmo me apresentarei.

Depois que o cigano se foi, Villemount, aproximando-se de Ciro, disse-lhe:

— Perdoai se interrompo vossa meditação. Preciso falar-vos.

Como que movido por uma mola, Ciro levantou-se e voltando-se encarou a fisionomia simpática do médico. Seu rosto sempre tão sereno, tornou-se pálido enquanto que o doutor Villemount estarrecido permanecia boquiaberto sem saber o que dizer.

— Tu! És tu! Estás vivo então! Agora tudo se me torna claro...

Ciro, agora já sereno, tornou:

— Sim, sou eu.

Mais calmo, já Villemount sorriu por fim.

— Dá-me um abraço. Jamais pensei que pudesse rever-te!

— Sim, meu tio. Este mundo se torna bem pequeno quando o destino deseja reunir as criaturas.

Trocaram um longo e afetuoso abraço, depois, sentaram-se ao pé da árvore. Impaciente, Villemount perguntou:

— Mas, como conseguiste escapar ileso? Eu mesmo assisti a tua condenação. Por que estás com os ciganos?

Pelo rosto de Ciro passou uma onda de tristeza.

— É-me doloroso voltar ao passado, porém, sinto que te devo uma explicação pelo muito que naquele tempo trabalhaste por mim. Ouve pois. No torvelinho dos acontecimentos, não pude jamais conversar contigo a sós, contando todo meu drama. Diante porém da amizade sempre sincera que nos uniu, abro-te meu coração.

— Sim, meu filho. Conta-me tudo. Estou ansioso.

— Sabes que ingressei muito criança no seminário por vontade de minha mãe. Embora não sentindo em mim grande vocação para o sacerdócio, compreendi que obedecendo-lhe a vontade, poderia ser útil ao meu próximo, dedicando minha vida em minorar-lhes os sofrimentos. Meu entusiasmo jovem de adolescente decepcionou-se porém ao contacto com a rudeza do seminário, onde compreendi que aqueles que se diziam nossos superiores e ministros do próprio Deus, eram cheios dos pequeninos defeitos tão comuns ao resto da humanidade. Pensei encontrar santos e defrontei-me com homens cheios de rivalidade, inveja, vaidade e incompreensão. Pensei aprender com eles, porém, cedo percebi que na parte moral, que mais me interessava, eles nada tinham para oferecer a não ser em sermões que quase sempre provocavam-me a sensação de uma fábula cuja realidade seus exemplos desmentiam.

Enchi-me porém de coragem, pensando que os homens são falhos. A doutrina da Igreja não devia ser responsabilizada por isso.

Embora não sentindo dentro de mim uma harmonização completa com os conceitos teológicos que abraçara, convenci-me de que poderia com zelo e carinho levar avante com sinceridade, o ideal que minha mãe me havia imposto. Resolvi, pois, deixar de lado certos princípios que me eram impostos como dogmas, aceitando-os como as fábulas que nos contam quando somos crianças, mas que se desfazem ao esmiuçar do raciocínio um pouco mais amadurecido. Depois — eu pensava — meus superiores como homens eram falhos e tinham certamente a possibilidade de errar embora movidos por piedosas intenções. O que para mim tinha valor, entretanto, eram os ensinamentos de N. S. Jesus Cristo que suportavam o exame do mais lúcido e amadurecido raciocínio, maravilhando-nos sempre com a pureza da sua filosofia. Sim, a única religião deixada pelo Cristo — eu aceitava — deveria ser a católica, apostólica, romana, depositária através de Pedro, das chaves do céu.

Assim, ordenei-me, com sincera vontade de ser um bom padre, de dedicar-me ao ministério do Cristo com constância e boa vontade.

— Lembro-me bem. Assisti a tua ordenação.

— Eu desejava trabalhar em contato direto com os necessitados, tal como os apóstolos do Cristo. Era assim que eu compreendia o exercício do sacerdócio. A permissão, porém, foi-me negada pelo bispo. Não me conformando, fui visitá-lo, perguntando-lhe a causa da recusa. Recebeu-me muito bem e quando lhe falei da minha vontade, declarou-me:

— Julgo-te ainda jovem para tal empresa. Para realizares o que desejas, seria necessário designar-te para uma paróquia. Ora, revisei cuidadosamente tuas provas no seminário e pude assim aquilatar tua forma um tanto livre de raciocínio. Seria perigoso, pois, colocar-te em contato direto com o povo, onde os pecadores proliferam e, ao invés de convertê-los, poderiam eles transviar-te. É meu dever como teu superior, zelar amorosamente pelos interesses da Igreja, protegendo seus ministros. Dar-te-ei por enquanto o posto de auxiliar no mosteiro onde resides. Lá, terás oportunidade de exercitares a humildade e a obediência e conforme tua ficha de serviço, serás promovido. Agora, podes ir.

— Inútil dizer da minha decepção. Sonhara ser um apóstolo e estava reduzido à servo dos meus superiores no mosteiro. Sempre fora contrário à inércia e ao retiro do convívio dos semelhantes, à reclusão. A não ser a daqueles que se dedicam aos estudos científicos em benefício da coletividade. Retirar-me a um mosteiro, eu, que sonhara sempre ajudar, trabalhar e servir, imitando o Mestre em seu exemplo magnífico. Viver na inércia, embora em constante oração, não significava para mim, servir a Deus! Eu era jovem, cheio de boa vontade, poderia amparar, levantar, ajudar muitos necessitados. Por que não me deixavam trabalhar num hospital, por exemplo?

Senti uma vontade infinita de revoltar-me, mas, ao mesmo tempo, sabia que Jesus ensinava sempre a humildade, a paciência, a perseverança.

Assim pois, iniciei a nova tarefa, se bem que com pouco entusiasmo, mas, com sincero desejo de servir.

Fui designado para bibliotecário. Para que possas compreender bem certos fatos, devo esclarecer-te que a biblioteca do mosteiro era das mais completas.

Estava dividida em duas partes: a livre, para os internados e a outra que ninguém, com exceção dos diretores, podia franquear livremente. Aos demais, somente com a permissão destes era permitido ler aqueles volumes.

A primeira parte constava de conhecimentos gerais, livros aprovados pela Igreja. A segunda, dos livros condenados, mas que sem dúvida, deles necessitavam os professores para combatê-los, ou às ideias que defendiam para proteger seus seminaristas contra possíveis dúvidas que surgissem em sua vida como sacerdote.

Como sabes, tio, sempre gostei de ler e passando a maior parte do meu tempo entre os livros, fácil será compreender que dediquei-me a eles de corpo e alma.

Aliás, a princípio, para fugir à monotonia do mosteiro e depois fascinado pelo mundo novo que descortinava através dos livros que jamais me fora permitido ler.

Devo esclarecer-te que, como bibliotecário, era-me concedida plena liberdade de ação. A obra entretanto que mais me fascinou foi a de Voltaire, embora condenasse sua maneira um tanto materialista de ver as coisas, não se lhe poderia negar um estilo fluente, rico, elegante e de uma profunda e real filosofia. Suas críticas cruas à Igreja Romana feriram-me o orgulho, mas, para ser honesto comigo mesmo, reconheci-lhe muito de razão. A Santa Inquisição era, na minha opinião pessoal, a vergonha da Igreja. Nada justificaria matar o semelhante a pretexto de defender a Igreja de Deus. A ele como pai, poderoso e justo caberia certamente esta defesa, se disto a Igreja precisasse. Calava-me porém, não desejando ofender meus companheiros e amigos que eram agora minha família.

Um dia, estava lendo no silêncio morno de uma tarde de verão quando subitamente senti um desejo louco de desenhar. Distraído, apanhei o lápis e pus-me a rabiscar em uma folha de papel. Senti que minha mão se movia com extraordinária rapidez, independentemente da minha vontade, subindo e descendo sobre o papel.

Surpreendido, observei que os rabiscos iam tomando forma e um rosto para mim desconhecido retratou-se no papel. Quando o desenho ficou pronto, minha mão parou como que amortecida deixando cair o lápis. Apanhei-o novamente, mas, por mais que me esforçasse, não consegui desenhar um traço sequer, a não ser os rabiscos que comumente eu sabia fazer.

Impressionado, verifiquei que o retrato estava perfeito e que pela expressão do seu olhar, só poderia ser desenhado por um grande artista! Mas fora eu quem o fizera! Eu, que mal sabia os rudimentos do desenho. Como compreender isso? Estava sendo joguete de uma ilusão? Mas, não, o retrato ali estava, sólido, tangível e fora a minha mão que o desenhara.

Incapaz de resolver tal problema, voltei-me para Deus e orei fervorosamente. Mas, ao invés de acudir-me uma ideia explicativa, senti em mim a necessidade urgente de telas, pincéis e tintas. Intrigado, resolvi no dia seguinte encarregar o padre que ia às compras, de trazer-me o material desejado.

Desde aquele dia, não consegui mais deter em mim aquele desejo vivo de pintar sempre, manejando com maestria e perfeição pincéis e tintas que dantes nunca sequer tocara! A situação encantava-me pois os quadros se sucediam perfeitos, belos, de uma arte pura inconfundível. Eu sentia que algo estranho, de sobrenatural se passava comigo, diante daquele fenômeno, vivendo-o, sentindo-o brotar como um turbilhão dentro de mim, subjugando minha vontade. Apesar de tudo, eu agia conscientemente, não permanecia alheio ao fenômeno, tomava parte nele, tanto é que aprendi muito da pintura durante aqueles exercícios.

— Não consigo compreender, Ciro. Se tomavas parte no fenômeno, não poderias repudiá-lo?

— Talvez, mas eu não queria. Aquela vontade que se sobrepunha à minha dominava-me com uma superioridade que eu pressentia. Depois aconteciam-me coisas extraordinárias. Durante aqueles exercícios, ocorriam-me às vezes, certas indagações curiosas sobre arte, ou a ciência das cores e dos tons que pela minha ignorância do assunto não poderiam ser respondidas, entretanto, nem bem meu pensamento as formulava, as respostas afloravam a ele, rápidas, concisas, perfeitas.

Era fora de dúvidas para mim, já a essa altura dos acontecimentos, que outro ser que eu não podia ver, estava a meu lado, trabalhando comigo, dirigindo-me a mão na formação daquelas telas. E que esse ser, essa criatura, possuía maiores conhecimentos do que eu e em muitos aspectos era-me superior. Quem seria?

— Por que não lhe perguntaste então?

— Quando eu o fazia, o que acontecia constantemente, não vinha a resposta direta, apenas o que me acudia à mente eram palavras amigas de esperança e confiança. A palavra que mais eu sentia viva em meu pensamento era "companheiro", outras vezes, "amigo". Mas se eu apesar de surpreendido recebera o fenômeno com certa facilidade procurando analisá-lo, o mesmo não aconteceu no mosteiro, onde as minhas atividades começaram a chamar atenção. A princípio, julgaram tratar-se de uma vocação artística brilhante e admiraram minhas telas, com entusiasmo e orgulho, porém os acontecimentos se complicaram através dos pequeninos acidentes que sucederam então. Certo padre, já idoso, recém-chegado ao mosteiro onde deveria permanecer por alguns dias, diante de umas das minhas telas, estacou boquiaberto. Sua emoção foi tão intensa que precisou ser socorrido pelos demais que o acompanhavam. O quadro em questão fora o último que eu terminara e tratava-se de um retrato. Minutos após, fui chamado a comparecer em presença do diretor em seu gabinete. Já lá estava, ainda um tanto abatido, o velho visitante.

Vendo-me, pareceu ansioso e seu olhar espelhava curiosidade.

Padre Flávio, nosso diretor, homem autoritário, enérgico, foi logo dizendo:

— Entra, Frances — sabes que naquele tempo assim era o meu nome — senta-te aqui. O senhor consultor tem algumas perguntas a fazer-te.

Assenti respeitosamente e tomei assento na cadeira que me foi oferecida.

— Pela tua idade, sei que seria impossível teres conhecido meu pai. Entretanto, pintaste-lhe o retrato com tal perfeição que ainda a pouco parece-me vê-lo, vivo, em pessoa ao fitar aquele quadro. Como conseguiste? Isto é, de onde copiaste?

Surpreendido, respondi:

— De parte alguma. Ignorava mesmo que ele tivesse existido como homem neste mundo. Pintei sem copiar, apenas aceitando a inspiração.

Meus interlocutores se olharam assombrados e incrédulos.

— Não é possível! Se fosse somente a semelhança, mas não! O quadro é perfeito em seus mínimos detalhes. E o interessante é que ele somente foi retratado uma vez, por um seu amigo que o presenteou com um medalhão. Aqui está ele. Podes vê-lo.

Emocionado, diante de tal acontecimento, com a mão um pouco trêmula, apanhei o medalhão algo envelhecido pelos anos e o que vi, deixou-me realmente assombrado: o meu quadro era simplesmente uma ampliação daquele retrato. Nada fora esquecido em seus mínimos detalhes.

— Então, — tornou ele triunfante — e agora, o que dizes?

— Estou tão surpreso como vós outros. Jamais havia visto tal retrato. Pintei simplesmente inspirado.

— Teu caso muito me tem surpreendido, Frances — interveio Padre Flávio — tua vocação para a pintura foi muito repentina. Isso não teria importância pois que seria até caso comum. O que me intriga realmente é que jamais tomaste uma única aula de pintura. Não posso compreender.

— Eu também não sei explicar como foi. Senti vontade de pintar e pintei. Mas, parece que existe algo mais, além da comum inspiração. Sinto que um ser invisível me conduz a mão e é ele realmente quem pinta os quadros. Sinto que sou apenas seu instrumento.

Eu falei com toda sinceridade, mas percebi que os dois olhavam-me incrédulos e desconfiados. Mandaram-me sair por alguns instantes. Eles iriam meditar sobre o assunto. Que eu aguardasse seu chamado.

Quando meia hora mais tarde penetrei novamente no gabinete do diretor, este estava só. Recebeu-me com afabilidade. Pousando a mão em meu ombro, disse:

— Frances, estudamos maduramente o seu caso e chegamos à conclusão que estás sob a influência de um espírito demoníaco. Somente ele poderia conduzir-te a mão pintando um quadro que era conhecido de uma só criatura e que jamais havias visto.

Decepcionado, retruquei:

— Enganai-vos certamente! Um demônio certamente levaria minha mão a traçar más ações, entretanto, pinta quadros puros de uma beleza realmente delicada, possíveis somente a quem tem sensibilidade do belo!

Padre Flávio franziu a testa visivelmente contrariado.

— Meu filho. Vejo agora que foste fascinado por ele. Se desejamos salvar-te, precisamos agir o quanto antes. É meu dever tentar reconduzir-te ao bom caminho. Sempre foste algo descuidado dos deveres litúrgicos e um tanto rebelde às ordens superiores. És culpado de tal situação. De agora em diante, não mais pintarás nem irás à biblioteca. Permanece em tua cela, em jejum e eu mesmo irei até lá logo mais, a fim de exorcizá-lo.

Percebendo inútil qualquer palavra, obedeci às ordens, porém, sem acreditar em nada do que ele me dissera. Para mim, a superioridade do ser que me inspirava, era manifesta. Depois, se fosse um demônio certamente teria procurado revoltar-me contra Deus e a fé. Como poderia um demônio inspirar-me tão sábios pensamentos cristãos?

Profundamente desiludido, sentindo-me incompreendido, recolhi-me à cela, levando entre as mãos um exemplar da Bíblia. O livro santo certamente me aconselharia naquela encruzilhada de dúvidas e de incompreensões.

Meditei durante algum tempo, depois, em oração, pedi a Jesus que me inspirasse a verdade através dos seus Evangelhos. Esperançoso, abri o livro e meus olhos depararam com o seguinte:

"Todo reino dividido contra si mesmo será assolado e a casa dividida contra si mesma cairá. E se também Satanás está dividido contra si mesmo como subsistirá seu reino?" (Lucas, cap. V-vs. 11 a 17).

Então, meu tio, a luz acendeu-se mais forte em meu espírito. Se de fato o ser que agia comigo fosse um demônio, jamais poderia pregar o bem sem estar contra si mesmo. Sua inspiração sempre fora boa, pura, elevada!

Quando o sentia a meu lado, um desejo forte de ajudar o próximo despertava em mim, uma compreensão amorosa surgia no âmago do meu ser para com o mundo e os meus semelhantes.

— Não! Padre Flávio estava enganado e eu deveria prová-lo. Não sabia explicar o fenômeno, porém, todo meu ser, minha inteligência, raciocínio, repudiava a opinião dos meus superiores.

Durante dois dias permaneci na cela sem sair, a pão e água, a fim de, segundo pensei, preparar-me para a expulsão do pseudodemônio.

Aquela solidão fez-me bem e o jejum fazia-me sentir leve como um pássaro. Por várias vezes vislumbrei vultos brancos deslizando pela cela, porém, receoso de tratar-se de uma alucinação, nada disse a ninguém.

Certa noite, deitei-me após as costumeiras orações. Estava quase envolto pelo sono quando abri os olhos ao ouvir pequenino ruído ao lado da cama. O que vi deixou-me paralisado pelo espanto.

Um homem, elegantemente vestido, fisionomia estranhamente jovem apesar dos cabelos brancos, magro, barba em forma de ponta, estava parado ao lado de minha cama. Seus olhos eram suaves e os lábios entreabriam-se num sorriso. Trazia em uma das mãos a paleta de pintor.

— Meu amigo — disse — tua vida vai mudar, terás que lutar, mas não temas. Jesus é contigo e a verdade te fará livre.

Acenou-me alegre e desapareceu. Tudo fora tão rápido que por alguns momentos julguei ter sonhado. Mas não! Eu estava bem acordado e ouvira-lhe perfeitamente as palavras. Quem seria?

Seu rosto era-me estranhamente familiar. Sua figura bela despertara em mim um certo sentimento nostálgico de saudade indefinível.

Não tive dúvidas. Fora ele certamente quem pintara meus quadros. Trouxera a paleta para que eu o identificasse.

Novamente calei minha visão para meus companheiros. Sabia que me julgariam em delírio.

Na manhã seguinte, após as pregações matinais, padre Flávio veio à minha cela, seguido por um auxiliar, ambos paramentados e com os acessórios necessários à cerimônia com a qual pretendia libertar-me da influência, a seu ver, nefasta.

— Então, Frances, como tens passado?

Levantei-me respeitoso.

— Muito bem com a graça de Deus.

— Estimo. Quanto ao teu caso, tens notado alguma diferença? Isto é, ele cedeu ao jejum e a oração?

Sincero por natureza, não pude ocultar a verdade, uma vez que era solicitada. Depois, a afabilidade nem sempre comum ao meu superior, despertou-me a esperança de uma possível compreensão entre nós, para juntos tentarmos uma análise mais produtiva do fenômeno. Por isso, contei-lhe a visão que tivera.

Alisando levemente a barba, pensativo, padre Flávio permaneceu algum tempo. Depois, olhando-me com seriedade, tornou:

— Vejo que ele insiste apesar de tudo. Pois bem, ajoelha-te e pede a proteção de Jesus. Em seu nome, eu expulsarei o demônio que te atormenta.

— Mas... ele não me atormenta, padre, pelo contrário, sua bondade conforta-me e esclarece...

Meu superior interrompeu-me com um gesto contrariado.

— Esta tua ilusão é que lhe dá forças. Obedeces antes que seja tarde demais. Estás completamente fascinado!

Na confusão de ideias em que se debatia o meu espírito, entreguei-me obediente à ordem superior. De joelhos, orei fervorosamente a Deus para que me ajudasse, guiando-me os passos na trilha do caminho certo.

Padre Flávio começou a orar em voz alta, com o crucifixo na mão direita, benzendo-me em forma de cruz.

— Demônio, em nome de Jesus, eu te ordeno: deixa este homem!

Repetiu por três vezes estas palavras e foi então que algo extraordinário aconteceu: uma gargalhada sinistra encheu o ar.

Assustados, eu e padre Flávio olhamos para o seminarista que segurava os paramentos. Sua fisionomia estava transformada. Seu rosto jovem e magro parecia mais velho. Quando falou, sua voz era rouca e cavernosa:

— Tu, Flávio, queres expulsar demônios? Tu, que não consegues expulsá-los de ti mesmo? Fazes-me rir!... Vamos, mostra-me credenciais frente a Jesus e deixar-te-ei em paz. Mas, previno-te, conheço-te bem pois há muito vivo contigo! Não conseguirás enganar-me. Sou um demônio esperto e prevenido. Sabes... tu me conheces muito também... Marcelo é o meu nome. Lembras-te?... Estás com medo, bem o sei, mas por mais que faças por esquecer, não te libertarás do passado. Pagarás! Pagarás tudo até o último centavo!

E o rapazelho ria, ria muito, completamente fora de si.

Olhei para padre Flávio. Estava lívido e seus lábios tremiam. Não se movia, parecia pregado ao solo.

Sem compreender nada do que acontecia, voltei meu pensamento para o ser que me inspirava. No mesmo instante, movido por uma força impulsiva, levantei-me e estendendo as mãos à cabeça do rapaz que ria ainda murmurando palavras de vingança e de ódio, disse-lhe suavemente:

— Vai agora. Por que atormentar os outros que nenhum mal te causaram?

O rapaz pareceu ficar sério de repente.

— Não desejo mal nem a ti, nem a este pelo qual falo, mas a Flávio sim. Ele fez-me muito mal e deve pagar. Pagará!

— Não fales assim. Ele não te conhece. Vai-te, deixa-nos em paz, em nome de Jesus.

— Dizes que ele não me conhece? Pergunta-lhe! Que sabes tu do íntimo dele? — e sarcástico — conta-lhe, ó Flávio, nossa história. Conta-lhe, ordeno-te... Ah! estás silencioso, então contarei eu... há vinte anos ...

— Não, Marcelo. Cala-te! Para que voltarmos a tudo quanto passou?

Senti naquela hora muita pena do meu superior. Estava completamente mudado, humilde, angustiado, aterrado.

Com as mãos ainda sobre a cabeça do rapaz, ergui fervorosa prece a Deus implorando ajuda.

— Não nos interessa conhecer os erros do passado de ninguém, se existiram ou não. Apenas posso dizer-te que somente o perdão salva as criaturas e as conduz aos braços amorosos do Mestre Jesus. Perdoa ainda que te hajam magoado muito e sentirás a alma leve e o coração feliz. Ajuda e serás ajudado, porque sabes que quem com ferro fere com ferro será ferido. A justiça de Deus é perfeita e sempre se cumpre. Se desejas julgar, julga-te a ti mesmo e encontrarás certamente motivos para perdoar e assim galgar um lugar melhor no mundo onde vives. Agora vai-te.

O rapaz escutava em meditação.

— Irei. Mas nada prometo. Obedeço porque nada posso contra ti, mas ele que tome cuidado, ouviu Flávio, cuidado!

O corpo do seminarista agitou-se em estertor e pendeu para trás caindo ao chão. Corri para ele, levantando-o nos braços e colocando-o sobre o leito. Constatei que dormia agora normalmente.

Olhei para padre Flávio. Parecia mais velho, mais cansado. Sentara-se em uma cadeira e com o lenço enxugava o suor do rosto. Naquele instante, perdera sua costumeira pose de superioridade, pareceu-me outra pessoa.

Sentei-me também e nada disse, esperando que sua crise emocional serenasse. Mas, ele reagiu. Dali a poucos segundos, ergueu-se e ao fitá-lo reconheci o mesmo padre Flávio de sempre.

— Vês como eu tinha razão? O demônio habita contigo. Deves continuar com jejum e oração. Depois faremos nova tentativa para afastá-lo.

Surpreendido, retruquei:

— Mas se havia aqui algum ser demoníaco, não era comigo que ele estava nem permanece! Ele foi claro em afirmar que estava convosco...

— Basta! — cortou ele irritado. — Então pensas que lhe vou no engodo? Como te atreves a dizer semelhante coisa? Proíbo-te que fales mais neste assunto. A tua atitude sempre contrária aos nossos conselhos e opiniões é que te colocaram à mercê de Satanás.

Abanei a cabeça revoltado.

— Não é possível que estejais falando com seriedade. O que se passou aqui não se referia a mim, bem o sabeis. É absurdo o que dizeis!... Jamais conheci algum Marcelo e vossa atitude...

— Basta, repito! — padre Flávio estava lívido e seus lábios trêmulos. — Até agora usei de brandura para contigo, conforme os preceitos religiosos que obedeço, mas diante da tua atitude insubordinada, serei forçado a agir com maior energia. Ouve bem, ou aceitas passivamente nossas ordens ou entregar-te-ei ao exame dos peritos da Santa Inquisição, que visa livrar-nos dos perturbadores da religião como tu. Pensa bem e resolve.

E voltando-me as costas, encaminhou-se para a porta orgulhosamente.

— Convém que este rapaz permaneça aqui na cela contigo, pois que também está possesso do espírito imundo. Depois resolveremos o que se deverá fazer.

Vendo-me só com o jovem que ainda dormia, senti-me deprimido e angustiado. Compreendi que começava a correr perigo, pois que se padre Flávio me entregasse à Inquisição, as esperanças de escapar com vida seriam mínimas, ou mesmo nulas. Meu caso era realmente difícil para eles que eu sabia intolerantes ao extremo. Que fazer?

Por outro lado, sentia que não poderia confiar em padre Flávio. Ele demonstrara incompreensível má vontade em estudar o meu caso. Entretanto, sua emoção frente aos acontecimentos fora a de um culpado. Se tudo fosse mentira, se as palavras pronunciadas pelo ser invisível através do jovem seminarista houvessem sido falsas, por que teria ele perdido a serenidade?

Mil pensamentos cruzavam-se em minha mente evidenciando mais e mais a atitude comprometedora e estranha do meu superior.

O jovem, remexendo-se no leito, arrancou-me do torvelinho dos meus pensamentos. Aproximei-me. Vendo que despertara, apressei-me a levar-lhe um pouco de água que ele bebeu olhando-me algo receoso.

Vendo-lhe o ar preocupado, observei:

— Então, estás melhor?

— Sim... sinto-me bem, apenas um pouco cansado. Mas, dizei, o que houve?

— Não te recordas de nada?

— Vagamente — seu rosto naturalmente pálido coloriu-se de rubor. — Estou envergonhado. Tenho receio de recordar o que se passou.

Penalizei-me diante daquele rosto magro, quase de criança, confundido e aterrorizado. Num impulso alisei-lhe os cabelos negros e revoltos.

— Acalma-te. Coisas estranhas e que escapam à nossa compreensão passaram-se conosco hoje aqui. Nada temas. Imploremos a ajuda de N. S. Jesus Cristo e juntos procuremos estudar o caso.

— Estou decepcionado. Creio que não conseguirei fazer-me padre.

— Por quê? — vendo que o outro permanecia em silêncio, pedi. — Vamos, conta-me tudo. Já aconteceu antes o que hoje se passou?

— Sim. Infelizmente esta tem sido a minha tragédia. Vou contar-vos tudo. Desde criança sinto influências estranhas que, contra minha vontade, apossam-se de mim, obrigando-me a fazer e dizer coisas que não penso e até desconheço. Na minha aldeia, o fato era bem conhecido, pois estes casos sucediam-se frequentemente, predizendo às vezes o futuro das pessoas. Minha mãe, católica convicta, acreditou-me endemoniado. Receosa da Inquisição e desejando curar-me, conseguiu colocar-me no seminário. Oh! Infeliz que eu sou! Nem aqui consigo a cura tão desejada...

Os soluços cortavam as palavras do jovem angustiado e triste.

Tomado de profunda simpatia por ele, disse-lhe:

— Não temas. Deus está convosco, não duvido, e ele será sempre mais forte do que o mal. Esperaremos confiantes.

No dia seguinte, recebemos ordens para continuarmos na cela, jejuando e orando. Assim começava, meu tio, nossa odisseia.

Lutando entre forças desconhecidas em meio a ignorância e ao fanatismo dos nossos superiores, nossa situação era cada vez mais angustiante e perigosa. Durante aquele triste período, quando envolto em dúvida, imerso no mais terrível desespero, eu senti despertar em mim uma fé maior em Deus e a necessidade de ser sempre sincero comigo mesmo, dizendo sempre a verdade, para que minha consciência pudesse suportar tranquilamente os sofrimentos morais que já agora sabia inevitáveis. Eu tinha que enfrentar a situação. Contemporizar em matéria de crença e ideal, representava sufocar a ânsia de liberdade, de compreensão que sôfrega despertava em minha alma.

A verdade, fosse qual fosse, era para mim mais importante do que a própria vida, do que a religião que eu abraçara temerariamente.

Meu espírito indagava incessantemente e os conhecimentos adquiridos não me satisfaziam.

Lutando desesperadamente entre a lealdade a que me via forçado moralmente pelos compromissos assumidos com a Igreja, e as lacunas, as injustiças, as deficiências da orientação que meus superiores davam a essa mesma Igreja, passei muitas noites insone, desejoso de compreender, harmonizar, encontrar um apoio que, no sacerdócio, eu me julgava merecedor. Mas, depois de certo período, cheguei à triste conclusão de que nada poderia fazer conciliar as coisas. Eles eram intransigentes e às vezes até violentos, fazendo-me duvidar da pureza das suas intenções, acobertadas com o manto sagrado do zelo cristão.

Mil vezes tive de repetir tudo quanto já dissera com relação ao fenômeno, e essa repetição, forçada por eles, provocava sempre uma reação violenta.

Por fim padre Flávio resolveu que eu deveria confessar estar possesso do demônio. Eu ainda não me convencera dessa possessão e neguei-me terminantemente a confessar tal coisa que eu bem sabia, significar o libelo que me levaria ao tribunal do Santo Ofício.

Vendo que nada conseguia, passou a infligir-me castigos corporais, flagelando-me o corpo, até ver-me desfalecer de dor e de cansaço.

Eu desejaria ser submisso, fiel à Igreja, mas diante de tanta injustiça, sofrendo no corpo a humilhação da ignorância maldosa, da intolerância do padre Flávio, confesso que muitas vezes pensei odiá-lo.

Seu rosto transformava-se pelo furor quando, colocando o crucifixo diante dos meus olhos embaraçados pelo torpor do castigo, ordenava que eu confessasse. Eu balanceava a cabeça negando.

Quanto ao pobre seminarista que ocupava minha cela, e era também vítima da situação em que nos encontrávamos, num assomo de coragem, confessara tudo a padre Flávio que prometera ajudá-lo, desde que ele lhe obedecesse.

O rapaz acatava-lhe rigorosamente as ordens, mas algumas vezes, quando padre Flávio se excedia em castigar-me, ele tinha novas crises e Marcelo, acusando nosso superior de assassino, fazia-o sair da cela trêmulo e branco, inseguro e aterrorizado.

Mas, certa vez, isto não aconteceu. Quando padre Flávio, exacerbado com minha negativa em confessar, fustigava-me com novos golpes, o seminarista começou a rir roucamente dizendo:

— Isto, Flávio, mata-o! Cobre-te mais e mais de sangue! Ainda te afogarás nele. Por que não matas logo estes dois? Estás com medo que eles também te persigam? Não! É cedo ainda. Tua consciência é embotada, mas despertará um dia. Estou aqui para ajudá-lo. Ouves? Os sinos anunciam às dez. Foi na mesma hora, lembras-te? A noite estava escura e tu achavas tudo favorável ao teu plano.

Olhando para padre Flávio, percebi que se esforçava para dominar-se. Os olhos esgazeados estavam fixos no rapaz com horror e ódio.

— Bandido. Maldito! Não mais te deixarei atormentar-me. Mato-te com minhas próprias mãos.

— Não o conseguirás agora novamente. Este será teu maior castigo!

Como um alucinado, padre Flávio saltou sobre o seminarista apertando-lhe furiosamente o franzino pescoço.

Ergui-me dificilmente do chão e procurando armazenar forças, busquei afastar padre Flávio de cima do pobre rapaz que inanimado parecia um boneco em suas mãos.

Vendo que nada conseguia, pois eu estava exausto pelos jejuns e pelos castigos, tomei uma jarra de água fria e atirei-a com força no rosto do meu superior.

Assustado com o imprevisto, ele largou o pescoço do jovem rapaz e por alguns instantes pareceu não conseguir raciocinar. Depois, deixou-se cair sentado sobre uma cadeira, enxugando o suor que lhe cobria o rosto em profusão.

Sem forças para colocar o corpo do indefeso rapaz sobre a cama, ajoelhei-me a seu lado para socorrê-lo.

Respirava ainda, com dificuldade. Em seu fino e claro pescoço, estavam visíveis várias manchas arroxeadas. Molhei um pano com água fria e esfreguei com ele a testa do rapaz.

Nesse instante percebi que padre Flávio saiu da cela. Retornou em seguida com alguns dos seus subordinados.

— Vejam, para que vos sirva de exemplo a situação daqueles que se entregam como presa fácil a satanás.

Um "oh!" de surpresa e indignação feriu os meus ouvidos enquanto que eu, ajoelhado ainda ao lado do rapaz, olhava-os sem compreender.

— Sois todos testemunhas. Este infeliz — apontava para mim — possuído pelo demônio, num acesso de fúria, tentou matar seu companheiro de cela. Já tentei todos os recursos possíveis para libertá-los desse jugo tenebroso, mas, infelizmente, dele não desejam sair, pois que perseveram nas suas atitudes contrárias aos meus conselhos.

Padre Flávio fez uma pausa olhando-nos sombriamente.

— Diante de todos vós, faço minhas as palavras de Pilatos: lavo as mãos deste caso. Amanhã mesmo serão ambos entregues ao Tribunal do Santo Ofício. Agora, vamo-nos. Nossa permanência aqui é inútil, e o ambiente, perigoso. Nada mais nos resta a fazer!

Antes que eu pudesse retornar do assombro que me toldara o raciocínio diante de tanta hipocrisia, encontrei-me novamente só com meu infeliz companheiro.

Eu, apesar de tudo, possuía a inspiração do meu amigo espiritual, confortando, amparando negros e difíceis momentos, fazendo brotar das cinzas da religião que eu professara, uma chama mais pura de esperança na claridade do amor de Deus pelos seus filhos e de um cristianismo mais puro do que aquele que eu ainda tinha fé, embora não compreendesse bem o que ocorria comigo, mas meu companheiro vivia perturbado e infeliz, revoltado e desiludido.

Debilitado, sem forças para transportar ao leito o esquálido rapaze-lho, continuei aplicando-lhe as compressas nos lugares feridos. Eu sabia naquele instante que estávamos perdidos.

Padre Flávio, temeroso que seu segredo do passado fosse conhecido pelos demais, desejava ver-se livre de nossa importuna presença, julgando assim libertar-se do pesadelo daquela perseguição incômoda que lhe movia, por nosso intermédio, aquele que ele conhecia por Marcelo. Eu já não duvidava mais da veracidade daquela culpa que realmente deveria pesar muito na consciência do nosso diretor.

Sua atitude covarde responsabilizando-me por uma agressão da qual fora o autor, não deixava mais dúvidas quanto ao seu caráter.

Na manhã seguinte, fomos transferidos para a prisão como criminosos comuns. Difícil será contar-te a angústia, as dúvidas que a insegurança nos criava. Um mês depois, alquebrados, sujos e macilentos, comparece-mos ao sombrio e sumário Tribunal do Santo Ofício, para o julgamento.

A sala onde penetramos para sermos julgados era fria, hostil. Suas paredes escuras e nuas, sem janelas, iluminadas mesmo durante o dia com bruxuleantes círios que a enchiam de sombras fantásticas, emprestavam ao ambiente uma atmosfera sombria. Havia uma mesa, também escura, atrás da qual se sentavam alguns dos bispos, juízes daquele tribunal e mais três tribunas de cada lado, onde permaneciam em pé, os padres de acusação e de defesa.

Sobre a mesa do centro, na parede, um Cristo crucificado assistia tristemente. Se o ambiente era por si mesmo sombrio, a presença daqueles dez homens, vestidos de preto, de fisionomias duras e sérias, tornavam-no tétrico.

Armando, temeroso diante da gravidade do momento, instintivamente aconchegou-se a mim.

Dado pelo bispo que presidia a sessão um pequeno sinal, o trabalho iniciou-se com algumas orações pronunciadas em voz alta. Depois, um deles começou a leitura do processo acusatório.

Para que contar-te o que foi aquele julgamento? O exagero das acusações, fazendo de nós criaturas sem fé e sem escrúpulos? As testemunhas, meus colegas, amigos que eu estimava, temerosos, acusavam-me impiedosamente, relatando pequenos incidentes do seminário, onde minha opinião era contrária à dos meus mestres.

Quanto ao meu pobre companheiro de infortúnio, as testemunhas acumulavam-se relatando sua infância onde os fenômenos sobrenaturais se repetiam constantemente.

Inútil dizer-te que nossa pobre defesa foi infantil e improdutiva. Como convencê-los de que não era o demônio que nos assistia? Como conseguir uma compreensão de pessoas tão convictas do que afirmavam, se nem sequer sabíamos bem o que nos acontecia?

Quando ouvimos a tremenda condenação, olhei para meu companheiro e percebi que ele oscilava sobre os pés. Estava lívido!

Eu, porém, por estranho que pareça, senti dentro de mim uma força nova, uma resistência inesperada frente à desgraça, uma espécie de indiferença quanto ao meu destino.

Olhei para o Cristo crucificado que pendia da parede e senti pena, uma pena profunda! E pensei: — Pobre Cristo, que na cruz tentou nos ensinar a compaixão até o último instante, perdoando o bom ladrão! Teria sido vão seu tremendo sacrifício?

Olhei para aqueles homens, seguros de si, donos da vida e da consciência do seu próximo e minha piedade aumentou. Não era minha vida que eles tinham condenado, mas, decretando a nossa morte, estavam condenando a própria religião, conspurcando o legado do Cristo com a pecha do crime e da injustiça.

Fomos conduzidos de regresso à cela, onde aguardaríamos a morte horrível na fogueira, sob o estigma de feiticeiros. Antes, eu seria expulso da confraria e ambos seríamos excomungados em virtude da nossa negativa de confissão.

Quando seríamos executados? Não sabíamos e esta espera constante trazia-nos assustadiços ao menor ruído.

Sabes como eles agiam. Às vezes sob o influxo de um entusiasmo que eu chamaria nefando, matavam os condenados logo após o julgamento, outras pareciam comprazerem-se em torturá-los com a espera do fim, deixando-os esquecidos em suas celas, imersos na angustiante expectativa da morte horrível.

O trato era o pior possível e a masmorra, terrível mesmo para nós, acostumados à rudeza da vida monástica.

Meu jovem companheiro definhava a olhos vistos e eu não me cansava de pedir para ele o auxílio das poucas pessoas que nos apareciam para trocar a ração e a água.

Invariavelmente, essas pessoas nem pareciam ouvir-me, dando de ombros negligentemente. Seu estado foi se agravando consideravelmente e eu, sentindo minha impotência naqueles momentos dolorosos, apegava-me à oração, buscando no conforto espiritual forças para socorrer meu pobre companheiro agonizante.

Com o corpo sumido pela doença, morreu algum tempo depois.

Sua morte não me entristeceu realmente, pois que ele libertara-se do terrível castigo da fogueira que nos esperava.

Foi, porém, melancolicamente que assisti à retirada da cela, do seu corpo magro, pelos irreverentes e grosseiros carcereiros cheios de indiferença, cegos à compaixão e a caridade.

Fiquei só. Não pude fugir à depressão da solidão. Naquelas horas amargas, cheguei a desejar que me viessem buscar para o cumprimento da sentença, a fim de acabar com o terror da incerteza.

Na escuridão da cela, a imundície, os ratos, os piolhos que me percorriam graciosamente o corpo, transformaram-me em um ser esquálido, que disputava com eles os escassos pedaços de pão.

Julguei que permanecesse só, porém, não sei bem quando, mas creio que alguns dias depois, atiraram cela a dentro um novo companheiro.

Era um homem forte e bronzeado, aparentemente com uns 40 anos. Praguejava terrivelmente contra a nobreza, o rei, a corte, enfim, contra tudo.

Curioso, aproximei-me e o cheiro forte de vinho entonteceu-me. Estava bêbado. Quem seria?

Depois de gesticular, falar, blasfemar, sem parecer sequer ter-me avistado, adormeceu profundamente.

Seus roncos não me deixaram dormir e penso que a curiosidade também. O tempo foi passando até que por fim meu novo companheiro acordou, pedindo água em altos berros.

Pressuroso, passei-lhe a bilha que ele emborcou sofregamente. Bebeu alguns goles, fez uma careta nojenta cuspindo ruidosamente:

— Água! E ainda podre!

Relanceou os olhos ao seu redor e parecendo lembrar-se de algo, atirou raivosamente a bilha contra a porta, berrando:

— Cachorros! Que beba sua majestade esta água podre! Súcia de bandidos!

Eu o observava assustado e receoso. Minha fraqueza era tal que a demonstração de energia e força daquele homem me estarrecia.

Depois olhou-me; seus profundos olhos negros expeliam chispas:

— Eles pensam acabar comigo! Afastar-me do seu caminho, reduzir-me a um pobre diabo como tu — apontou para mim com alguma comiseração refletida no olhar, não de mim talvez, mas de uma remota possibilidade de ver-se a si mesmo naquela situação — mas enganam-se. Pablo é poderoso! Minha Mirka será vingada! Eles me pagarão. Malditos fidalgos! Malditos!

— Nervosamente atirou-se contra a pesada porta tentando inutilmente abri-la.

Calado, assisti a crise de raiva, de ódio, depois de angústia e de lá-grimas, de revolta e de desespero que sucessivamente o acometeu. Depois o desânimo pareceu humanizá-lo um pouco e dirigiu-se a mim, desejoso de conhecer minha tragédia, instintivamente procurando confortar-se através dela.

Sou reservado por índole, mas diante da minha morte próxima contei-lhe por alto o que me acontecera, talvez procurando nele uma compreensão que ninguém me demonstrara. Eu estava cansado, fraco e todos, contra mim.

Realmente, ele, apesar de ser rude e inculto, comoveu-se com minha história por duas fortes razões: acreditava na existência de amigos nossos entre os que se foram já deste mundo e na sua possibilidade de se comunicarem conosco e, embora respeitando profundamente a religião, temendo-a até, odiava gratuitamente não os padres comuns, mas os bispos, os cardeais, o alto clero, que a seu ver, mercadejavam nas antessalas reais, a religião.

Aliás, qualquer referência às classes mais elevadas provocava de sua parte incontidas crises de rancor.

Penalizado da minha situação, mais ainda, por sentir que fariam dele, sadio e forte, uma sombra como eu, sentou-se a meu lado procurando consolar-me:

— Sabe, padre, eles costumam esquecer-se dos condenados. Enquanto há vida, há esperança.

— Não, não me chame padre, já não o sou. Fui proscrito da confraria. Meu nome é Frances.

— Eu sou Pablo, o cigano.

Apertamo-nos as mãos irmanadas pela situação.

— És inocente, Frances. Vítima da maldade dos teus próprios amigos. Eu também sou inocente, mas meus amigos são sempre amigos. O inimigo é muito poderoso. Foste franco para comigo e eu confio em ti. Vou contar-te tudo.

Sua história era comum naqueles dias. Ele era chefe de um grupo de ciganos, possuía dois filhos, Rublo e Mirka, em quem depositava as mais caras esperanças. Adorava-os com violência do seu temperamento arrebatado. Sua filha era já moça e linda. Enamorara-se secretamente de um fidalgo que a seduzira, roubando-a ao lar.

Logo depois, abandonada pelo sedutor, Mirka retornara ao acampamento, doente e amargurada. O pai, desesperado, tentara arrancar-lhe o nome do culpado, mas a moça, amando-o profundamente, não quis revelá-lo temerosa pela sua segurança.

Pablo, desesperado, via a filha definhar dia a dia de tristeza, permanecendo indiferente a tudo, até mesmo ao seu próprio filho que ia nascer.

Um dia, por acaso, descobre o nome do sedutor e sabedor que este se encontrava em Paris, empreende a viagem sozinho, para implorar-lhe que volte para a filha, a fim de que ela possa curar-se e tenha entusiasmo pela vida.

Encontra o fidalgo no jardim de sua residência, onde penetrara secretamente, pois que ele se recusara a recebê-lo. Por amor à filha, tenta despertar sua compaixão, mas ele mostra-se indiferente e frio, rindo-se de Pablo, do seu pedido para ir ao acampamento ver Mirka.

O cigano, sabendo malogrado seu intento, irrita-se e tenta agredir o fidalgo, no que é impedido por alguns lacaios. Furioso, o cigano jura matá-lo. Atirado à rua, dirige-se a uma taberna, procurando no vinho o consolo para sua mágoa.

Lá, horas mais tarde, é preso e atirado ao cárcere, no lamentável estado em que o conheci.

— Não é difícil conhecer a causa da minha prisão. O duque certamente a forjou para livrar-se de minha vingança, mas, — sua voz era rouca e ameaçadora — jamais conseguirá seu intento.

Chegando-se mais para perto de mim, ponderou:

— Olha, embora não acredites, sairei daqui! Tenho amigos certos que haverão de encontrar-me e ajudar-me na fuga! Aí então Pablo se vingará.

Nada lhe disse naquele momento. Estava cansado, fraco. Em outras circunstâncias teria tentado convencê-lo a perdoar, mas, naqueles dias de dores e sofrimentos, de dúvidas e incertezas, teria eu mesmo a força de perdoar?

Tornamo-nos amigos. Apesar de rude, ele sabia ser bom companheiro, contando-me casos alegres, quando o otimismo o bafejava.

O tempo corria e parecia que o resto do mundo nos havia esquecido.

Capítulo 9

Certo dia, Pablo me disse:

— Frances, precisamos agir. Até agora limitei-me a esperar, mas, perco as esperanças de ser encontrado pelos meus amigos. Somente meu irmão Mirko sabia o destino da minha viagem. Acredito que, embora esteja investigando, não conseguirá descobrir-me.

— O que pretendes fazer?

— Verás.

Quando o carcereiro veio colocar a ração pelo postigo, Pablo, que esperava com o rosto encostado ao pequeno gradil que havia na parte superior da porta, olhou-o espantado e aflito. Abanando a cabeça tristemente, murmurou:

— Pobre homem! Pobre homem!

O carcereiro, que parecia bem-disposto e alegre, olhou-o espantado:

— A quem lamentas? — perguntou por fim com maus modos.

Afetando um ar profetizador e inspirado, Pablo suspirou dizendo:

— Apesar de seres meu carcereiro, desejava-te melhor sorte!

A figura de Pablo, cujo semblante empalidecera pela falta de sol e estava obscurecido por uma barba negra, impressionava realmente. Seus olhos, fixos no pobre carcereiro, brilhavam intencionalmente.

O outro pareceu inquietar-se um pouco.

— Ora, queres assustar-me. Cala-te e deixa-me em paz.

Jogou a ração pelo postigo inferior e virou as costas abruptamente. Pablo calmamente objetou:

— Não te esqueças de que sou cigano, conheço o destino das criaturas!

O outro voltou-se ainda uma vez, e pude ver-lhe, por trás da cabeça de Pablo, o semblante algo assustado.

Quando ele se foi, curioso perguntei:

— O que pretendes?

— Comecei a trabalhar, Frances. Verás que dentro em pouco estaremos livres. Não seria eu cigano se permanecesse aqui por muito tempo.

A partir daquele momento, começou Pablo a trabalhar, como ele dizia, junto ao carcereiro. Todas as vezes que este vinha com a ração, encontrava o rosto de Pablo, contrito e impassível, olhando-o tristemente, abanando a cabeça penalizado.

Durante três dias as coisas permaneceram assim. Por fim, no quarto dia, ele não se conteve mais:

— Dize, oh! maldito cigano, o que vês no meu destino! Tuas palavras roubaram-me o sono e a tranquilidade. Dize de uma vez!

Calmamente Pablo respondeu:

— Não posso! O que leio no teu futuro não pode ser revelado. Esquece o que te disse e não penses mais nas minhas palavras. Será melhor para ti.

O outro que formulara a pergunta desdenhosamente, com certo ar de desafio, pareceu sofrer algum abalo com a resposta.

— Sou homem! Posso conhecer a verdade. Embora duvide das tuas palavras.

— Antes assim. Não deves mesmo levar a sério o que te disse. Esquece! Será melhor.

Olhando-o tristemente, Pablo voltou-lhe as costas indo sentar-se a um canto da cela.

O outro pareceu interdito durante alguns instantes, depois, voltando-se, retirou-se.

— E agora? — perguntei-lhe.

— Meu amigo, as coisas vão indo melhor do que eu esperava.

— Por quê?

— Pablo tem arte! Garanto que não nos será difícil escapar. Espera e já verás como.

As coisas continuaram assim por mais alguns dias.

Invariavelmente, o cigano esperava impassível pelo carcereiro, lançando-lhe olhares piedosos. Este perturbava-se, mas nada mais procurara saber.

Certo dia, porém, apareceu na cela fora da hora habitual. Seu rosto estava pálido, contraído pela angústia. Chegando-se bem ao pequeno postigo gradeado da porta, murmurou nervoso:

— Cigano, preciso falar-te!

Olhos brilhando, intencionais, Pablo, negligente, levantou-se aproximando-se da porta.

— Tu conheces o futuro! Preciso que me esclareças certas coisas que me aconteceram hoje!

Por alguns instantes Pablo fitou-o fixamente, depois respondeu seco:

— Conheço o que se passa contigo, mas nada posso dizer.

O outro enervou-se:

— Mas precisas falar. Eu desejo saber! As coisas não podem continuar assim. Sabes alguma coisa sobre minha mulher?

Sem desviar os olhos do seu interlocutor, Pablo tornou:

— Tudo! Poderia contar-te toda a verdade.

O rosto do carcereiro contraiu-se nervosamente:

— Então fala! Seja o que for, fala!

Pelo semblante de Pablo passou um vislumbre de indecisão, depois resolveu:

— Pablo não fala. Pablo precisa ser pago. Cigano não trabalha se não ganha nada!

— Eu pago, Pablo! Tenho dinheiro comigo.

Sôfrego, mostrou-lhe algumas moedas que Pablo embolsou calmamente através das grades.

— Mas... o preço não é bem esse. Pablo quer ser livre! Cigano morre se viver preso. Se me ajudares a escapar, prometo servir-te em tudo quanto precisares.

O outro assustou-se.

— Não posso, se me apanham, matam-me sem piedade.

Insinuante, o cigano objetou intencional:

— Eu sei onde ela está agora! Sei o nome dele!

Pelo olhar do carcereiro passou um brilho de ódio.

— Tu sabes!

— Se me negares a ajudar-me na fuga, lanço-te minha maldição e nunca mais terás o que desejas.

O outro suava envolto em contraditórios pensamentos. Por fim murmurou:

— Seja. Dize o que devo fazer para ajudar-te.

— Ouve: amanhã, nos trarás duas vestimentas clericais completas e uma tesoura para cortarmos os cabelos. Depois, nos abrirás as portas e assim disfarçados sairemos calmamente.

Após ligeira hesitação, ele tornou:

— Está bem. Assim farei, mas agora conta-me o que desejo saber.

— Para que contar-te aquilo que já sabes?

— É então verdade?

— Infelizmente para ti. Mas, se me ajudares a fugir, realizarei trabalhos e ela voltará para ti.

— Poderás fazer isto?

— O cigano possui o filtro do amor eterno! Tu a amas muito?

— Mais do que a vida! Não poderei viver sem ela. E saber que ela fugiu com outro homem! Oh! é horrível. Por que não te ouvi há mais tempo?

— É. Se me houvesses atendido, eu teria evitado a consumação desse ato, mas nada está perdido. Pablo fará com que ela volte para ti.

Lágrimas de reconhecimento e entusiasmo deslizaram pelas faces entristecidas do pobre homem.

— Está bem. Amanhã ao entardecer trar-te-ei as vestes que me pedes.

— Uma para mim e outra para meu companheiro.

Quando ele se foi, Pablo, esfregando as mãos satisfeito, sentou-se no chão, a meu lado.

— Então Frances? Amanhã estaremos livres dessa arapuca. Que achas?

— Nem ouso acreditar em tanta felicidade... Mas, dize, Pablo, sabias mesmo algo da vida desse infeliz?

O outro riu gostosamente:

— Um cigano sabe tirar proveito dos sentimentos humanos. Tenho procurado envolvê-lo com uma atmosfera de tragédia e medo, mas a sorte veio em nosso socorro.

— Como soubeste que sua mulher tinha fugido?

— Deduzi pelas suas palavras. Arrisquei um pouco, mas a experiência que possuo nesses assuntos, ajudou-me. Esqueces que os da minha raça aprendem desde a infância a tirar partido das emoções alheias, em benefício próprio?

— Mas... isso não é muito honesto.

O outro riu-se.

— Um povo escorraçado e perseguido como o nosso, espoliado em seus direitos, não pode ser honesto. A sociedade não nos aceita e nos despreza; vingamo-nos, escarnecendo-lhes dos sentimentos. Mas, não penses que somos todos assim. No nosso acampamento temos duas ciganas que conhecem realmente o futuro e nos avisam de muitas coisas. Trema, senhor Duque. Pablo vai ser livre!

Durante aquela noite, não consegui dormir como de costume. A excitação da fuga roubou-me o sono. Pablo, porém, apesar de desejar tanto quanto eu a liberdade, dormiu melhor do que nunca.

Para ele, habituado sempre à vida nômade e aventurosa, à insegurança e à perseguição, a fuga era um acontecimento quase comum. Para mim, entretanto, era uma aventura jamais experimentada.

Não que eu sentisse medo, pois a constante tortura da morte iminente acabara por familiarizar-me com ela, mas, a impaciência, a ânsia de respirar novamente o ar livre, ver as estrelas, sentir enfim o burburinho mariscante das ruas, reintegrar-me novamente na posse de mim mesmo, libertar-me da cela infecta e sombria, tudo isso tornou-me insone e quase febril.

Pablo, no dia seguinte, acordou bem-disposto e alegre. Percebendo minha impaciência, aconselhou prudente:

— Frances, procura descansar. Armazena o máximo de energias para nossa caminhada ao sairmos daqui. Ninguém nos ajudará a não ser a força das nossas próprias pernas.

Olhando meu rosto ansioso, pilheriou:

— Como padre deverias ter aprendido a esconder melhor teus sentimentos. Decididamente não davas mesmo para a coisa.

Não gostei da pilhéria, mas, compreendi que necessitava equilibrar-me para poder participar da evasão com êxito.

Quando o carcereiro nos entregou o embrulho com as vestes e a tesoura, exultamos. Imediatamente Pablo separou as indumentárias e vestimo-nos rapidamente. Enfiou a tesoura em um dos bolsos, pois resolvemos continuar ocultos atrás da barba já algo respeitável que nos cobria o rosto. Apenas aparamos as pontas dando-lhes forma para nos tornarmos bem diferentes do que éramos.

À porta, o carcereiro, nervoso, lançava olhares para dentro e para os lados, impaciente. Quando a ele nos reunimos, ouvimo-lo dizer:

— A guarda agora está escassa e o crepúsculo já desce sobre a Terra. Sigam por este corredor e esperem-me atrás do pátio externo. Não quero que nos vejam juntos.

Levantamos o capuz, enfiamos as mãos dentro das mangas e, cabeça baixa em atitude contrita, caminhamos lenta mas normalmente para a saída.

Era comum naqueles tempos a presença dos jesuítas naquele recinto, por esse motivo, nossa passagem passou quase despercebida. Apenas alguns guardas nos saudaram respeitosos.

O percurso parecia-me interminável. O sangue latejava-me nas veias, com violência. Sentia a boca seca. O corpo gelado pelo suor.

Relanceei o olhar para Pablo e senti, repentinamente, um louco desejo de rir. Não sei se da nossa farsa, da alegria pela conquista da liberdade ou se da figura grotesca do cigano nas singelas vestes sacerdotais.

Finalmente, alcançamos o pátio externo, onde deliciados aspiramos o ar balsamizado da noite, cuja brisa agradável galvanizou nossas forças, despertando-nos insopitável desejo de correr. Distanciando-nos o mais possível daquela horrível fortaleza que nos cobrara de forma terrível sua indesejada hospitalidade.

Íamos deitar a correr quando alguém nos chamou para junto de uma grande árvore que guarnecia o parque. O carcereiro ali estava à nossa espera, inquieto e sequioso de cobrar nossa dívida.

— Ouve: agora pouco poderia fazer para ajudar-te. Entretanto, Pablo deu sua palavra, precisa cumprir. Devemos sair daqui o quanto antes, porém, desejo dar-te um amuleto que certamente te trará novamente a mulher que desejas. Em todo caso, se quiseres me procurar no nosso acampamento, poderei ajudar-te com mais eficiência.

— Mas... onde é o acampamento?

— Estava perto de Contreill. Não sei se ainda lá estará, em todo caso, de lá iriam a San Just, onde devem estar com certeza.

— Está certo. Irei procurar-te. Não foi possível arranjar cavalos, mas toma algumas moedas que te serão úteis.

Após ainda insistentes perguntas do carcereiro sobre a sua vida, que o cigano respondeu habilmente, conseguimos por fim libertar-mo-nos dele.

Nossa preocupação maior era a de nos distanciarmos mais e mais daquelas paragens. Pablo não achou prudente irmos à Taberna, apesar da fome devoradora que sentíamos, pois que o esforço que havíamos dispendido no controle dos nossos nervos desgastara o resto das nossas forças. O cheiro agradável de certos alimentos de que há muito nos víamos privados e que chegava até nós, provocava-nos terrível sensação no estômago.

Ele comprou algumas coisas que encontrou à venda pelas ruas e pusemo-nos a comer, enquanto que protegidos pela noite, nos afastávamos mais e mais daquele lugar.

Durante mais alguns dias investigamos o local do acampamento. Conseguimos, após muitas perguntas, encontrá-lo.

Fomos recebidos festivamente. Sem saber que rumo dar à minha vida, permaneci com eles, desiludido com a atitude dos meus que haviam feito ruir por terra meu ideal cristão.

Não. Eu não poderia mais, de forma alguma, aceitar como guia espiritual uma religião que, oculta sobre o manto do Cristo, realizava o ambicioso ideal de um grupo de fanáticos, esquecidos dos mandamentos fundamentais do Evangelho, envolvidos em ambições políticas, sedentos de domínio e poder.

Esta situação, porém, trouxe o vazio ao meu espírito. Mais do que nunca, sentia em mim a fé em um Deus perfeito, tão perfeito, que jamais eu pudera conceber-lhe a perfeição. Mas... como encontrá-lo?

Meditei muito nos dias em que, no acampamento, frente a frente com a natureza, desejava encontrar a fórmula que eu sabia existir, para desvendar o porquê da vida.

À medida que raciocinava, auxiliado pela simplicidade daquele ambiente campestre, mais e mais reconhecia puerilidade dos ensinos que havia recebido. Consegui adquirir um exemplar da Bíblia que passei a estudar com bastante frequência.

Viajamos muito e, dessas viagens fora do país, conheci casualmente um velho andarilho. Juntou-se a nós em uma noite tempestuosa, solicitando-nos pouso. Trajava-se simplesmente com uma larga túnica de cor indefinível. Trazia a tiracolo um bordão de lona e uma sacola também de lona. À cintura, presa por uma tira de couro, pequena tigela. Seus grisalhos, longos e ralos cabelos e sua barba também rala contrastavam com o grande volume de suas sobrancelhas que emprestavam à sua fisionomia de oriental, um traço de energia.

Não sei a força que me levou a oferecer-lhe um lugar no carro em que vivia. Esqueci de contar-te, meu tio, que eu continuava pintando, embora quadros pequenos e alegres que os ciganos vendiam a bom dinheiro. Assim, consegui certa independência e conquistei o respeito deles que pareciam confiar em mim. Procuravam-me sempre como uma espécie de juiz para solucionar-lhes os inúmeros problemas que surgiam e as questões entre eles.

Somente Pablo e alguns dos líderes do grupo conheciam minha condição de ex-sacerdote católico, mas, os demais confiavam em mim por uma questão intuitiva. Assim, vi-me transformado em médico, conselheiro, juiz, enfim em pacificador das rusgas inevitáveis entre elementos de forte temperamento.

Conduzi meu hóspede à carroça rude onde residia e sem saber por que, entristeci-me diante do pouco, em matéria de conforto que podia oferecer-lhe. Apesar da sua condição de andarilho, quase mendigo, meu coração sentia-se emocionado diante dele, num misto de respeito e humildade.

Fui sincero quando disse:

— Senhor, temo que minha cama seja dura e pouco limpa. Sinto desejos de hospedar-vos regiamente, porém, não disponho de recursos melhores.

À soleira, o visitante silenciosamente perpassou o olhar pelo interior desconfortável do carro. Por fim, seus olhos brilhantes e vivos pousaram em meu rosto. Sua mão firme descansou em meu ombro quando respondeu:

— O conforto torna-nos preguiçosos e acomodados. Pressinto em teu coração um grato acolhimento que me comove e alegra.

Não sei por que, senti vontade de abraçá-lo como a um pai. Daquele instante em diante, sentimo-nos muito à vontade.

Conversamos durante muito tempo e suas respostas sábias iluminavam minha compreensão, arrancando aos poucos o véu do mistério que encobria os fenômenos que me envolveram. Confiei-lhe minha história. Ao término da qual, ele explicou:

— O que te aconteceu, vem acontecendo desde que os homens emigraram para este mundo. O problema é de fácil compreensão, apenas não conheces ainda a chave para resolvê-lo. Estudaste através de um acumulado de superstições ideológicas que, divulgadas como a palavra de Deus e consequentemente como sendo a verdade absoluta, criaram em teu espírito um conceito errado do Criador e da Criação. A chama que Deus projetou do seu pensamento e que somos nós, isto é, o nosso espírito, a nossa alma, como conheces, foi lançada como semente em forma embrionária no mundo. Nosso raciocínio diz-nos que nem poderia ser de outra forma, uma vez que fôssemos criados já na condição moral de espíritos adultos, puros, seríamos quais bonecos sem finalidade e não poderíamos desenvolver a tarefa que nos cabe de cooperadores com a obra do Criador, na ordem e no concerto universal. Não, meu filho, o trabalho do Criador é mais belo, mais perfeito e mais completo do que a maioria da humanidade ainda pode compreender! Quais sementes, foram nossos espíritos lançados ao mundo, vestidos com este corpo de carne, veículo perfeito e obediente aos impulsos que nosso pensamento manifesta.

Maravilhado, eu escutava estas palavras, desejoso de conhecer tanto quanto possível o âmago daqueles conceitos novos para mim.

— Semelhantes às crianças, nossos espíritos jovens ainda no conhecimento do bem e do mal, fatalmente enveredariam por perigosos caminhos. Protegendo-nos, então, a bondade divina criou um certo número de leis naturais, as quais nos governam à nossa revelia, e a que o Homem dá o nome de fatalidade. Elas, entretanto, representam uma justiça pura, bondosa e completa. Somente através delas, conhecendo-as, poderemos ter noção da bondade do Criador.

Interessado, perguntei:

— Que leis são essas e como conhecê-las? Estás falando do julgamento após a morte?

Meu novo amigo sorriu bondosamente:

— Não. Falo da vida. Essas leis maravilhosas são naturais, espontâneas. Atuam unidas entre si de maneira peculiar a cada criatura, no sentido elevado de preparar-lhe a compreensão para uma vida superior em espírito.

— Fale-me mais a respeito.

— Realmente estás sedento de conhecimento, entretanto, minhas palavras apesar de representarem o fruto de minha vida inteira, dedicada à análise e à meditação, no estudo e na experiência, não podem exercer sobre tua mente uma função entusiasta, mas ilusória. Elas deverão ser apenas o ponto de partida para apoiar teu esforço no sentido de esclarecer as dúvidas que agora sentes. De posse dos elementos que te forneço, deves buscar a verdade na própria fonte que tão abundante se nos revela quando sabemos procurar, e, quando a conquistares, será porque teu espírito sabe, compreende, sente, experimentou. A experiência dos outros podem nos ajudar, mas não nos oferecem o aproveitamento que só a nossa vivência poderá nos dar. Isto esclarecido, continuo pois: “O mundo onde agora vivemos, não é certamente um mundo feliz. Apesar de belo em estrutura, com possibilidades de proporcionar fartura e felicidade a seus habitantes, nele vislumbramos e colhemos, aparentemente, apenas sofrimentos. Daí, deduzimos que se isto ocorre, é porque nós, os homens, não sabemos ainda aproveitar as dádivas que ele nos oferece. Somos crianças em espírito e como tais agimos em todos os momentos de nossa vida. O ciúme, o ódio, a vingança, a inveja, a depravação, os vícios que ainda carregamos são frutos da nossa insensibilidade."

Fez ligeira pausa e continuou:

— A finalidade de vivermos neste mundo é a de aprendermos através dos entrechoques cotidianos com nossos semelhantes a anular essa crosta que obscurece os nossos sentimentos, brilhando e trazendo à tona a própria essência Divina que conosco vive. Mas o ser não se limita apenas a viver uma vida no cenário deste mundo. Pela sua pequena duração, pela complexidade das experiências de que necessitamos e pela morosidade do nosso aprendizado, ela seria insuficiente. Como já nos ensinou o Cristo, através dos Evangelhos, para conseguirmos o reino dos céus, isto é, para alcançarmos o estado real de pureza e perfeição, necessitamos nascer de novo. Renascer da água que simboliza o princípio vital do mundo, ou seja, o nosso corpo de carne, e também em espírito.

Diante da minha surpresa, tornou bondosamente:

— Não te surpreendas. Se o fenômeno do nosso nascimento em corpo e espírito deu-se uma vez, pois acreditamos que em nosso corpo atual habita uma alma, por que não poderia este acontecimento repetir-se? Se o nosso espírito depois da morte do corpo necessitasse voltar a Terra, Deus não poderia, em vez de criar uma alma nova para aquele corpo que vai nascer, encarnar nele aquela alma já criada e que tanto necessita aperfeiçoar-se? Medita e observa. Se Deus criasse as almas no ato do nascimento, tendo como certo seu espírito de justiça, certamente as faria todas iguais umas as outras. Sendo assim, como se explicam as infinitas diferenças físicas, sociais, morais e espirituais entre as criaturas ?

O ensinamento não era novo para mim. Já no seminário estudara uma teoria referente à transmigração das almas, entretanto, havia-nos sido ela apresentada como uma superstição risível de povos ignorantes.

Agora porém, a argumentação do meu novo amigo parecia havê-la transformado em algo mais do que uma teoria. Eu sentia-lhe um cunho de verdade, algo que me segredava intimamente haver encontrado o que buscava.

Permanecemos silenciosos meditando sobre o assunto transcendente de nossa palestra até que meu interlocutor notou:

— Por hoje creio que já tens suficiente material para meditação. A noite já vai alta e o corpo reclama o repouso de algumas horas.

Verifiquei surpreendido que a noite ia mesmo alta, mas a curiosidade me abrasava a mente.

— Sei que abuso da tua generosidade, mas dize como e onde aprendeste as coisas que me ensinas? Qual a tua religião?

— Tua pergunta é difícil de responder. Desde tenra idade venho correndo mundo onde tenho recolhido lições preciosíssimas, aprendi diversos ofícios para ganhar o sustento. Quanto à religião, uma existe para mim: a fraternidade universal! Somente ela elabora seguramente os liames que religam a criatura ao seu Criador. O conhecimento das leis divinas oferece-nos o seguro esteio para caminharmos através das lutas na Terra, ilumina-nos a inteligência, proporcionando-nos oportunidade de vislumbrarmos uma nesga de perfeição de Deus, porém, esse conhecimento representa uma responsabilidade maior no sentido dos nossos atos. Reclama de nós uma compreensão mais tolerante para com os erros dos nossos semelhantes e uma energia mais severa, mais sincera, na corrigenda dos nossos atos. Eis por que os homens fogem instintivamente dessas verdades que te revelo. No íntimo, receiam as consequências que lhes adviria desse conhecimento, o esforço que teriam de realizar na mudança interior. Seguem comodamente desfrutando esta bênção do Criador que é a vida na Terra, exigindo sempre mais dádivas do Senhor, insatisfeitos e intolerantes, desejando roubar ao seu Deus, numa tentativa vã de aproximar-se das coisas deste mundo. Mas, o que acontece é que ao encontrarem-se frente a frente com a realidade do túmulo, percebem que conseguiram apenas roubar-se a si mesmos, tornando-se mendigos dos tesouros espirituais, único bem transportável após a morte, como uma aquisição natural da experiência vivida.

Queres maior castigo para o avarento do que o de deixar na Terra irremediavelmente uma fortuna que ele a vida inteira amealhou? Para o ambicioso de ter que deixar o posto de mando e de poder? Perceber que perdeu tudo e terá por sua vez de implorar ao invés de mandar, de servir ao invés de ser servido, de obedecer ao invés de ser obedecido?

— A realidade da morte será assim tão dura?

— A realidade pode às vezes ser dura, mas será sempre proveitosa. Aquele que se esforça e busca preparar-se para o fenômeno natural deste mundo, dando à sua vida a orientação verdadeira, passará pela morte como por um sonho e forçosamente há de vencê-la. Despertará aliviado. Seu espírito livre do remorso, do ciúme, da avareza, da inveja e do orgulho, será leve e alcançará mundos mais belos, radioso e feliz. Entretanto, o que vive de ilusões valorizando coisas transitórias em vaidoso culto de si mesmo e das coisas do mundo, forçosamente será sacudido no túmulo pelo choque imprevisto da verdade. O Cristo já ensinou que a cada um será dado segundo as suas obras. Nós seremos sempre aquilo que deseja-mos, colheremos sempre aquilo que plantamos. Agora, meu filho, medita bem em torno das minhas palavras. Amanhã terei prazer em conversar contigo sobre este assunto.

Embora com vontade de indagar mais, dominei-me temeroso de abusar da generosidade de tão precioso amigo. Preparei-lhe o leito rude em que eu dormia e contentei-me com um canto do carro onde estendi alguns panos e deitado, busquei conciliar o sono.

Capítulo 10

Ciro levantou a cabeça encarando doutor Villemount que interessado e atencioso o escutava. Sorriu.

— Talvez não te interesse essas considerações filosóficas. Não desejo maçar-te. Minha história poderia parar aqui.

O médico protestou energicamente:

— Nada está me interessando mais vivamente do que os ensinamentos profundos que recebestes. Talvez eles possam trazer a meu espírito a resposta para um acumulado de dúvidas e perguntas que venho fazendo a mim mesmo durante toda minha vida. Continua, peço-te.

— Está certo. Fico satisfeito em encontrar em ti tanta compreensão. Continuo pois: durante aquela noite, mal conciliei o sono. No dia seguinte, conversamos longo tempo e a cada indagação que eu lhe fazia, a sua resposta vinha clara, perfeita, sem contradições.

Impressionava-me sentir a profunda convicção com que ele ensinava sua elevada doutrina. Inútil dizer-te que fazia o possível para retê-lo no acampamento a fim de aprender a conquistar a serenidade de viver alegre e simplesmente em constante fraternidade com o próximo, que ele já possuía.

Com alguns dias de convivência, suas palavras, suas atitudes, suas ações, haviam feito renascer em mim, embora de maneira imprecisa, a profunda felicidade de crer na justiça de Deus. Essa crença fez renascer em meu coração um sentimento de esperança, de confiança no futuro. Era isso que eu precisava naquela hora.

Mas, ele precisava partir. Notando minha tristeza e decepção, abraçou-me bondosamente:

— Meu filho, é enternecido e grato que recebo tua demonstração de amizade. Entretanto, aprende que, na Terra, as criaturas como nós encontram-se sempre para cumprir uma finalidade designada pelo Alto. Uma vez cumprida, devemos seguir adiante. Estamos de passagem por este mundo, eu tenho de continuar minha tarefa, tu, preparar-te para iniciares a tua. Somente lá, na Pátria Espiritual, após o dever cumprido, teremos direito no reencontro, a uma convivência mais demorada como seria nosso desejo. Porém, aconselho-te a buscares uma orientação segura para o completo esclarecimento de tua mente. Existe na Índia um mosteiro onde vivi durante muitos anos e onde retorno de tempos em tempos, em busca do silêncio, do carinho dos companheiros e da meditação. Lá, te receberiam de braços abertos criaturas veneráveis em compreensão e de elevadíssimos conhecimentos. Permanecerás o tempo que necessitares para tua formação espiritual.

A proposta me seduziu de maneira brilhante.

— Serei muito feliz em ser recebido pelos teus amigos e com eles aprender a tua filosofia.

— Muito bem. Dar-te-ei a direção que deves seguir e um objeto de identificação.

Na véspera da sua partida, sob uma árvore amiga, à luz brilhante de um luar belíssimo, conversamos durante muito tempo. Eu desejava fruir ao máximo sua companhia que sabia preciosa. Indagava sempre em uma ânsia incontida de conhecer o porquê das coisas, mais do que nunca, certo de que todo efeito tem uma causa. Que só aprendendo como a vida funciona, teríamos a chave para solução dos nosso problemas.

Muito interessado, o doutor Villemount indagou:

— Sobre que assunto palestraram?

— Sobre vários. Mas o que me impressionou vivamente foi um acontecimento de momentos antes. Desde que regressáramos ao acampamento, eu tudo fazia para demover Pablo do desejo de vingança contra o sedutor da filha. Entretanto, diante da jovem doente e abatida, ele mais e mais o acariciava.

Naquela noite, Mirka, entre lágrimas, prostara-se aos pés do meu nobre amigo dizendo:

— Senhor! Preciso da vossa ajuda e da vossa oração. Meu pai neste momento trama contra a vida de um homem. Torna-se preciso evitar este crime! Disse-me Anah que sois um servidor de Deus e que possuís a sabedoria que dele procede. Tem pena de nós, ajuda-nos!...

Pelos olhos dele passou um clarão afetuoso. Com um carinho infinito levantou a jovem cigana, abraçando-a com ternura:

— Filha, ainda amas aquele homem?

A moça levantou para ele o rosto magro que as lágrimas banhavam, onde os enormes olhos negros luziam emotivamente.

— Como poderia deixar de amá-lo? Minha felicidade é conhecer que ele vive feliz. Entretanto, não é isso o que me preocupa. Sem pensar no peso que se erguerá dentro da minha consciência por ter dado causa a que meu pai cometesse esse crime, lamento roubar a vida ao homem que amo, porque assim ele não poderá compreender o vazio que está criando dentro de si. Afastei-me dele quando percebi que minha presença o incomodava, porém, jamais deixei de procurar notícias suas. Sei que ama uma jovem camponesa de suas terras com quem tem uma filha, entretanto, casou-se com outra mulher, cheio de ambição, cego pelo ouro e pela vaidade cortesã. Não pensais senhor que ele por si mesmo e com suas próprias mãos está cavando a sua infelicidade? Que será muito melhor para ele viver para compreender os erros que praticou? Oh! Senhor, ele já é suficientemente desgraçado, embora ainda não o saiba. Para que intervirmos pela força?

— Compreendo-te os sentimentos. Um homem que se deixa arrastar pelas paixões, atira fora os tesouros do seu coração, cedo perceberá o vazio que se tornou sua vida. Ele deve viver para aprender os verdadeiros valores da vida. É por essa razão que os que já aprenderam partem enquanto que os que ignoram permanecem. São eles que necessitam viver mais, experimentar o fogo das paixões, até saber dominá-las. É dessa forma que aprenderão a ser felizes. Reconheço que possuis uma compreensão profunda das leis da vida. Farei o possível por ajudar-te. Acalma tua angústia e ore pelo que amas.

A jovem levantou para ele os olhos cheios de lágrimas onde transluzia um brilho de esperança e gratidão.

— Falareis a meu pai então? Tentareis fazer com que desista da vingança?

— Quando um homem se encontra embuído de um pensamento negativo e a ele se aferra, dificilmente conseguiremos demovê-lo com palavras. A vingança nasce de um sentimento de falso orgulho, de brios que se julgam ofendidos e a luta é forte entre a consciência que a repudia e o orgulho que a acaricia. Se o orgulho vencer e conseguir abafar a consciência, tudo poderá acontecer. Todavia, sossega teu espírito. Não terei necessidade de falar-lhe como homem. Existem outros meios de mostrar-lhe a realidade. Deus nos ajudará. Confie e vá em paz.

Foi com dulcíssima expressão no olhar que Tahma — assim se chamava ele —, viu a jovem cigana retirar-se a custo, pois seu estado físico era precário.

Quando nos vimos a sós, um mundo de perguntas me ocorreram. Percebendo-me a curiosidade, Tahma sorriu.

— Estamos diante de uma mulher excepcional. Nem sempre os espíritos brilhantes e elevados vestem roupagens de cultura neste mundo. Jesus nasceu em ambiente simples e humilde. Só nos diferenciamos uns dos outros pela elevação dos sentimentos e pela compreensão.

— Como pensas demover Pablo da vingança? Desde que o destino nos juntou, venho tentando fazer isso sem obter êxito.

— Não tentarei demovê-lo, apenas procurarei mostrar-lhe a realidade. Não aquela em que ele se vê como um pai ofendido de hoje, mas a outra, a anterior, que vem do seu passado, cujas consequências agora colhe.

— Como poderás fazer isso? — perguntei perplexo.

— Eu, propriamente, nada posso fazer, mas sei que é possível e rogarei a Deus que o permita.

— Como isto é estranho! — murmurei.

— Por quê? Se a criatura vem a este mundo vestindo a roupagem carnal, esquecida dos enganos cometidos em outras existências, os acontecimentos do seu passado, vivenciado em suas vidas anteriores, encontram-se arquivados no seu subconsciente. Quando o corpo descansa recuperando energias através do sono, o espírito encontra-se mais acessível, mais de posse da sua verdadeira personalidade e é neste estado que poderemos aconselhá-lo, mostrando-lhe a ilusão perigosa em que se arrasta através da vingança e do ódio.

Perplexo, ainda retruquei:

— Não seria melhor para ele o recordar-se dos problemas do passado? Dessa forma não estaria mais protegido contra a reincidência?

— O esquecimento não é absoluto. É apenas temporário e mesmo existe em razão quase que direta do próprio desejo de cada um. Sendo o homem um constante fugitivo de si mesmo, não gosta de ver-se tal qual é. Sua vaidade não lhe permite errar para aprender. Quando comete um deslize, mesmo insignificante, faz o que pode para esquecer. O pensamento é força criadora que age e materializa aquilo que se acredita. Ninguém gosta de lembrar-se de coisas desagradáveis. Logo elas se apagam da memória e com elas todas as outras. Até que a vida as traga de volta para nova aprendizagem.

— Queres dizer que se desejássemos, poderíamos recordar nossas vidas anteriores?

— Sim. Mas o desejo teria que ser sincero e partir do próprio espírito. Às vezes o que desejamos e nos parece bom quando despertos e investidos na personalidade humana, repudiamos à noite, quando o nosso espírito, liberto pelo sono, está mais lúcido e mais consciente das suas necessidades.

— É difícil obter esse conhecimento?

— Nem tanto. Depende do grau de evolução moral do espírito. Jesus possuía recordação plena das suas existências anteriores, pois que declarou categoricamente saber de onde vinha e para onde iria ao deixar este mundo. Porém, em alguns casos, quando necessário a misericórdia divina intervém, reavivando as lembranças de alguns acontecimentos do passado, como uma advertência. Vou pedir a Deus essa ajuda em favor de Pablo.

Eu estava profundamente impressionado com as revelações que ouvia. A maneira clara e firme do meu amigo ao expor sua crença, descortinava-me diante dos olhos uma justiça divina sábia, elevada e perfeita, da forma como eu jamais havia imaginado. Extremamente curioso, dispus-me a aguardar os acontecimentos.

Devo acrescentar a bem da verdade que, apesar do respeito profundo que devotava aos ensinos e conhecimentos do meu novo amigo, não podia furtar-me a um certo sentimento de dúvida quanto a veracidade das suas palavras.

Isto era natural. Desiludido com a justiça dos homens, recém-saído de profundas lutas que puseram à prova minha fé na religião que abraçara, para não cair na descrença e no materialismo, agora eu caminhava com mais cautela. Menos ingênuo, podendo confiar apenas na minha própria avaliação, não calcava as dúvidas e indagações. Os conceitos dos outros não encontravam eco em meus sentimentos. Pelo contrário, as dúvidas eram olhadas de frente e sendo submetidas à análise da minha razão, buscando através do Evangelho e agora dos conhecimentos de Tahma uma explicação plausível e racional que as esclarecesse.

Naquela noite acertamos minha ida ao mosteiro, onde residiam os amigos de Tahma e palestramos até tarde pois que ele deveria partir no alvorecer do dia seguinte.

As despedidas foram comoventes, mas ao mesmo tempo uma onda suave de gratidão me envolvia o coração, pelo muito que recebera daquele homem velho e maltrapilho, mas rico em sabedoria, confiança e serenidade.

Na tarde do mesmo dia, fui chamado ao carro de Nátia pois que Mirka desejava ver-me em virtude dos seus padecimentos haverem recrudescido.

Foi o próprio Pablo que angustiado veio ao meu encontro, pedindo-me que a acalmasse pois que ela parecia muito mal. Sem saber o que fazer, dirigi-me à humilde e precária habitação da jovem cigana, desejoso de poder ser-lhe útil em alguma coisa.

Mirka delirava e em suas palavras compreendia-se o nome do seu sedutor e os apelos ao próprio pai para que o perdoasse.

Olhei para Pablo que a um canto permanecia pálido, com a fisionomia aflita retratando profunda tristeza. Sem poder conversar normalmente com a enferma, porque ela se encontrava alheia ao ambiente, desejando ardentemente ajudá-la, volvi a Deus meu pensamento em fervorosa oração.

Aos poucos ela foi se acalmando e por fim caiu em profundo sono. Continuei ainda em prece por mais alguns instantes e quando levantei o rosto para Pablo, este fez-me sinal para que o acompanhasse. Ergui-me silencioso e o segui, enquanto a velha Nátia sentava-se ao lado do leito velando.

O sol declinava no horizonte e o crepúsculo lançava seu manto melancólico e belo sobre aquela face da Terra. Respirei a largos haustos a aragem fresca e agradável que lambia os nossos rostos serenando em parte nossos espíritos. Caminhávamos entretidos em nossos íntimos pensamentos e havíamos nos afastado alguns metros do acampamento.

Pablo parou de repente e colocando a mão nervosamente em meu braço, murmurou:

— Ela está muito mal, eu sei! Vai morrer...

Olhei-o de frente. Li em seus olhos negros e brilhantes a tempestade profunda que rugia em seu íntimo, senti a dor e a angústia que lhe torturavam o espírito.

Procurei confortá-lo.

— Não digas isso. Confia na providência. É possível que ainda não tenha chegado sua hora. Ela está imersa em fortíssima crise nervosa provocada, penso, em parte pela tua teimosia em vingar-se do homem que ela ama! Talvez que se desistisses dessa vingança, ela se acalmasse.

Pelos seus olhos passou uma chama violenta. Um mundo de sentimentos contraditórios retratou-se em seu semblante. Controlando-se com esforço, disse num suspiro:

— Temo que isso não faça diferença alguma em seu estado. Já desisti dessa vingança e lho disse hoje. Entretanto, sei que ela vai morrer e nada posso fazer para impedi-lo. Oh! Estou confuso e atormentado... Não sei se é o amor por minha filha que me transtorna assim a mente!

Fiquei profundamente surpreendido com suas palavras. Por que mudara de atitude de forma tão repentina? Sabia-o intolerante e teimoso. Teria Tahma alguma coisa a ver com isso ou essa sua atitude seria apenas consequência de seu amor pela filha, desejoso que estava de acalmá-la e restituir-lhe a saúde?

Olhei-o de frente tentando perscrutar-lhe os sentimentos.

— Ainda bem que raciocinas com acerto. A vingança é um sentimento mesquinho que uma vez cultivado nos amarga a existência. Perdoa e esquece. Só assim conquistarás a paz interior.

Senti em seu braço os dedos de Pablo crisparem-se violentamente, enquanto que seus olhos expeliam chispas fulgurantes.

— Eu não sou bom! Não modifiquei minhas intenções por bondade e tolerância. Eu odeio o duque! Se seguisse um natural impulso de minha vontade, exterminava-o agora, com minhas próprias mãos. Entretanto, tive esta noite um horrível pesadelo que conseguiu impressionar-me tanto ao ponto de fazer-me temer a vingança planejada ao invés de executá-la. Dizes que sou supersticioso, porém, jamais um simples sonho me emocionou tão profundamente. É algo que sinto, sem poder explicar com palavras.

Emocionado com a revelação que apesar de prevista me surpreendeu, quis saber os detalhes do pesadelo que pudera vencer-lhe a férrea vontade.

— Ainda bem que te interessas em saber. Receava contar-te, porque pensas de forma muito diversa dos nossos. Meus homens compreenderiam, porque temem os sonhos proféticos. Porém, bem pouco poderei adiantar porque como todo sonho, não tem lógica. Foi um emaranhado de emoções e sensações profundas que não sei se poderei explicar-te. Tentarei. Vi um homem trabalhando em uma estrebaria, ferretando um animal. Um belíssimo animal, magnificamente ataviado. Olhei o homem e sua presença chamou-me imediatamente a atenção embora não me lembrasse se o conhecia. A um canto, outro homem com fidalgas roupagens esperava impaciente e embora tivesse outra estatura e outro rosto, é curioso, eu sentia que aquele era eu!... Seguiu-me um emaranhado de cenas das quais não me recordo bem a não ser o ódio profundo que eu votava àquele ferreiro de fisionomia alegre e divertida. Em meio a tudo isso, surge a figura de minha filha que disse ser a esposa daquele homem suplicando-me que a deixasse em paz. Não sei dizer, oh! Ciro, o que se passava em mim. Senti que amava minha filha, não com um amor de pai, mas um amor de homem!

Pablo fez ligeira pausa, passando a mão nervosa pela fronte suada.

— Desejei-a violentamente e num golpe de fúria assassinei-lhe o marido, ouvindo-lhe os lancinantes gritos de piedade. A fúria me cegava. O sangue do homem que eu odiava, empapou-me as vestes causando-me náuseas e um pavor invencível. Quando me voltei para a mulher que soluçava, tentando agarrá-la, ela, tomando um punhal, enterrou-o no peito. O que senti nesses instantes não poderia dizer-te. Creio que estive no inferno negro do ódio, do ciúme, do remorso, do pavor e da angústia. Vagava por lugares sombrios e tenebrosos, sem conseguir limpar de minhas vestes o sangue de minhas vítimas enquanto que vozes incessantes me perseguiam onde quer que buscasse esconder-me, dizendo:

"Quiseste tê-la à força e ela não te pertencerá. Com teu gesto, perdeste-a para sempre!" ou, então, "Que desejas, infeliz? Não sabes que não é o amor de pai, mas o ciúme do passado que te faz odiar tão violentamente aquele que tua filha ama? Assassino! Nem tu agora a terás!"

— Acordei suarento e com uma forte sensação de culpa. Sem saber por que, liguei em minha mente a figura do ferreiro do sonho com o duque que odeio, mas não consegui pensar em vingança. Sei que minha filha vai morrer como no sonho, que não poderá ficar a meu lado e isso me apavora. Não sei dizer o que sinto, mas um temor invencível apoderou-se de mim. Que devo fazer?

Emocionado, fitei em silêncio o semblante convulso e pálido de Pablo, retrato vivo do turbilhão emotivo que lhe inundava o íntimo. Apesar do pouco que pudera compreender sobre o emaranhado daquele sonho, algo havia nele em relação as palavras de Tahma.

— Nada, meu amigo. Apenas perdoar. Esquecer e aceitar a vontade de Deus.

Um lampejo de revolta perpassou-lhe o olhar:

— Te revelas agora o padre! Como poderei esquecer? Como afogar este ódio que me queima incessantemente? Como cruzar os braços diante da morte que ameaça roubar o ser que mais amo no mundo? Como?

Sorri levemente diante da lembrança do que fora. Pablo enganara-se. Nunca eu estivera tão distante das minhas convicções do passado. Tive pena dele, do seu drama, de sua alma atormentada. Coloquei-lhe as mãos sobre os ombros e olhando-o de frente, disse-lhe:

— Muitas coisas existem neste mundo que ainda não estamos em condições de compreender. Porém, sei que és um homem de fé e, embora a teu modo, crês em Deus de maneira firme e segura. Pois bem, esta crença deverá ser tão consciente ao ponto de fazer--te compreender que assim como amas tua filha, apesar de seres um homem e estar longe teu amor de ser perfeito, Deus, com maior capacidade e justiça, ama-te a ti, a ela, a nós todos como um pai extremoso. Nesta convicção, deves manter tua mente e se a vida te castiga com rudeza, é para que aprendas a dominar teu temperamento violento.

Dominado por estranha sensação de leveza e euforia, sem poder conter-me, continuei:

— Se hoje passas por essa dolorosa experiência é para que aprendas que o amor não é a posse da pessoa amada. Cada um tem seu próprio caminho e o verdadeiro amor dá espaço a que o ser amado encontre seu próprio rumo. Ela tem o direito de buscar a própria felicidade. Teu amor a tem prejudicado mais do que beneficiado. Se conforme em sonho te foi revelado, outrora, em outra existência, assassinaste-lhe o homem amado, hoje, teu ciúme e egoísmo ainda voltam à tona para a tentativa de repetir a façanha. Porém, acautela-te, lembra-te dos sofrimentos do passado! Não reincidas! A vida tem para ela outras experiências, outros caminhos. Deixe-a ir em paz!

Pablo fitava-me assombrado e temeroso. Uma estranha submissão pareceu transformá-lo quando disse quase num soluço:

— Está certo. Esqueço a ofensa daquele homem a quem odeio. Se não posso perdoar, pelo menos, não mais tentarei contra sua vida, porém, o que mais me fere é a próxima separação! Sei que ela vai morrer! Não posso deixá-la ir! Oh! Meu Deus! Como poderei viver sem ela? Temo perder a razão.

Dominado por uma piedade infinita, doce como jamais sentira, as lágrimas irreprimíveis rolando pelas faces, tornei suave e inesperadamente, quase sem querer:

— É-lhe difícil, meu amigo, porém, lembra-te que ela em outros tempos, arremessada ao desespero pelo teu gesto, atirou-se ao suicídio, desrespeitando assim as sagradas leis da vida. Tem sofrido muito nesta última existência, onde a teu lado veio vencer o medo do que temera enfrentar, suportando a tua convivência e a separação, o desprezo do homem que amara. Justo é pois que ela retorne dignificada ao lar espiritual. Tem cumprido resignadamente sua tarefa, extraindo dela preciosas lições. Não será pois egoísmo da tua parte o querer retê-la, aumentando-lhe os sofrimentos indefinidamente, apenas para que possas estar a seu lado? Não vês a misericórdia de Deus, permitindo que ela nascesse em teu lar e usufruísses seu convívio durante todos estes anos, em bendita oportunidade de reparação do mal que outrora lhe causaste? Serena pois teu espírito e procura aceitar a vontade do Pai com resignação e confiança. Pensa que esta vida é transitória e o que realmente deve importar é a vida espiritual. Quando disciplinares os teus sentimentos e estiveres em condições de compreender, perdoar, amar com desprendimento, estou certo que poderás aproveitar mais do convívio daquela que amas.

Calei-me e olhei para Pablo. De cabeça baixa, ele meditava. Quando levantou o olhar verifiquei que as lágrimas haviam molhado suas faces, e disse-me em desespero:

— O que exigem de mim é superior às minhas forças! Não sei se poderei suportar.

Fiz o possível para confortá-lo, emocionado ainda com a confirmação das palavras de Tahma e compreendendo intuitivamente ter sido inspirado no que dissera ao atormentado cigano.

Mais tarde, a sós em meu carro, pude analisar melhor o que acontecera e senti profunda convicção de que Tahma estava certo! Oh! meu tio, não podes sequer fazer ideia do prazer, da alegria, que representa esta certeza, esta fé. Da serenidade, da força, da paz, que invadiu meu espírito, diante dessa certeza. Como foi bom perceber que a vida era mais ampla, mais completa do que eu imaginara. Foi como um renascimento saber que a vida é eterna!

Villemount suspirou profundamente:

— Avalio tua felicidade. Invejo-te. Mas, continua.

— Eu desejava logo empreender a viagem para a Índia, entretanto, senti que não podia deixar Pablo só naquela situação. Pouco tempo depois, Mirka, não suportando mais o avanço da moléstia, faleceu. Embora angustiada com o selvagem desespero do pai, estava serena com a certeza de que ele renunciara à sua vingança. Assim que o vi mais conformado com a morte da filha, iniciei a viagem tão desejada. Fui carinhosamente recebido no mosteiro onde me dirigi como enviado de Tahma. Devo dizer-te que estava emocionado e desejoso de tirar o máximo proveito daquela estadia que não sabia quanto tempo iria durar. O ambiente do mosteiro era calmo e silencioso. Entretanto, não era triste, pelo contrário. Situado no alto de uma colina, rodeado por flores, árvores, pássaros e animais selvagens, era favorecido por um clima ameno e agradável que nos proporcionava dias de manhãs claras e límpidas e noites enluaradas como jamais vira.

— Estávamos em perpétua comunhão com a simplicidade da natureza, permitindo-nos ali um raciocínio claro, puro e fácil. Os iniciados que ali viviam e estudavam, despertaram logo meu respeito. Aqueles homens veneráveis que pouco falavam e viviam constantemente trabalhando em suas atividades humanitárias e em seus altos estudos científicos, possuíam tal serenidade, tal superioridade moral e intelectual que bastava sua presença para encher-me de serenidade, alegria, paz e conforto.

— Seriam por acaso seres privilegiados? — perguntou o médico admirado.

— De certa forma, sim. Naquele ambiente leve e suave, não pude furtar-me à comparação com o seminário onde fora forçado a viver no passado, e a diferença entre um mosteiro e outro era marcante.

Ali, tudo era harmonia, paz, amizade, onde homens caminhavam pelos bosques que rodeavam o mosteiro seguidos pelos animais selvagens que participavam com eles suas frugais refeições em franca camaradagem. Os pássaros e pombos penetrando pelos gradis das celas, saltavam ao seu redor em busca das migalhas do seu pão. Não havia inveja, mesquinhez, vaidade, orgulho e principalmente imposição das suas ideias.

O raciocínio era livre e individual pois que segundo eles, muitos caminhos existem para cada criatura, a meta porém é uma só. Uns encontram o mais curto, outros seguem pelo mais longo, mas no fim, todos chegarão a mesma verdade eterna e universal e se reunirão em profunda comunhão com o Pai Celestial.

Reconheci intimamente estar ali por especial bondade do Criador, senti haver encontrado a verdade que buscava. Permaneci lá durante cinco anos, aprendendo, estudando, meditando.

Até que um dia, um dos veneráveis apóstolos da fraternidade, chamou-me dizendo em seguida:

— Meu filho. Há cinco anos estás conosco aqui no mosteiro. Tens sido discípulo dedicado e agradecemos a Deus o prazer da tua convivência, da tua amizade. Porém, o que poderíamos fazer por ti, agora, já foi feito. Possuis hoje muitos conhecimentos que poderão beneficiar-te e ao teu próximo. Terás que partir.

— Já? — deixei escapar imperceptivelmente.

O venerável ancião olhou-me carinhosamente.

— Sabes, meu filho, que a semente leva tempo para germinar, crescer, frutificar. Necessita das diversas estações do ano para o seu desenvolvimento normal. Assim, os conhecimentos que recebestes, necessitam ser experimentados, amadurecidos. O saber implica na responsabilidade que o ignorante não tem. Torna-se preciso beneficiar com ele teu próximo para que conheças sua excelência e, também, para que ele frutifique conforme a vontade de Deus. Torna-se preciso que, agora, refeito e sereno, amparado e fortalecido pela tua estadia aqui, retornes às lutas de onde vieste, no supremo desejo de conhecer-te a ti mesmo e vencer tuas deficiências morais para que não aconteça ser tua mente maior em conhecimentos do que teu coração em caridade. Lembra-te que somente o equilíbrio conduz à harmonia e que as obras refletem verdadeiramente o padrão do nosso espírito. Não és melhor porque sabes, mas poderás tornar-te melhor exercitando e praticando teus conhecimentos. Somente assim te tornarás digno de maior avanço na grande ciência que representa o saber encontrar a verdade das coisas. Segue, confia sempre, estaremos unidos através dos nossos pensamentos, amparando-nos uns aos outros, em busca da vibração maior, do amor celestial.

Carinhosamente despedi-me dos amigos, com desejo de algum dia, quando possível, tornar ao mosteiro para abraçá-los.

Sem recursos financeiros, pois que os monges eram paupérrimos, empreendi a viagem a pé, procurando chegar até a aldeia mais próxima, onde trabalhando aqui e acolá, nos mais rudes serviços, consegui meios para retornar à Pátria. Inútil será dizer-te que eu me sentia um outro homem, sereno, forte e confiante.

Trabalhando para manter-me, permaneci quase um ano ainda sem dar finalidade mais definida ao meu destino. Porém, sentira despertar em mim a vontade de servir e ajudar ao meu próximo, e durante minhas horas de lazer, visitava enfermos pobres, preparando-lhes medicamentos pois que estudara medicina no mosteiro e, ao mesmo tempo, procurava minorar-lhe os padecimentos morais, tentando dar-lhes um pouco daquela luz que tão profusamente eu recebera através do conhecimento da doutrina que abraçara. Um dia o acaso reuniu-me aos ciganos e foi com prazer que abracei os amigos de outros tempos. A instância de Pablo, retornei ao acampamento.

O doutor Villemount estava pensativo e ao cabo de alguns momentos tornou:

— Mas, se possuis conhecimentos médicos, podes reorganizar tua vida estabelecendo um lar, abandonando esta existência primitiva e incerta. Terias certamente vida sossegada e feliz. Posso ajudar-te. Tua falecida mãe, minha irmã, no momento supremo, ao deixar este mundo, falou em teu nome até o último instante. Podes vir morar em minha casa. Ela ficaria feliz em saber-te em minha companhia, sem falar no imenso prazer que proporcionarás ao teu solitário tio.

— E Marcel?

— Estuda medicina em Paris. Só vem para casa nas férias. Desde a morte de Guilhermina, vivo quase sempre só, mas não seria egoísta a ponto de truncar a carreira do meu único filho.

— Tens razão, meu tio. Agradeço-te sinceramente o oferecimento, porém, não sei se poderei aceitá-lo. Acontece que afeiçoei-me a estas criaturas com as quais convivo. Sinto-me aqui útil e estimado. Um povo como este, sofredor e errante, ignorante e de forte temperamento emotivo, necessita de um orientador, de um amigo que os ajude. Aqui, exerço as mais variadas atividades. Sou juiz, médico, guia, conselheiro, amigo. Depois, este contato direto com outras gentes, outros povos a que nos força a constante necessidade de viajar, proporciona-me ocasião para tentar exercer aquele sacerdócio com o qual sonhei durante minha adolescência. Em todo caso, irei passar alguns dias em tua casa, para fazer-te companhia. Pablo tem vontade de ficar por aqui algum tempo.

O doutor levantou-se do tronco onde estavam ambos acomodados e olhando o céu, admirou-se:

— Há quantas horas estaremos aqui? Já se faz tarde e tenho que retirar-me. Promete que irás pelo menos passar lá em casa alguns dias. Tua história interessa-me sobremaneira. Tua doutrina ainda mais. Precisamos conversar prolongadamente a respeito.

Ciro sorriu e pelo seu olhar passou um brilho de emoção.

— Irei ver-te talvez amanhã.

— Não te deixarei sair pelo menos por duas semanas! Adeus, Frances.

— Tio, agora sou Ciro. Adotei este nome no mosteiro hindu para significar que lá renascera outro homem sob as cinzas do Frances que lá penetrara. Peço-te que me chames assim.

— Está bem, meu filho. Como quiseres.

Abraçaram-se efusivamente e com mais algumas palavras, despediram-se por fim.

Villemount estugou o passo. A noite ia alta mas o médico parecia pouco interessado com o correr do tempo. Precisava concatenar as ideias, refletir sobre a extraordinária aventura do seu único sobrinho.

Tanto ele como sua irmã haviam recebido a notícia anunciando a execução da sentença de Frances, da parte das autoridades daquele tempo. Naturalmente, outro infeliz, por engano, havia sido morto em seu lugar. Isto explicava-se pois que ao cabo de algumas semanas de masmorra, todos os prisioneiros assemelhavam-se: magros, esquálidos, sujos, barbudos.

Ele gostaria de ajudá-lo a reorganizar sua vida. Desgostava-o vê-lo como um cigano. Infelizmente, porém, reconhecia ser tarefa difícil, porque Frances não desejava deixar os ciganos. Em todo caso, confiava que talvez a estadia em sua casa viesse em seu socorro, pois profundo conhecedor do caráter humano, esperava que ele se habituasse ao conforto doméstico, aos bons livros, a vida regular que durante tantos anos se vira privado.

Inúmeras perguntas lhe afloravam aos lábios sobre uma série de coisas principalmente com referência à cura da criança que Ciro realizara de maneira tão estranha. Haveria de esclarecer todos estes pontos obscuros.

Capítulo 11

O dia ia em meio e Liete ia da copa à cozinha, num vaivém constante, ultimando os preparativos para o almoço. Tinham ajustado uma criada para os serviços domésticos, porém, ela jamais permitira que uma estranha preparasse as refeições para sua querida sobrinha e para o senhor cura.

Só ela conhecia-lhes os gostos e preferências e era com imenso prazer que os observava saborear deliciados sua comida.

Frei Antônio, sentado perto da janela, observava a praça deserta àquela hora do dia, e, de quando em vez, aspirava deliciado o aroma agradável. Ele gostava de esperar pelo almoço. A volúpia de sentir o perfume que emanava da cozinha aguçava-lhe o apetite, fazendo-o desfrutar por antecipação as delícias da refeição.

Quando, porém, sentou-se à mesa para iniciar sua refeição, a sineta da porta soou insistentemente.

A criada anunciou:

— Senhor cura, um cavalheiro deseja vos falar.

Diante da fisionomia francamente contrariada de frei Antônio, Marise que ia acomodar-se à mesa, sorrindo, sugeriu:

— Não convém que o vosso almoço esfrie. Receberei a visita e far-lhe-ei companhia até que termines a refeição.

O bom padre lançou-lhe um olhar agradecido.

— Gostaria muito de almoçar primeiro, porém, prefiro que almoces tu. Irei atendê-lo.

— Não se incomode, meu tio. Estou sem fome e ademais há um prato especial que ainda não está pronto.

Graciosamente, Marise dirigiu-se à sala onde a visita esperava. Ao abrir a porta, viu um rapaz magro, pálido, elegantemente trajado. Ao vê-la, levantou-se fazendo ligeira reverência:

— Desejais falar ao senhor cura, porém, ele encontra-se terminando sua refeição. Pede-vos a gentileza de aguardá-lo durante alguns minutos.

— Agradeço-vos a delicadeza em prevenir-me. Esperarei. Permiti porém que me apresente: Roberto Chãtillon du Merlain.

Marise sobressaltou-se, perturbando-se profundamente. Estava diante do seu próprio irmão!

Para esconder a excitação, baixou a cabeça em reverência, dizendo com voz que procurou tornar firme:

— Encantada, senhor.

— Sois a sobrinha do senhor cura, certamente. Muitos dos meus amigos já me haviam falado a vosso respeito, isto é — calou-se algo embaraçado — descreveram-me vossa beleza que reconheço realmente deslumbrante.

Mais senhora de si, Marise olhou-o de frente. Como era diferente do pai! Que diria o jovem se soubesse a verdade? Certamente a desprezaria. Ou não? Talvez não. Ele parecia ser tímido e sensível. As pessoas assim geralmente transigem com facilidade. Num relance analisou-lhe o caráter fraco, emotivo.

Sentiu de repente espontânea simpatia por aquele rapaz ao qual estava ligada pelos mais íntimos laços, ao mesmo tempo, um forte desejo de protegê-lo, ajudá-lo.

O jovem notou o olhar terno de Marise, ao mesmo tempo, seu riso franco, tolerante. Sentiu-se à vontade diante dela, pareceu-lhe até que já a conhecia.

— Exageros, senhor, certamente, porque sou nova na aldeia. Mas, sentai-vos se não vos desagrada, esperaremos juntos por meu tio.

Palestraram durante meia hora sobre diversos assuntos e a cada minuto aumentava a admiração de Roberto pela cultura e gosto da moça. Apesar de muito sensível e observador, Roberto não gostava de estudar e a superioridade de Marise impressionou-o.

Quando frei Antônio penetrou na sala, Marise já havia conquistado por completo a sua admiração e estima. Vendo-os juntos, o padre não pôde furtar-se a um gesto surpreso. Suspirou aliviado ao perceber que ele não sabia da verdade.

Levantando-se, o jovem saudou-o cortesmente.

— Estou encantado, senhor cura, com a companhia da vossa sobrinha. Se soubesse que teria este prazer, há muito teria vindo visitar-vos!

Frei Antônio sorriu contrafeito, ruborizado por colaborar para que a dúbia situação prosseguisse.

— É um prazer receber-vos, meu filho.

Marise levantou-se.

— Com licença. Foi um prazer conhecer-vos.

Roberto curvou-se gentilmente. A moça saiu da sala sentindo-se bastante emocionada.

Como a vida é extravagante! — pensou ela. Poderíamos todos ser felizes se não existissem tantos preconceitos. Pelo menos, poderia falar claro com seu irmão, sem necessidade de esconder-se sob a tutela do sacerdote como uma criminosa. Futuramente, quando conseguisse consolidar seus ideais de trabalho, haveria de sair dali, reorganizar sua vida de maneira clara e segura, sem a humilhante necessidade de enganar o próximo.

Em seu quarto, procurou trabalhar no quadro que iniciara há dias. Seu pensamento voou para a figura serena de Ciro. Como gostaria de procurá-lo! Sentia profunda vontade de conversar com ele. Parecia-lhe que seus olhos irradiavam tanta serenidade e paz que só ao fitá-los, este sentimento também a invadia, proporcionando-lhe delicioso bem-estar.

Temia ir ao acampamento novamente e nunca o vira na aldeia. O doutor Villemount teria ido mesmo ao acampamento conhecê-lo?

No dia seguinte, domingo, iria à sua casa. Talvez tivesse notícias. Algumas horas depois, Marise surpreendeu-se com a presença de frei Antônio em seu quarto. Vinha sério e preocupado. Sentou-se e deixou escapar profundo suspiro.

— O que há tio Antônio?

— Minha filha, Deus às vezes nos coloca em situação surpreendente. Pensei maduramente e resolvi relatar os acontecimentos para conseguir tua colaboração neste caso — e com ar solene — aquele rapaz com quem conversavas é teu irmão!

Marise sorriu com ternura:

— Já sei. Ele apresentou-se. Mas se é este o motivo da tua preocupação, descansa teu espírito. Não estou abalada, pelo contrário, gostei de conhecê-lo, embora não pudesse contar-lhe a verdade.

— Não é bem isso, Marise. Ele veio procurar-me porque enfrenta grave problema. Veio pedir-me conselho. Como não o ouvi em confissão, posso contar-te o que me preocupa. Senta-te e ouve:

Marise ouviu tudo sem surpresa. Frei Antônio contou-lhe detalhadamente a vida do duque com a esposa e os filhos, bem como os últimos acontecimentos, desde a tentativa de suicídio de Alice ao amor impossível do jovem Roberto.

Marise comoveu-se. Gostava profundamente da meiga Etiene que acompanhara a mãe ao convento por diversas vezes para visitá-la, embora ignorasse a verdade. Sua mãe prometera contar-lhe tudo quanto tivesse idade para compreender melhor as coisas.

— O rapaz pediu-me conselhos. Que podia dizer? A situação é delicada e o casamento, impossível. Que fazer? És sensata e compreensiva. Que poderemos aconselhar, que poderemos fazer?

— Realmente, tio Antônio, penso que nada poderemos fazer. A aproximação dessas duas famílias é impossível. Não por minha mãe, que acredito delicada e inclinada a esquecer o passado, mas pela duquesa e também por "ele". Confessou-me que ainda ama minha mãe. Não seria para eles uma tortura reencontrar-se embora poucas vezes, mas inevitavelmente? Poderia meu pai dominar-se? Apesar do seu cavalheirismo, sei que é fraco de vontade e não deixaria de assediá-la o que tornaria as coisas ainda piores. Principalmente para minha mãe. Os ciúmes do marquês, poderiam ser motivo de uma tragédia. Pena que Roberto escolhesse justamente Etiene para casar-se...

— Lamento o que aconteceu, filha, mas já mostrei ao rapaz as consequências que poderiam surgir se insistisse em levar avante esse amor impossível. Penso, porém, que obtive resultados pouco satisfatórios. Não consegui senão aumentar sua piedade pela mãe e sua mágoa contra o pai, a quem acusa categoricamente de responsável pela dolorosa situação. Que fazer, Marise! Sinto-me impotente como sacerdote, fracassado em minha missão, por não ter podido confortá-lo, serenando-lhe o espírito, harmonizando sua situação com o pai!

Marise olhou o rosto angustiado de frei Antônio, aquele rosto vermelho e bondoso que aprendera a estimar como a um pai.

Carinhosamente abraçou-o:

— Não te martirizes assim. Fizeste tua obrigação. Procuraste falar-lhe com sinceridade, com desejo profundo de ajudar. Não és responsável pela sua falta de compreensão. Ele é muito jovem e o ambiente sombrio do seu lar influenciou-lhe perniciosamente o caráter. Talvez mais tarde, saiba compreender e perdoar. Tem calma, tio Antônio.

— Achas que não fracassei?

— Naturalmente que não. As pessoas quando nos procuram para ouvir de nós um conselho, o fazem instintivamente com o desejo de encontrar em nós um apoio à sua própria forma de pensar, que justifique ainda mais aquilo que desejam realizar, contrário à prudência. Quando, porém, nosso conselho reforça ainda mais os reclamos de sua própria consciência, instintivamente, sentindo que estamos com a razão, veem em nós um inimigo dos seus desejos e sem poder repartir conosco a responsabilidade dos seus atos irrefletidos, voltam-nos as costas. Porém, agindo assim, estaremos verdadeiramente ajudando-os a encontrar o caminho reto. A verdade nem sempre é agradável e o seu culto afasta de nós os que desejam a hipocrisia.

— Tuas palavras serenam meu espírito. Às vezes me pergunto se valeu a pena haver me dedicado ao sacerdócio. Não que eu esteja arrependido, mas minha vida tem sido rude, sem carinho e alegrias. Gostaria pelo menos de poder colher o fruto do meu trabalho, de saber que consegui ao menos salvar uma alma!

Frei Antônio estava realmente angustiado. Pela primeira vez desabafava o que há muito vinha ruminando intimamente. Estava cansado. Cansado da miséria humana. Sonhara ser um pastor de ovelhas desgarradas e compreendera que seu rebanho era formado de lobos e raposas matreiras. Seu ideal empalidecera ao contacto com a realidade humana.

Marise compreendeu-lhe o abatimento. Abraçou-o.

— Não digas isso, tio Antônio. Pelo menos uma conseguiste salvar: a tua!

— Olhando para o rosto alegre e gaiato da moça, sorriu sem querer enquanto dizia:

— Realmente, minha filha. Meus sonhos de ventura repousam todos nessa grande esperança!

Oh! As manhãs cheias de sol de Ateill, Marise adorava vê-las, senti-las, respirar o ar leve e delicadamente aromatizado: um misto de mato e orvalho ao contacto com a terra.

Caminhava alegre e despreocupada. Seus pequenos pés pareciam nem tocar o chão, tal a leveza do seu andar. Era domingo e depois de tocar o órgão na missa solene das 9 horas, dirigia-se à casa do doutor Villemount.

A casa do médico estava situada em agradável ruazinha estreita, toda calçada de pedras e rodeada por bangalôs cujas cercas de madeira pintadas em cores alegres e claras, contrastavam com o colorido dos jardins e o verde dos gramados. Era quase igual as demais, diferenciando-a apenas a placa sob o portal que trazia o letreiro: Jacques Villemount — médico. Pequena escada conduzia do jardim à varanda que precedia à porta de entrada. Roseiras floridas guarneciam-na, recordando ainda o zelo com que a falecida esposa do médico cuidara do seu embelezamento.

Alegre, Marise abriu o pequeno portão do jardim e dirigindo-se à entrada, fez soar a sineta. Foi informada que o senhor doutor se encontrava na sala, em companhia de um seu sobrinho e que iria preveni-lo de sua visita.

Momentos depois, o médico alegremente veio recebê-la.

— Que prazer, minha filha! Há tanto tempo não aparecias que cheguei a pensar houvesses me esquecido.

— Que ideia! Andava apenas trabalhando um pouco. Desejava acabar um novo quadro, parece-me que não estou muito segura, ainda. Pena que não possa contar com a ajuda do artista que vive com os ciganos.

Villemount sorriu misterioso, antegozando a surpresa de Marise.

— Mas, parece que te interrompi. Disse-me a criada que recebes a visita de um sobrinho.

— Sim. É certo. Ele está passando alguns dias comigo. Mas, tua visita jamais me interromperia. Pelo contrário, faço questão que o conheças.

Intrigada com o ar divertido do doutor, Marise acompanhou-o à pequena sala de estar e, no limiar, estacou profundamente surpresa: estava diante da figura serena de Ciro.

Olhava do médico para Ciro sem compreender bem o que se passava.

Pelos olhos de Ciro, passou um vislumbre de ternura ao ver a figura radiosa de Marise. Dominou-se porém.

— Sei que já vos conheceis, o que me poupa o trabalho das apresentações.

Sorrindo, Marise adiantou-se estendendo a mão a Ciro que se levantara cortesmente:

— Que surpresa! Jamais pensei encontrar-vos aqui!

— O destino parece que colaborou de forma a me proporcionar o prazer de rever-vos.

Marise corou lembrando-se de suas palavras quando se haviam despedido.

— Sim. Senta-te, minha filha. Em poucas palavras te contarei tudo. — Vendo-a acomodada, prosseguiu:

— Quando vi aquele quadro em tua casa, imediatamente reconheci o estilo e a forma. Isto intrigou-me porque meu sobrinho fora dado como morto há alguns anos passados. Assim, fui pessoalmente ao acampamento conforme dissera e tive o grato prazer de reencontrá-lo, vivo e cheio de saúde.

— Quem diria, doutor! — e dirigindo-se a Ciro: — Julgar-me-á indiscreta se vos perguntar sobre o futuro? Pretendeis morar com o doutor?

— Gostaria muito, nos compreendemos muito bem, porém, estes anos de separação modificaram minha personalidade de maneira que talvez sinta ser outro o meu rumo.

Marise suspirou imperceptivelmente. Como gostaria que ele ficasse vivendo na aldeia, longe dos ciganos e dedicando-se a uma vida normal.

— Estou tentando convencê-lo a ficar. Conto com o teu auxílio neste sentido.

Ciro sorriu mansamente e sua voz tinha tonalidades suaves quando disse:

— É uma conspiração que se organiza. Não sei se poderei resistir. Mas, mudando de assunto, continuais pintando?

— Um pouco, mas tenho dificuldades. Às vezes penso mesmo em desistir. Minha falta de segurança na pintura é desanimadora!

— Não deveis pensar assim. Somente a perseverança no trabalho realiza os nossos ideais.

— Quisera possuir a vossa experiência! Se pudesse contar com vossa segurança, poderia vir a tornar-me uma artista. Ouvi o doutor mencionar vossos quadros, gostaria de vê-los, é possível?

— Ultimamente não tenho nada em meu poder. Tenho me dedicado a outros estudos e trabalhado de maneira pouco artística, isto é, fazendo da arte uma profissão.

— Que pena, — suspirou ela — mas, então talvez possamos realizar um acordo. Muitas vezes pensei procurar-vos no acampamento. Não o fiz porque tio Antônio me havia pedido para não voltar lá. Desejava pedir-vos algumas lições de pintura. Pagar-vos-ei o quanto desejardes e serei dócil como uma criança. Que dizeis?

— Permanecerei aqui por pouco tempo. E talvez não seja o exímio artista que pareço ser.

— Por favor! Não me decepcione. Gostaria tanto de receber algumas aulas... Não há ninguém na aldeia que esteja a altura de fazê-lo. Apenas algumas aulas...

— Procurarei explicar-vos o pouco que sei sobre o assunto. Entretanto, será apenas a título de servir-vos. Não costumo receber nada por essa espécie de serviço. Quando disse que fiz da pintura profissão, foi porque apenas me dedico a pintar pequenos quadros de tempos a tempos, que os meus amigos vendem, com os quais custeio meu sustento e compro meus livros. Porém falta-me tempo para dedicar-me a arte definitivamente.

Marise fixou o semblante enigmático daquele homem. O que se ocultaria sob aquela face serena? Quais as causas do mistério que pressentia envolver sua vida? Certamente o doutor estava a par de tudo. Talvez conseguisse desvendar o passado de Ciro.

Conversaram agradavelmente sobre vários assuntos até que por fim Marise conseguiu a promessa do doutor de levar Ciro no dia imediato à sua casa, a fim de apresentá-lo a frei Antônio e conseguir-lhe o consentimento para receber algumas aulas.

Quando a jovem se retirou satisfeita e graciosa, de volta à sala, o doutor comentou:

— Parece um anjo esta moça! Sua graça e beleza faz-me sentir alegre e remoçado.

— Realmente. Porém, o que vos proporciona esta sensação de juventude e alegria, é sua inteligência e as vibrações agradáveis do seu espírito. É uma mulher excepcional. Possui uma intuição profunda das coisas, bem como uma visão clara e simples de análise das criaturas e da vida.

— Como podes descrever-lhe o caráter assim, com exatidão, tendo-a visto somente por duas vezes?

— Quem vos garante que não a conheço há séculos já? A face mutável do corpo de carne que agora vestimos, nada significa frente as emanações do espírito com o qual nos identificamos pelos laços do passado.

— Queres dizer que já a conhecias?

— Por que não? Quantas vezes ao sermos apresentados a uma pessoa experimentamos sensações inesperadas de simpatia ou repulsa? De onde podem elas originar-se senão do passado?

O médico permaneceu em silêncio meditando sobre o que ouvira.

Há três dias hospedava o sobrinho e nesse curto espaço de tempo aprendera a respeitá-lo, bem como a sua filosofia. Inteligente. Estudioso, sincero consigo mesmo e profundamente dedicado ao estudo, Villemount maravilhava-se diante do elevado nível cultural de Ciro e da beleza profunda do seu ideal de fraternidade. Era forçado a reconhecer intimamente, embora duvidasse um pouco sobre a realidade da sua doutrina, que jamais conhecera conceitos tão singelos e ao mesmo tempo tão lógicos e formosos, principalmente que não se chocavam com seus conhecimentos científicos. Pelo contrário, completava-os, harmonizando-se perfeitamente com eles, ampliando-lhes o campo de ação, alargando suas possibilidades.

Haviam tratado de diversos assuntos. Villemount submetera à apreciação de Ciro diversos e difíceis casos clínicos e surpreendera-se com os pontos de vista tão claros como inesperados do sobrinho.

Cada vez mais satisfeito com a presença de Ciro em sua casa, desejava realmente retê-lo o mais possível.

— Marise pediu-me que te levasse a sua casa. Acedi, porém, não sei se terei feito bem. Ela é sobrinha do nosso vigário e talvez não desejes visitá-los. Esqueci-me por momentos do teu passado.

— Não importa, meu tio. Iremos. O padre Frances está morto. Ciro não tem receio de nada!

Pelo caminho, de retorno à casa, Marise ia pensando sobre o que acontecera. Jamais pensara na possibilidade tão fortuita de receber algumas lições de Ciro. Naturalmente precisava vencer as objeções de frei Antônio. Confiava não ser tarefa difícil. Ele nutria viva simpatia pelo doutor Villemount. Tratando-se de um seu sobrinho, esqueceria a convivência com os ciganos.

Antegozava já o prazer de aprender verdadeiramente a pintar, usufruindo ao mesmo temo a companhia agradável daquele homem.

Sentia leve sobressalto sempre que mentalmente procurava lembrar-se do seu rosto. Ao mesmo tempo um sentimento vago, impreciso, intraduzível, tomava conta do seu ser.

Estaria gostando dele? Ou seria apenas uma fascinação temporária, fruto do mistério que o envolvia? Não importava saber. Marise desejava apenas desfrutar ao máximo o prazer daquelas horas de convivência com ele. Haveria de conseguir descobrir toda a verdade a seu respeito. Quantos anos teria? Não era muito jovem, talvez uns trinta e quatro, ou trinta e cinco anos.

Logo ao entrar, Marise encontrou-se com frei Antônio que na sala aguardava o almoço. Depois de cumprimentá-lo, entrou no assunto:

— Tenho uma novidade para contar-te.

Os olhos vivos do padre fitaram-na expectantes.

Marise contou-lhe tudo quanto se passara naquela manhã.

— Tio, desejo teu consentimento para algumas lições. Desejo tanto aprender! Que dizes?

Frei Antônio ouviu surpreso. O que a jovem lhe contara era quase inacreditável. Conhecia bem Villemount e sabia que vinha de boa família, como explicar que um parente seu vivesse com ciganos? Abanou a cabeça meditando.

— Minha filha, és culta e sensata, porém, ingênua e boa. Não conheces a vida e a maldade humana. Receio pela tua convivência com tal homem. Entretanto, como se trata de um sobrinho de Villemount, não darei resposta alguma antes de conhecê-lo pessoalmente. Em outras circunstâncias não permitiria jamais tal convivência.

— Gostarás dele, tio Antônio. É tão sério e culto! Não sei como se encontra junto com os ciganos. Talvez tenha prazer em trabalhar mais em contacto com a natureza. Em Paris, já ouvi contar que os artistas às vezes saem pelo mundo, para sentirem a natureza e transportá-la para a tela. É possível que ele...

Marise parou interdita. Recordava-se que ele lhe dissera não viver para a pintura, mas utilizar-se dela para manter-se, o que é muito diferente.

Enfim, não adiantava tentar adivinhar o incógnito. O futuro diria.

No dia imediato, às 7 horas da noite, o velho doutor, em companhia de Ciro, tocou a sineta da velha casa de frei Antônio.

O coração de Marise bateu descompassado quando os viu entrar na sala de estar, onde com frei Antônio palestrava em agradável serão.

O padre levantou-se para estreitar a mão do velho amigo enquanto Ciro mais atrás aguardava sua apresentação.

Assim que o fixou, frei Antônio teve ligeiro sobressalto. De onde o conhecia? Sua fisionomia parecia-lhe extremamente familiar. Cumprimentou-o circunspecto, enquanto intimamente buscava lembrar-se onde o encontrara antes.

Sentaram-se todos e após algumas palavras banais, frei Antônio tentou conduzir o assunto ao ponto que o preocupava.

— Extraordinário, Villemount. Quem diria que falando a respeito dos boatos inventados pela crendice dos campônios, estávamos falando de um seu sobrinho!

— Realmente, meu amigo. Compartilho da tua admiração. Devido a um mal-entendido, há muitos anos o julgava morto, porém, a vida nos reserva muitas surpresas! É meu único sobrinho, filho da minha querida irmã que tiveste a oportunidade de conhecer.

Frei Antônio voltou a fisionomia algo divertida para Ciro e sorriu ao dizer:

— Sabeis, caro senhor, que o povo da aldeia anda seriamente impressionado com vossos amigos, os ciganos. Corre até por aqui que sois um santo milagreiro e o mais interessante é que foi para averiguar este particular que meu caro doutor vos foi procurar. Espero que o meu amigo já se tenha esclarecido convenientemente.

Villemount olhou fixamente para frei Antônio. De ordinário tão versátil e alegre, estava profundamente sério quando disse:

— Muito mais do que podeis esperar.

— Queres dizer então que é verdade? — pilheriou ainda frei Antônio tentando levar adiante o assunto para meu próprio esclarecimento.

— Acredito que haja exagero nessa história — interveio Ciro com amabilidade. — A superstição cria situações misteriosas onde tudo é claro e simples. Cria milagres e eles realmente não existem.

Frei Antônio, que a princípio concordara com as palavras de Ciro, surpreendeu-se por fim:

— Não compreendi bem. Dizeis que os milagres não existem?

Fitando-o nos olhos, Ciro suavemente perguntou-lhe:

— Acreditais sinceramente neles?

Frei Antônio perturbou-se. Realmente nunca assistira a nenhum milagre. Aceitava sua existência como verdade teológica e profissão de fé, porém, como coisa do passado. Intimamente não acreditava que eles se repetissem naqueles dias que atravessavam.

No entanto, competia-lhe elucidar aquele homem quanto a religião. Desviou o olhar dos olhos de Ciro que o incomodavam porque pareciam penetrar-lhe o âmago do pensamento.

— Acredito. Não seria cristão se duvidasse deles. Seria como duvidar do próprio Cristo. O Evangelho está repleto de milagres! Não acreditais neles?

Ciro permaneceu silencioso durante alguns segundos, enquanto que os três o fitavam esperando curiosamente sua resposta.

O médico pensava:

"Frei Antônio quer doutriná-lo e não sabe com quem anda metido"!

— Vossa reverendíssima certamente encara este problema com o zelo da vossa profissão. Respeito vossos sentimentos e vossa convicção. Entretanto, se me permitísseis, gostaria de lembrar-vos o seguinte: sois naturalmente profundo conhecedor do comportamento humano, deveis saber que cada um sente e registra os acontecimentos que o envolvem de acordo com a sua posição, educação, meio ambiente, etc. Quis Deus que vivêssemos em um mundo heterogêneo para que pudéssemos aproveitar do produto do raciocínio dos nossos irmãos, em benefício do nosso próprio esclarecimento.

Frei Antônio sacudiu levemente a cabeça concordando. Ciro prosseguiu:

— Assim, permito-me, neste particular, discordar de vossa reverendíssima.

— Pelas vossas palavras vejo que não sois ateu. Como crer em Deus sem os milagres?

— Aí está o ponto onde discordamos. Para mim, Deus não é milagreiro, mas sim laborioso. É o universo produto do seu labor incessante e operoso. Tudo na criação obedece a lei do movimento contínuo, ensinando-nos amar o trabalho, esclarecendo-nos que o Pai não para, uma vez que tudo respira e vive por sua vontade e sabedoria.

Frei Antônio estava boquiaberto. Jamais ouvira semelhante doutrina. Deus trabalhar! Que heresia!

— Qual a vossa religião?

— Procuro ser cristão — respondeu Ciro humildemente.

— Aí está, — fez frei Antônio com ar vitorioso — como ser cristão sem crer em milagres? N. S. Jesus Cristo foi quem mais milagres realizou na Terra. O que dizeis a isto?

— O que quer dizer milagre? O milagre é apenas a extensão da nossa ignorância. Um acontecimento cuja causa ignoramos e não podemos explicar se nos afigura sobrenatural. Entretanto, o fato de ignorarmos não significa que as causas naturais não existam! O que há realmente, é evolução moral e espiritual daqueles que realizam grandes coisas que a maioria não pode fazer. Gosto mais de reconhecer na personalidade do Cristo, sua superioridade. Acredito mesmo que ele tenha se utilizado de forças naturais que desconhecemos, para seus testemunhos maravilhosos. Para mim, o mundo é regido por Deus, através de leis perfeitíssimas, cujas profundezas ainda não podemos alcançar completamente. O fato de Jesus não ter realizado milagres não o diminui, pelo contrário, mostra-nos realmente sua verdadeira posição de Mestre da sabedoria. O milagre é um acontecimento problemático e esporádico. A realização consciente e objetiva do sábio é mais útil, segura e muito mais produtiva.

— Mas isto é um absurdo! Envolver N. S. Jesus Cristo em conceito tão materialista!

Ciro, curvando levemente a cabeça, tornou:

— Lamento que minha maneira de pensar vos perturbe. Mudemos de assunto.

Frei Antônio, porém, sentia-se no dever de esclarecer a questão. A palestra terminada nesse ponto, daria aos demais a impressão da superioridade daquele homem. Não poderia consentir nisso, pois seu objeto era desmascarar diante de Marise e do velho doutor os pretensos conhecimentos daquele andarilho.

— De maneira alguma, meu caro senhor. Vossos pon vista não me molestam, pelo contrário, é palestrando e tro ideias que podere-mos compreender melhor a verdade.

Villemount olhou divertido para Marise que se surpreendia com a aparente docilidade de frei Antônio.

Pelos olhos de Ciro passou ligeiro brilho, emotivo, dominando--se porém, prosseguiu resignado:

— Seja. Continuo pois. O maior engano em que se debate a humanidade atualmente é o do separativismo. Acreditam sinceramente que as diversas atividades, as diversas correntes de pensamento, obedecem a um fim determinado cujas consequências podem conduzir seus seguidores ao extremismo do céu ou do inferno, do nada ou do purgatório. Assim, uns defendem teses materialistas, outros fanatizam-se pela religião, outros ainda permanecem acreditando na primeira e ao mesmo tempo temendo a segunda. A ciência, evoluindo a cada dia, é olhada com desconfiança pelos religiosos que a julgam inimiga. Entretanto, o ambiente heterogêneo do mundo em que vivemos não passa de um todo em busca de uma única finalidade: evolução. As verdades científicas que o homem vem conquistando e que tanta celeuma provocam nos meios religiosos, não são nada mais do que a vontade de Deus descobrindo a ponta do véu, facultando assim por sua natural bondade a oportunidade para que soframos menos vivendo com mais conforto.

Olhos abertos, frei Antônio ouvia estático aquela descrição ao mesmo tempo que lhe parecia, pela primeira vez, o mundo como realmente deveria ser.

Ciro, vendo a atenção com que o ouviam, prosseguiu:

— Entravando esse progresso, baseados em convicções a que outros nos induziram no passado, estaremos combatendo contra o próprio Deus. A evolução é coisa concreta, atestada através dos séculos de civilização que conhecemos. O mundo não foi criado em sete dias como muitos acreditam, num passe de mágica, mas em séculos de laborioso trabalho através da evolução da energia tornada matéria e transformada em diversas fases até tornar-se favorável à germinação do homem de carne, isto é, do corpo humano que, por sua vez, vem evoluindo em espécie e costumes, proporcionando ocasião para o aprimoramento do espírito.

Ciro fez pequena pausa, enquanto frei Antônio apertou:

— Sua doutrina é estranha e chocante. Vai contra os princípios mais sagrados das escrituras.

— Talvez seja uma questão de análise. O livro chamado santo, é muito velho e foi compilado por diversas criaturas humanas, portanto, passíveis de enganos. Traduzido em diversas línguas, seus originais perderam-se nas voragens do tempo. Tendo-se em conta a bondade de Deus, a substância da verdade universal nele permanece, porém, sua forma literal é eivada das mais variadas contradições e superstições que os homens nela incluíam. Se na parte moral e espiritual nos serve de guia, na literal nos conduz em vários trechos à confusão. O homem, para ver a realidade, não necessita ler no livro dos outros homens. A cultura literária nos fornece a inteligência tornando melhor nossa vida comum, baseada na experiência dos nossos semelhantes. Porém, a natureza, sendo regida por leis que emanam do pensamento sábio e criador de Deus, nos poderá ensinar muito mais sobre a realidade da vida. Este conceito não diminui a perfeição Divina, pelo contrário, a amplia rasgando ao nosso raciocínio novos e amplos horizontes, ensinando-nos preciosas lições a cada passo. Ensinamos, por exemplo, a evolução da matéria, dos seres e do mundo em que vivemos. Nas coisas mais singelas, escondem-se preciosas lições. Notável exemplo de trabalho, modéstia, operosidade nos proporciona o reino vegetal, ofertando-nos maravilhosas flores de suaves perfumes, bálsamos para nossas moléstias, sombra para o viajor cansado, alimento para os pássaros, homens e animais.

— Realmente concordo convosco quanto a perfeição da natureza, mas, não percebo em que vossa palestra relaciona-se com os milagres.

— O mundo por si só nos faculta a observação de coisas maravilhosas, entretanto, raras são as criaturas que para isto atentam. Aceitamos a vida com naturalidade, julgando este nosso corpo de propriedade nossa, tal como uma criança que recebe dos pais um brinquedo e diverte-se em destruí-lo. Assim procedemos nós, dissipando preciosas energias que nos foram dadas para uma vida séria, para um aprendizado construtivo e operoso. Vivendo em toda série de desregramentos, viciando nossos sentidos até forçá-los a habituar-se com determinadas pseudo-necessidades, acabamos destruindo a máquina maravilhosa que nos foi dada para instrumento de nosso espírito. A perfeição do universo, nosso planeta lançado no espaço a mover-se constantemente sem que nos apercebamos disto senão pela observação mais apurada através do estudo, o mar que não se derrama em uma gota sequer durante essa rotação, enfim, mil e um fenômenos, nós aceitamos não como um constante e real milagre, mas como coisa comum e corriqueira, como obra majestosa e gigantesca do divino arquiteto que é Deus. Por que então atribuirmos a restauração de um corpo humano, a transformação da água em vinho ou mesmo a ressurreição de um homem considerado morto, ao simples acaso do milagre? Isto será negar a participação direta de Jesus no ato. Não! O mais certo será atribuirmos os grandes feitos de Jesus como fruto da sua missão, da sua elevação espiritual, da sua sabedoria conquistada através de séculos de trabalho evolutivo de renúncias e de sofrimentos. Deixou-nos Ele bem patente esta verdade quando declarou: "O que realizo também o podereis fazer e muito mais". — Não o podemos agora, porque somos ignorantes, mas o faremos no futuro, em outras vidas quando alcançarmos mais evolução.

Frei Antônio coçou a cabeça meio embaraçado. Intimamente, sentia, dentro de si, um reflexo de verdade nas palavras de Ciro, porém, admiti-lo seria ir de encontro à sua própria profissão e isto ele jamais confessaria.

— Para ser mais simples, acrescento. Para o indígena, que desconhece a pólvora, um simples tiro parecerá um milagre, entretanto, para o homem civilizado, é coisa explicável e banal. A ignorância atribuiu a milagres fatos cujas causas originárias desconhece. Desculpai, vossa reverendíssima, falo em tese sem intenção de ofender-vos.

Frei Antônio pigarreou ligeiramente:

— Certo, meu filho. Acredito. Vossos pontos de vista são temerários. Criados pela vossa imaginação, embora expressem em certos trechos rasgos de verdades. Quero crer que sois um estudioso, porém, sem uma rija e sadia orientação que vos conduza ao roteiro seguro. Faltou-vos talvez o guia espiritual que somente poderemos encontrar nas hostes da Igreja.

Ciro não pôde evitar que um lampejo de ironia luzisse em seus belos olhos azuis. Frei Antônio continuou:

— Vossa teoria da transmigração das almas é absurda e incoerente. A Igreja já se ocupou dessa possibilidade e rejeitou-a formalmente.

Villemount não conteve o riso nem o desejo de espicaçar frei Antônio:

— Ora, ora, frei Antônio, não és coerente. Acreditais piamente em milagres da maneira mais ingênua possível e não acreditas em um fenômeno tão simples e habitual como o da junção da alma com o corpo na hora do nascimento?

— Villemount, não torças a questão, aliás muito a teu gosto. Sabes que Deus cria as almas unindo-as ao corpo que deverá nascer neste mundo.

— Isso não muda o âmago da questão — interveio Ciro serenamente. — Por que haveria Deus de criar almas sempre novas, em situações espirituais tão díspares negando a outras também criadas por ele anteriormente, nova oportunidade de regeneração? Qual o pai que poderá negar ao filho arrependido a esperada ocasião de reparar erros cometidos? E depois, caro frei Antônio, qual a diferença? Por que combater a evidência que a vida a todo instante nos comprova e que o próprio Jesus ensinou?

Frei Antônio abriu a boca tal a sua perplexidade:

— Isso não! Vossa argumentação é poderosa mas deturpa a verdade. Atribuir tal ensinamento a N. S. Jesus Cristo é blasfêmia! É heresia!

Ciro empalideceu ligeiramente e um lampejo de tristeza luziu em seu olhar. Por instantes sentiu-se frente ao tribunal inquisidor que o condenara. Dominou-se porém. Agora era outro homem! Foi com suavidade que respondeu:

— Enganai-vos, senhor cura. Posso provar o que afirmo.

— Pois bem, então prove — desafiou o clérigo enrubescido pela violência das suas convicções.

— Em várias passagens Jesus fez tais revelações. Uma delas foi a Nicodemus quando disse: "Na verdade, na verdade te digo que aquele que não nascer de novo não poderá alcançar o reino de Deus!"

Frei Antônio sacudiu a cabeça negativamente:

— Realmente, N. S. Jesus Cristo afirmou isso, mas torna-se preciso compreender bem o sentido dessas palavras, coisa fácil aliás, pois ele próprio as explica logo depois. Vou apanhar o Evangelho para explicar-vos este trecho.

— Não é preciso, frei Antônio, sei o resto de cor. Quer que o mencione na íntegra?

— Podeis fazê-lo, mas tomarei do Evangelho para retificar vossos erros.

— Está bem — e vendo que o velho sacerdote procurava localizar o trecho, esclareceu: — Apóstolo João, cap. III, vrs. III.

O padre pigarreou meio embaraçado enquanto resmungava:

— Eu sei... eu sei... aqui está. Disse-lhe Nicodemus: Como pode um homem nascer sendo velho? Porventura pode entrar no ventre de sua mãe e nascer?

— Jesus respondeu: "Na verdade, na verdade te digo que aquele que não nascer da água e do espírito não pode entrar no reino de Deus" — completou Ciro — e esclareceu ainda mais: "O que é nascido da carne é carne, o que é nascido do espírito é espírito. Não te maravilhes de ter dito necessário vos é nascer de novo. O vento assopra onde quer e ouves a sua voz, mas não sabes donde vem nem para onde vai, assim é todo aquele que é nascido do espírito". O Mestre esclarece profundamente a questão nessa sua resposta.

— Esclarece sim, mas não da maneira que desejais provar. Não vejo no trecho senão o renascimento moral do espírito pelo batismo, o sacramento tão sabiamente distribuído pela Igreja. Sem ele, não poderá o homem ver o reino de Deus.

Frei Antônio estava solene. Seu argumento era poderoso e não admitia dúvidas, pensava.

Ciro não gostava de polêmicas. Sinceramente não desejava enveredar por aquele assunto, no entanto, quando menos desejava, sentiu-se animado por súbito e insopitável desejo de falar. Quase sem sentir, começou:

— Sinto, meu caro amigo. Sois sincero e eu respeito a vossa opinião, no entanto lamento discordar do vosso ponto de vista. No estudo dos Evangelhos, torna-se necessário penetrar além das palavras usuais da atualidade. Necessitamos retroceder aos hábitos e costumes daqueles tempos, com seu linguajar característico e principalmente buscar o texto original. Só assim, estaremos em condições de analisar o Evangelho. Vossa reverendíssima deve saber certamente que nos tempos de Jesus na Terra, "água" significa a vida animal e perecível ou seja a vida física e espírito, o elemento imortal. O que é carne é carne, o que é nascido do espírito é espírito. Necessário vos é nascer de novo da água e do espírito... Portanto, está bem claro a necessidade do espírito renascer de novo através da carne, em um corpo de carne, para continuar o aprendizado. Nada mais simples e claro! O que fazemos nós quando nossa roupa envelhece e se desgasta? Compramos uma nova certamente e mais de acordo com a moda do momento, com as necessidades da estação. Sim, porque a roupa existe em função do homem e não o homem em função da roupa. Da mesma maneira que o corpo existe em proveito do espírito e não o espírito em função do corpo. Da mesma maneira que outros atribuem o corpo físico como causa das mais variadas situações e dedicam sua existência inteira exclusivamente em adorná-lo, esquecendo-se das reais necessidades do seu espírito.

Frei Antônio abanou a cabeça descrente:

— Concordo convosco quanto as necessidades da nossa alma que para a maioria das pessoas está em último plano, cegos que estão pelas tentações e seduções da vida, porém, daí o interpretarmos as palavras de Jesus como pregadora dessa ideia absurda vai considerável distância.

Ciro sorriu amavelmente e pausadamente respondeu:

— A disparidade de pensamentos, a capacidade de aceitarmos ou não as ideias, prova mais do que nunca, na heterogeneidade do nosso mundo, a lei da evolução. Ela não poderia existir se pudesse ser truncada pela permanência da alma em estado dormente por séculos e séculos após a morte, esperando um segundo juízo final, havendo sido mandada depois de um primeiro julgamento, para céu, inferno ou purgatório. Nada existe que possa estacionar. A água parada, estagna. Nada estaciona dentro do universo. Mesmo as matérias mais sólidas são passíveis de transformação. Acreditar que nosso pequeno e obscuro mundo seja o centro do universo é ser pretensioso demais. Os astrônomos nos têm revelado sóis e sistemas planetários maiores e mais belos do que o nosso. Por que só o nosso planeta seria habitado? Por que acreditarmos que a bondade de Deus seja tão limitada a ponto de nos oferecer apenas uma oportunidade para a conquista do céu se somos atirados ao mundo, nas condições mais díspares, com graus de bondade e inteligência mais ou menos desenvolvidos? Aceitando a unicidade da existência na forma terrena, teremos que aceitar também que o céu certamente deverá encontrar-se vazio. Pensando bem, analisando sem paixões o nosso próximo, chegaremos à conclusão de que ninguém mereceria realmente o paraíso, pela forma em que procede na vida de relações. Se existem os que possuem graves imperfeições morais, do mesmo modo descobriremos neles sempre algumas qualidades ao passo que se alguns nos parecem portadores de belos sentimentos, sempre se lhe atentaremos para alguma fraqueza. A rigor, ninguém que conhecemos seria digno de um céu perfeito. Jesus não desejaria ser administrador de um céu vazio. Mesmo porque declarou que o reino de Deus estava entre os homens. Isto é, na bendita oportunidade das vidas sucessivas na Terra em constante aprendizado. Trata-se de uma lei natural e tão simples, mas que boa parte dos homens se recusam a aceitar, porque nivela as criaturas. Dizer ao nobre que já foi plebeu e que poderá tornar a sê-lo e que o plebeu já foi nobre, os repugnaria sobremaneira.

— Realmente, — interveio Villemount rindo gostosamente — nada mais desagradável para um sacerdote que se julga com credenciais para penetrar no céu e que lá tem o seu lugarzinho garantido, do que ter que renascer em circunstâncias talvez diversas e começar tudo de novo!

Frei Antônio enrubesceu, mas não querendo se dar por achado, opinou:

— Eis aí onde nos conduz o raciocínio fantástico do teu original sobrinho. Esta teoria, se verdadeira, nos estimularia à preguiça e à desvalorização da inteligência. De que te valeu estudar duramente medicina se depois de tudo terias que renascer talvez de maneira mais humilde para começar tudo outra vez? Qual então seria a finalidade do estudo?

— Iluminar a inteligência pelo conhecimento é uma das mais elevadas e dignas aspirações do homem. Se analisarmos bem, encontraremos estímulo para estudarmos ainda mais, frente à lei da reencarnação, tendo-se em conta que o que nosso espírito aprende, seguirá com ele após a morte e embora não se recorde do passado quando nascer novamente na Terra, esses conhecimentos adquiridos anteriormente ser-lhe-ão muito úteis. Daí certa facilidade inata de certas criaturas para compreenderem diversos assuntos. Que é o gênio senão um acumulado de experiências de vidas passadas em determinado setor? Que é o grande médico senão aquele que durante duas ou três encarnações passadas estudou medicina? Assim, tem o espírito oportunidade de aprender a dominar os elementos bem como educar-se, disciplinando os próprios sentimentos.

Marise escutava calada. A figura de Ciro empolgava-a. A nobreza dos seus conceitos vinha ao encontro do seu mais recôndito pensamento. Sentia-se bem a seu lado e chegara a esquecer-se quase da presença dos outros dois homens.

— Vê-se que procurais argumentos aparentemente fortes, porém, não acho cristã essa sua maneira de pensar. Nós não temos o direito de menosprezar a dedicação laboriosa dos estudiosos do assunto, simplesmente porque nos sugestionamos com umas tantas coisas. Aconselho-vos a leitura de algumas obras didáticas sobre o assunto, escritas pelos nossos maiores teólogos. Esta por exemplo.

Apontou frei Antônio para um grosso volume encadernado que se encontrava sobre a mesa.

— Já o li, senhor cura. Asseguro-vos que o autor é tão pueril que nos dá a impressão de uma criança raciocinando. Longe de mim a ideia de menosprezar a cultura e os conhecimentos do senhor Bispo, autor dessa obra, porém, ele deveria ter em mente, quando o escreveu, que a humanidade é composta de indivíduos ignorantes e muito crentes. Posso garantir-vos no entanto que dentro em breve a humanidade sacudirá um pouco a atitude servil e, ocasionando substancial modificação no sistema social, acabará por conquistar também o direito cultural e começará então a pensar por si mesma, renovando os costumes, as religiões. A que não evoluir com ela, será posta de lado como algo imprestável e outra mais clara e objetiva surgirá, mais condizente com o desenvolvimento do homem.

— Sois partidário do regime republicano? — Frei Antônio estava rubro de indignação.

— Não se trata da minha opinião pessoal, mas de um fato que os homens não conseguirão deter. A república virá certamente e com ela a modificação dos costumes de que a humanidade necessita para evoluir sempre mais e talvez daqui há alguns séculos a própria república se modifique para outro sistema, sempre com o objetivo da igualdade de direitos humanos perante a fraternidade universal.

— Decididamente não nos compreendemos. Sois um revolucionário. Nestas circunstâncias, não posso permitir que desfruteis da companhia de minha sobrinha para as aulas porque não desejo colocá-la frente com vossas ideias e teorias malucas. Por causa de ideias iguais às vossas é que a paz parece ameaçada. Os camponeses recusam-se a pagar os dízimos ao senhorio e na última colheita correram a pau o cobrador que, em represá-lia, ateou fogo à plantação, fazendo-nos passar um mau quarto de hora. Criaturas desocupadas e com ideias revolucionárias, andam pelos quatro ventos espalhando as heresias do senhor Voltaire e do herético Rousseau. Os camponeses, sempre obedientes, ousam levantar a voz para o representante do rei! É o fim do mundo!

— Ora, ora, frei Antônio, — atalhou admirado Villemount — és então favorável aos tiranos que nos governam? Não vês as injustiças e a miséria que ronda os lares dos camponeses?

— Não sou contra os camponeses, nem a que se procure melhorar-lhes as condições de vida, porém, estas ideias republicanas são precursoras da desordem e da perversão dos costumes. A ideia republicana é impossível. Sempre há de existir o nobre e o plebeu, o rico e o pobre! Com bons modos talvez eles conseguissem mais do que dando ouvidos aos panfletos de agitadores heréticos como Voltaire.

— Bah! Os bons modos... Não compreendo tua atitude. Sou contra a desordem e a violência, mas não devemos esquecer que as humilhações que por séculos vêm sendo impingidas à classe que afinal sustenta as loucuras da corte, vêm se avolumando e quando vierem à tona, não sei como conseguirão detê-los. Tu mesmo, com teus bons modos, que conseguiste afinal?

Frei Antônio de pronto não encontrou resposta. Lembrou-se da intolerância do senhor daquelas terras que muitas vezes fora forçado a engolir e das vezes que transigira com a própria consciência para harmonizar-se com as pretensões daquela gente socialmente privilegiada. Fosse ele mais jovem, talvez houvesse encontrado uma forma de lutar contra aquela situação mais ou menos servil, porém, acomodara-se ao relativo conforto que desfrutava e não desejava perdê-lo.

— Palavras, senhores — interveio Marise — vossas discussões político-religiosas deixaram-me distraída. Agora, por causa das vossas divergências não terei minhas aulas?

A moça procurava dar à voz um tom de brincadeira, porém, notava-se-lhe a preocupação.

— O que acontece, Marise, é que frei Antônio teme a argumentação de Ciro porque a reconhece positiva. Sabendo do teu caráter sério e culto, teme que venhas a partilhar das mesmas ideias que, embora ele reconheça respeitáveis e mais de acordo com a verdade, por razões pessoais não deseja aceitar.

A moça sorriu percebendo que o médico vinha em seu socorro, tocando a vaidade de frei Antônio.

— Realmente, tio Antônio! Acreditas que eu não possua discernimento suficiente para conviver algumas horas com uma criatura de ideias diferentes sem tornar-me partidária das suas convicções? Não terei por acaso vontade própria nem raciocínio?

Frei Antônio tossiu embaraçado. Villemount realmente tocara-lhe o ponto fraco. Era justamente por conhecer o caráter sério, inteligente e arrebatado da moça, que temia essa influência. Mas, sua vaidade venceu e ele disse:

— Aí está uma ideia disparatada. Confio em Marise, assim como confio na excelente educação religiosa que recebeu. Consentirei em algumas aulas.

Ciro conservara-se calado. Seus olhos fixos em Marise pareciam querer penetrar-lhe os pensamentos. Comovia-o profundamente a atitude da moça que conquistava com vivo interesse a oportunidade para vê-lo mais vezes.

Depois de algum tempo de palestra, onde tanto Ciro como frei Antônio evitaram tocar em assuntos religiosos e de fazerem jus à excelência do vinho com torta de maçã que Liete lhes ofereceu, os dois despediram-se por fim.

— Não me leveis a mal, senhor cura. Espero que embora pensemos de maneira diversa ainda possamos ser bons amigos.

O tom de sinceridade de Ciro fez sorrir frei Antônio que, de boa índole, esqueceu as divergências de momentos antes. Trocaram um aperto de mão sincero.

Enquanto os dois se retiravam, frei Antônio acompanhou-os com o olhar até sumirem na curva da rua. Quando entrou, disse a Marise:

— Juraria conhecer aquele homem. Onde o terei visto? Não posso me lembrar, mas tenho a certeza de que já o vi antes.

— É possível. Tens sempre contato com muita gente.

Frei Antônio não respondeu, absorto por uma série de pensamentos que lhe tumultuavam a mente.

Capítulo 12

O crepúsculo descia sobre os belos jardins do luxuoso castelo do Duque de Merlain, balsamizando o ar com o delicioso aroma primaveril.

Julie, deitada no gramado em um solitário recanto do jardim, fitava o céu em agradável lassidão, desfrutando da beleza romântica do momento.

Meditava. Havia meia hora que estava ali, entregue ao sabor dos pensamentos, ora pensando na infelicidade dos pais em constante desarmonia, ora na tolice do irmão em amar a jovem Etiene.

Julie não desejava casar-se. Para quê? Não teria a altivez resignada de sua mãe frente as leviandades do marido. Outras jovens na sua idade já se teriam casado, ela, porém, esquivara-se até ali dos possíveis pedidos.

Nunca amara e parecia-lhe difícil seu ideal. Desejava conhecer um homem, másculo no sentido absoluto da palavra. Os peralvilhos da corte, cheios de hipocrisias e delicadezas a enfadavam.

Quanto ao cigano... bem... o cigano a divertia. Desde a noite da festa, ele não se afastara mais das redondezas do castelo, buscando falar-lhe. Era assíduo e persistente. Por diversas vezes, vendo-a no jardim, permanecera parado, fitando-a em silêncio o que a deixava de certa forma embaraçada.

Julie percebia em sua atitude certa arrogância. Não havia nele a humildade de quem implora, mas a paciência de quem está certo de chegar ao fim desejado.

Nunca mais lhe falara, porém, ela sentia que seus olhos a seguiam por toda parte queimando-a como fogo. Que pensamentos agitaria a alma rude e violenta daquele homem?

Um arrepio de medo a percorria sempre que recordava a violência dos seus beijos e a força máscula dos seus braços...

— A vida no castelo faz-me monótona... — pensou ao mesmo tempo que um pensamento louco a invadiu — e se eu fosse cigana? — sorriu. Certamente sua vida seria muito mais interessante. Talvez até aquele cigano fosse, nesse caso, o seu destino. Aprenderia a dançar como a cigana da festa e viajaria muito. Faria só o que lhe desse vontade, sem importar-se com os preconceitos sociais. Não era por causa deles que seus pais continuavam amarrados apesar da infelicidade do seu matrimônio? — Julie sorriu novamente.

— Divagações tolas — pensou.

Cerrou os olhos cedendo à morna carícia do entardecer. Não sabe se dormiu nem quanto tempo decorreu. Quando os abriu, sentou-se com um gritinho de susto: o cigano estava sentado a seu lado contemplando-a.

A moça perturbou-se. Há quanto tempo estaria ele ali? Vencendo a surpresa, fitou-o nos olhos. Não saberia descrever o que neles viu. Apenas o brilho incontido de suas violentas emoções. Ligeiro arrepio a sacudiu:

— Não deves ter medo de mim. Apenas olhava o teu rosto. Nada mais.

A voz do cigano era cálida como a brisa do entardecer e suave como o perfume das flores que volatilizavam o ar.

Sem querer, Julie sorriu. Afinal nada poderia temer. Ele seria talvez seu escravo. Amava-a certamente. Seria muito divertido fazê-lo demonstrar até que ponto seria submisso aos seus caprichos.

Agradava-lhe a ideia de vê-lo despir sua arrogância e submeter-se aos seus desejos. Era uma experiência nova e a ocasião, única.

Rublo devorava-a com os olhos. Porém, o brilho quase selvagem de seu olhar não refletia amor, mas ódio. Ódio e cobiça. Vendo-a, recordava-se da leviandade do duque e de sua pobre irmã a quem amava e jamais esquecera!

Mas, a beleza de Julie, o perfume que emanava de suas roupas finas e bem cuidadas, sua tez delicada em contraste gritante com as mulheres de sua raça, sujas e cheirando a fumo, com a pele curtida pelas intempéries, haviam feito admirá-la, independentemente da sua vingança, o que de certa forma, tornava-a infinitamente mais saborosa.

Dominou os ímpetos violentos e disse com doçura:

— Jamais vi mulher tão bela!

Julie fitou-o orgulhosa:

— E eu jamais vi homem tão ousado. Não gosto das intromissões em minha casa. Certamente te arrependerás desta audácia.

— Nada me impedirá de ver-te! — exclamou o cigano com obstinação. — Tenho passado noites inteiras no teu jardim, fitando tua janela, mesmo depois da escuridão do teu quarto contar-me que já dormes.

Julie esboçou um gesto de surpresa:

— Como sabes onde é meu quarto?

— Levei vários dias para descobrir, porém, com paciência consegui ver-te à janela.

A moça sentiu-se perturbada. Jamais pensara que a paixão do cigano chegasse a tanto. Não pôde furtar-se a um sentimento de vaidade. Não se deteve para pensar. Julgando-se capaz de despertar tal paixão, aceitou como real o amor do cigano.

— É inútil. Penalizo-me da tua situação — disse com fingida superioridade — deves saber impossível esse amor. Corres sérios riscos vindo aqui.

— Sei a que te referes, não julgo minha raça inferior a tua! Vejo-te apenas como mulher, despida da riqueza e dos preconceitos. Não confundas meu amor com humilhação! Orgulho-me de ser cigano e do sangue cigano que corre em minhas veias. Os nobres como tu, acreditam que somos inferiores, porém na realidade nós somos muito mais ricos do que vós outros, porque somos livres. Fazemos o que gostamos e o que queremos. Não temos um palácio, mas somos donos do mundo porque nos é dado ir morar onde se nos agrade. Nossas mulheres sentem-se felizes, têm muito amor, muitas joias e belos enfeites, sem a necessidade das aparências. Desejo o teu amor, mas não quero unir-me a tua raça onde não caberia e seria infeliz, mas unir-te a mim, tornar-te uma das nossas, porque estarias te libertando dos preconceitos e serias feliz ao meu lado.

Julie olhava-o surpreendida. Vendo-a calada, ele continuou:

— Eu te amaria tanto, que te esquecerias do passado... Eu te amaria pela mulher que és e não pelo teu ouro ou pelos preconceitos. E te sentirias minha rainha em nosso acampamento, onde dividirias teu tempo em receber meus beijos e em te fazeres cada vez mais bela para mim.

Rublo fixara o olhar nos olhos de Julie que ouvia suas palavras como que fascinada pelo tom de profunda convicção que vibrava em sua voz quente que a emoção enrouquecia.

Chegando-se mais a ela, beijou-a nos lábios com suavidade. Saiu depois a passos largos, galgou o muro e saltou para a rua.

Julie estava perturbada. Tudo quanto ouvira dos lábios do cigano vinha ao encontro da sua fantasia. Seu corpo arrepiava-se ainda ao recordar-se dos verdes olhos do cigano e dos seus lábios sensuais e macios. Ah! se ela pudesse dedicar-se à aventura!... Como seria bom ser livre, rir quando desejasse e de quem desejasse, chorar quando sentisse vontade, deslizar pela vida sem preocupações, apenas usufruindo as excitantes emoções do amor e da aventura!

Sorriu pensando:

— Que ideias disparatadas! Deixar o luxo que desfruto para seguir um mísero cigano!

Levantou-se, pois que o crepúsculo caíra e a noite despontava. A brisa fresca fê-la recordar-se de que já era hora de entrar.

Durante o jantar e o serão, Julie procurou esquecer-se por completo da figura de Rublo, travando conversação com os demais, entretanto, o ambiente constrangedor e triste do seu lar não lhe proporcionou a calma e a satisfação de que necessitava.

Olhou o irmão que triste, olhos voltados ao seu próprio drama amoroso, quase não falava. A mãe que insatisfeita e frustrada, dava-se ares de vítima indefesa.

O pai... Julie fixou-lhe a fisionomia bela, agora vincada pelo tédio. Nunca tentara conhecê-lo melhor. Entretanto, seria ele realmente tão culpado como sempre acreditara? Teria ele tido apenas a audácia para realizar coisas que ela também desejava fazer, mas que ainda não tivera coragem?

Pela primeira vez sentiu uma onda de simpatia por ele. Certamente a frieza daquele lar, tão sem alegria, não lhe devia despertar senão tédio, como a ela mesma naquela noite.

Aproximou-se dele inconscientemente:

— Senhor!

O duque levantou o olhar do livro que fitava sem ler, algo surpreendido. Julie evitava-o sempre que podia. Vendo-lhe a fisionomia despida do antagonismo costumeiro, seu olhar abrandou-se:

— Que desejas, Julie?

— Sinto-me só esta noite. Isto aqui anda tão triste!

O olhar do duque brilhou indefinivelmente:

— Eu também me sinto só.

— Poderia fazer-te companhia por alguns instantes?

O duque surpreendeu-se novamente. Por que ela não procurara a mãe como de costume?

Sentiu-se feliz, lisonjeado e resolveu aproveitar ao máximo a ocasião. Vendo o olhar da esposa pausado neles, interrogativo sugeriu:

— Vamos até a sala de música? Gostaria de ouvir-te tocar um pouco. Gosto da tua maneira de executar.

Julie admirou-se. Seu pai jamais lhe dissera isso. Aquiesceu de bom grado. Teria assim ocasião de distrair-se.

Oferecendo o braço à filha com galanteria, o duque conduziu-a até a sala de música.

Interessante notar como o antagonismo e a má vontade criam barreiras entre as pessoas. Muitas vivem em comum, indiferentes, desperdiçando momentos felizes de alegria e paz que juntas poderiam desfrutar. Por mais primitivas que sejam na escala espiritual, todas desejam a felicidade. Quando reunidas na mesma família, mesmo quando tenham sido inimigas em vidas passadas ou possuam divergências, poderiam ser felizes, se deixassem de lado seus impulsos desagradáveis e se dispusessem a cooperar para o bem-estar de todos.

Naquela noite, bafejada por uma onda de compreensão, Julie afastou-se do antagonismo que sua mãe, com suas atitudes, despertara em seu íntimo, contra seu próprio pai e em troca recebeu uma grata surpresa. Conheceu pela primeira vez a cativante personalidade social dele. Aliás, o duque usou de todos os seus recursos para conquistar a simpatia da filha e em compensação esqueceram-se ambos por algumas horas do tédio e da tristeza.

Palestraram, Julie tocou para o pai que a aplaudiu com entusiasmo. Foi como se houvessem se reencontrado depois de muitos anos.

Entretanto, ao recolher-se aos seus aposentos, Julie sentiu-se curiosa. Estaria o cigano vigiando sua janela conforme dissera?

Apagou os candieiros depois de haver despedido a serva e espiou pelo gradil. A princípio nada viu, porém, quando seus olhos acostumaram-se à escuridão, vislumbrou, atrás do mural do jardim, a sombra gigantesca de um homem: era ele! Sentiu-se excitada sabendo-se a poucos metros daquele homem. Deitou-se. Só muito tarde conseguiu conciliar o sono.

Olhando o azul esplêndido do céu, sentada numa pedra, Marise tendo a seus pés os apetrechos de pintura, esperava alegre.

Viera mais cedo do que de costume para o encontro com Ciro. Gostava de levantar-se cedo, principalmente em um dia lindo como aquele.

De repente o casquear de um cavalo fê-la voltar-se para um dos lados da estrada que se via alguns metros adiante. O cavaleiro, vendo-a, desmontou de um salto.

— Marise, minha filha. Como estou alegre em revê-la!

A moça levantou-se enquanto seu pai a abraçava com real prazer.

— Que fazes por aqui tão cedo?

Marise sorriu abraçando-o com satisfação. Conversaram e por fim ela contou-lhe suas atividades como pintora, ao que o duque argumentou:

— Por que não me contaste há mais tempo? Teria contratado o melhor pintor da França para ti.

— Estou muito satisfeita com o professor que tenho. Gostaria que o conhecesses.

— Hoje estou muito atarefado, talvez que de uma outra vez.

Conversaram durante alguns minutos e o duque contou à filha sua recente aproximação com Julie e como isso suavizara o ambiente doméstico.

O duque despediu-se, abraçando-a com ternura, dizendo:

— Preciso ir, mas logo irei ver-te novamente.

Curvando-se, deu-lhe um beijo na face, retirando-se em seguida.

Ciro, entretanto, alegremente dirigia-se ao encontro da moça. Aproximando-se porém, ouviu vozes reconhecendo Marise. Chegando mais perto, o que viu perturbou-o profundamente. Viu um homem de costas para ele, abraçando a moça, ouviu-lhe as últimas palavras e percebeu que ele a beijava, parecendo-lhe que na boca. Instintivamente escondeu-se atrás de uma árvore, procurando refazer-se do abalo sofrido.

Sabia que a amava, porém, aquele brutal encontro mostrara-lhe até que ponto.

— Preciso dominar-me — pensou — ela é livre e pode amar quem quiser.

Quando porém fitou o homem que passava a poucos passos do lugar onde se encontrava, não pôde furtar-se a um movimento de surpresa:

— O Duque de Merlain!

Não desejava pensar mal da moça, nem interpretar os fatos. Contudo, a cena que presenciara fora por demais eloquente.

A intimidade deles tornara-se evidente. Vencendo com sua férrea vontade aqueles pensamentos temerários e pouco honrosos para com a jovem, orou para conseguir dominar-se, recuperar a serenidade.

Bondoso por índole, sentiu piedade profunda por Marise, que possuidora de nobres qualidades morais, deveria estar sendo arrastada por indomável paixão. Conhecia a personalidade cativante do duque e sua vida galante.

— Pobre moça! — pensou. — Como deve sofrer!

Quando sentiu-se novamente sereno, Ciro encaminhou-se para o local em que Marise impacientemente o esperava.

Conversaram sobre coisas banais e enquanto Marise pintava sob sua observação, Ciro examinava-lhe disfarçadamente a fisionomia.

Teve por fim que confessar intimamente que Marise jamais lhe parecera tão feliz e ingênua. Como poderia ser? Seus olhos brilhavam com maior intensidade e suas faces estavam mais rosadas. Antes seria capaz de pensar que a emotividade de Marise fosse por estar a seu lado, agora a atribuía ao Duque de Merlain.

Entretanto, embora Ciro tudo fizesse para ocultar, Marise notou em seu olhar um brilho apaixonado que antes conseguira ocultar, mas que agora involuntariamente demonstrava.

A moça sonhava! Gostaria de vê-lo radicado na aldeia conquistando posição social certa, com sua profunda cultura. Seu pai certamente o ajudaria e ela poderia finalmente casar-se com ele.

Ao despedir-se da moça naquela manhã, Ciro pensou:

— Preciso acabar com isto. Convencerei Pablo a ir-se embora o mais depressa possível. Quanto mais ficar ao seu lado, pior será.

Entrementes, frei Antônio, a convite da duquesa, comparecia ao castelo Ducal. Recebido por ela com delicadeza, o padre notou logo seus olhos vermelhos, volteados por profundas olheiras.

Acordara alegre naquela bela manhã e fora quase com desenvoltura que subira a íngreme estrada que conduzia ao castelo. Percebeu porém que o assunto não era agradável e antecipadamente resignou-se a perder o bom humor. Sentou-se e esperou que ela começasse.

— Senhor cura. O motivo que me obrigou a chamar-vos com urgência, é dos mais sérios e desagradáveis.

— Podeis ir direto ao assunto, senhora Duquesa.

— Pois bem. Vossa Reverendíssima tem consigo uma sobrinha que dizem jovem e bela, não é?

— Sim — concordou o padre ligeiramente contrariado.

— Aconselho-vos a mandá-la para bem longe daqui!

A voz da duquesa era ameaçadora e fria. Temendo que ela soubesse a verdade, frei Antônio resmungou:

— Senhora! Não é possível que penseis assim. Não posso mandar embora essa excelente moça que perante a sociedade só tem a mim como protetor.

— Estais me obrigando entrar em detalhes que desejaria ocultar-vos para poupar-vos uma vergonha...

— Como assim?

— Soube por algumas pessoas que me são dedicadas que sua sobrinha mantém relações amorosas com meu esposo.

Frei Antônio, de tão surpreso, não pôde responder de pronto.

— Sim, frei Antônio. Essa "excelente moça", como dizeis, é amante do senhor Duque!

— Estais enganada. Redondamente enganada! Que absurdo!

— Sei o que digo. Não podeis negar os presentes constantes do senhor Duque à vossa sobrinha e presentes muito valiosos. Vim também a saber que foi em companhia dela que ele esteve escandalosamente em Paris, em prejuízo completo da sua reputação. Ordeno-vos que mandeis essa jovem para outra parte. Não vos conhecesse, faria outro juízo da vossa pessoa.

— Receio não poder obedecer-vos, senhora Duquesa. Prometi tomar conta dessa jovem e não faltarei à minha promessa. Lamento o que acontece. Sei que sois vítima da maldade de criaturas alcoviteiras, sempre prontas a intriga e a manchar reputações alheias. Minha sobrinha é uma jovem honesta e pura: conheço sua moral e sua conduta. Não a acredito capaz de um procedimento leviano. Podeis ficar em paz.

A duquesa alterou-se:

— Frei Antônio!... Pensei ter em vós um amigo, vejo porém que me enganei. Talvez não sejais mais do que um assalariado do meu infeliz esposo!

Frei Antônio empalideceu. De certa maneira ele era um assalariado do duque, porém, não no sentido maldoso que ela pensava.

— Senhora. Estais lançando uma injúria em um servo de Deus. Retiro-me. Espero porém que o arrependimento desponte em vosso coração e estarei pronto a voltar aqui esquecendo o acidente. Adeus.

Curvando-se com altivez, frei Antônio retirou-se.

Amassando com raiva as pedras do caminho, pisando quase com violência, frei Antônio desceu a estrada de retorno à casa. Estava indignado. Pensava enojado na facilidade com que as criaturas tiram conclusões em detrimento do próximo. Se aquele boato pegasse! Ele receava por Marise.

Precisava conversar com o duque a respeito. Talvez fosse melhor ele evitar por algum tempo contato com a filha.

A duquesa, entretanto, chorava desconsolada e infeliz.

Ciro regressara à casa naquela manhã triste e pensativo. Durante a refeição, resolveu falar com o tio.

— Sinto, tio, mas preciso ir embora. Faz duas semanas que cheguei aqui e mesmo apreciando extremamente vossa companhia, é tempo de retornar ao acampamento.

O médico esboçou um gesto de desalento.

— Pensei não voltasse mais ao acampamento. Julguei que Marise fosse o motivo da tua fixação aqui.

— Talvez esse motivo me obrigue a partir. Entretanto, sinto que não nasci para uma vida normal e burguesa. Preciso realizar algo, que ainda não sei bem, mas que é tarefa minha e preciso procurar. É uma convicção profunda e inabalável. Nada teria a oferecer a uma jovem como Marise.

— Não deves dizer isto, meu rapaz. Tens além da beleza física a beleza moral. Sinto que ambos se harmonizariam muito bem. Marise é portadora das mais nobres qualidades.

Pelos olhos de Ciro passou um clarão de mágoa.

— Talvez estejamos enganados, meu tio. Ela não gosta de mim senão como de um bom amigo.

Villemount soltou uma sonora risada.

— És um tanto ingênuo neste assunto, Ciro. Talvez te falte experiência. Quem não percebe que ela te ama?

— Marise é espontânea. Gosta de mim eu sei, mas como a um irmão. Mas, ainda que ela me amasse, precisaria ir. Meus amigos necessitam de mim e eu aprecio-lhes a companhia.

— Mas teus doentes têm sido socorridos aqui por nós dois e posso afirmar-te que com gratíssimos resultados. Tens conseguido curas realmente animadoras. Juntos poderíamos realizar grandes coisas!

— Talvez. Talvez um dia eu volte convencido dessa sua maneira de pensar. Porém, preciso antes procurar aquilo que sinto deverei fazer. Ficar, seria entregar-me ao prazer da vida normal do lar, talvez fugindo à tarefa que sou chamado a realizar como contribuição da minha passagem pela Terra. Estaria trocando a fugidia felicidade terrena pela espiritual e eterna. A vida no lar é uma escola preciosa, necessária e bendita, porém, criaturas como eu, nasceram com outro destino e não podem desfrutar dessa bênção.

— Não disseste outro dia que nós construímos nosso próprio destino?

— Se é verdade que somos donos do nosso destino, mais responsabilidade me cabe quanto às minha atitudes. Somos donos de livre-arbítrio relativo, do qual sempre colhemos os frutos, sejam bons ou maus. Com minhas atitudes de hoje, estou programando o meu futuro. Pretendo aprender a viver melhor, encontrar o caminho para o crescimento interior. É incrível como possuímos hipocrisia e artimanhas para mascarar nossos verdadeiros sentimentos. Sei o que devo fazer e o farei. Lamento que exista esta necessidade de nos separarmos novamente, porém sinto que preciso partir.

— Seja. Não insisto. Porém, quando quiseres voltar, somente me darás prazer. Quando pretendes ir?

— Amanhã mesmo. Logo cedo despedir-me-ei de Marise e à tarde, regressarei ao acampamento.

Na tarde seguinte, Ciro, sobraçando pequena maleta, subiu a colina rumo ao acampamento. Entardecia. Olhando o céu, Ciro pensava nos últimos acontecimentos. Sentia-se pesado, envelhecido, embora contasse apenas 35 anos. Não desejava ceder ao sentimento, mas a despedida de Marise chocara-o muito.

Quando naquela manhã ele lhe anunciara a volta ao acampamento, ela empalidecera:

— Eu havia pensado... — murmurara — bem, eu alimentara esperanças de que permanecesses para sempre na aldeia.

— Sinto, Marise, mas preciso ir.

A jovem conservara-se calada durante o resto do trabalho, triste e desanimada. Ao despedir-se dela, havia notado o brilho de uma lágrima em seus olhos. Como poderia ser? A quem afinal ela amaria?

Naquele momento, Ciro fazia-se intimamente esta pergunta.

No acampamento foi recebido com alegria pelos amigos que, embora diferentes em temperamento, ou talvez por isso mesmo, o estimavam e respeitavam. Depois, Ciro sentiu desejos de solidão, de buscar na meditação a sua serenidade que estava ameaçada. Sentiu necessidade de paz, de silêncio, de um contato mais direto com a beleza do campo e das árvores.

A noite descera já e Ciro meditava ainda sentado sob uma árvore. Sua fisionomia agora estava calma e serena como antes.

Ele não desejava tomar parte na vida em comum, com suas preocupações e necessidades. Amava Marise, não sabia bem se era amado, porém, não desejava casar-se com ela. Apreciava a vida do lar, mas não se sentia com vontade de vivê-la. Seu amor era grande, porém, ele confiava mais no futuro, na outra vida, quando poderia viver ao lado dela, com segurança, longe das atividades terrenas, desfrutando a verdadeira comunhão espiritual. Tinha tanta certeza dessa possibilidade que, para ele, essa separação pelos preconceitos humanos era apenas temporária.

Ciro pensava nas dificuldades que encontram os homens para conviverem entre si, dificuldades que eles criaram e conservam através da sua civilização. O silêncio da noite, porém, foi cortado por uma voz abafada de mulher.

— Senhor!

Ciro voltou-se, erguendo-se atencioso.

— Às vossas ordens, senhora.

A desconhecida trajava uma roupa de serva do castelo ducal.

— Desejo falar-vos com urgência. Ninguém virá nos interromper aqui?

— Podeis falar sem receio.

— Não sei como começar. Reconheces-me?

Ciro fitou-a. Era uma mulher de meia-idade, mas ainda bela. Suas maneiras eram de uma dama, não condizendo com a humildade do seu traje.

— Não — respondeu em seguida.

Lançando um olhar receoso para os lados, perguntou:

— És o cigano Ciro?

— Sou.

— Pois preciso falar-te de um assunto sério e muito delicado. Sei que possuis sortilégios. Preciso deles. Conheço tua fama na aldeia e, levada pelo desespero, vim procurar-te. Sou a Duquesa de Merlain.

Ciro curvou-se ligeiramente.

— Podeis falar.

— Posso contar com a vossa ajuda?

— Farei o que estiver em meu alcance para ajudar-vos.

— Escuta então. Minha vida tem sido muito infeliz. Criada em colégio de rígida disciplina, sonhava com um lar feliz onde pudesse ser respeitada e amada. Apaixonei-me pelo duque e casamo-nos, porém, cedo vim a saber das suas leviandades. Tenho sofrido os maiores ultrajes. Agora, porém, ele parece que perdeu a compostura. Tomou-se de amores por uma jovem da aldeia, parece-me que a conheceu em Versailles, e lá mesmo tornou-se assunto de escândalo. Sabes como a corte anda pervertida. Pois bem, o pior é que esta jovem, não sei se se intitula sobrinha do nosso vigário ou o é realmente, e com este pretexto veio para cá. Agora, tenho sabido que eles têm se encontrado e até joias caríssimas já lhe deu. Isto é demais e não posso suportar. Tenho dois filhos que merecem ser respeita-dos além da minha dignidade de esposa honesta.

Ciro ouvira-a em penoso silêncio. Algumas horas antes, ele teria talvez perdido o controle. Agora, porém, sereno, soube dominar-se.

Cerrou os olhos, sentindo profunda mágoa no coração. O que diria àquela mulher despeitada e orgulhosa? Sentiu uma onda de rancor contra o duque invadir-lhe o íntimo. Nas profundezas do seu pensamento, ouviu alguém sussurrar:

— Que é isto, Ciro? Onde estão tuas convicções? Fracassas no primeiro obstáculo que te aparece? Reage. Tens que abafar pensamentos negativos e bem orientar os que te batem às portas do coração. Lembra-te porém que és responsável por tudo quanto esta infeliz realizar influenciada pelas tuas palavras.

— Então, que dizes do meu caso?

— Senhora Duquesa. Digo que deveis ter paciência e perdoar. Deveis saber que nem sempre os outros usam de sinceridade para convosco. Não deveis formar juízo do vosso esposo sem haverdes presenciado nada. Pode haver exagero no que vos afirmaram. Porém, — Ciro cerrou os olhos sentindo que sua voz tremia ligeiramente — mesmo que fosse verdade, só podereis perdoar. O perdão vos proporcionará uma serenidade dantes nunca sentida. É preciso vencer a batalha que se trava em vosso íntimo, arrojar do vosso coração o ciúme, a inveja, o despeito e a intriga. Voltai para casa, perdoai-o e procurai contribuir para a harmonia do vosso lar.

Alice, vencendo a surpresa, retorquiu:

— O que dizes é absurdo! Pareces um sósia de frei Antônio. O perdão é impossível agora. Creio que jamais poderei fazê-lo! Depois, não foi para ouvir sermões que aqui vim. Não preciso deles. Frei Antônio no-los fornece constantemente. Preciso, isso sim, que o faças amar-me e destruas aquela mulher!... Pagar-te-ei regiamente. Tenho dinheiro! — Alice estava sacudida por violento tremor nervoso. — Quero que ele me ame; para desprezá-lo depois. Fazê-lo sofrer! De que me serve ignorá-lo, desprezá-lo, se ele nem se ressente disso?

Ciro não se surpreendeu. Não era a primeira pessoa que lhe pedia semelhante coisa. Levado por um forte sentimento de piedade, pousou a mão de leve sobre o ombro da duquesa. Sua voz era terna como se falasse a uma criança:

— Escutai. Estais enganada em vossa maneira de compreender a vida. Deram-vos uma educação rígida ao invés de carinho e amor, encheram vosso coração de incompreensão e frieza. Ouvi:

nós estamos longe da perfeição! Nossos olhos vislumbram apenas poucos metros à nossa frente, ignorando o que se passa atrás e ao redor. Não podemos ter uma visão do conjunto. Não conheço vosso marido, não defendo suas atitudes, porém, não sois isenta de culpa.

— Eu? Como ousas dizer-me tal coisa? Sempre fui digna e honesta.

— Talvez que vossa dignidade não seja senão a máscara do vosso orgulho.

— Ofendes-me?

— Não é esta minha intenção. Posso ajudar-vos, porém, é necessário que escuteis as verdades que devido à vossa posição social jamais alguém teve coragem de dizer-vos.

A voz de Ciro era enérgica e serena. Alice calou-se dominada pelo olhar sincero e firme daquele homem. Ela não sabia que era à superioridade espiritual de Ciro que inconscientemente respeitava.

— Ouvi e procurai compreender. Todos nós temos fraquezas que devemos vencer. Deus nos criou perfeitos, mas sem consciência da nossa perfeição. Os problemas da nossa vida vêm para desenvolver nossa conciência e nos ensinar a forma mais adequada de viver bem. Quando alargamos nossa consciência, descobrimos os verdadeiros valores do espírito eterno e vamos atirando fora os entulhos e entraves que nós mesmos criamos. Olhai para dentro de vós e verificai como tendes conduzido vossa vida. Analisai as atitudes que tendes tomado e o quanto elas têm contribuído para vossa infelicidade. Se o fizerdes com sinceridade, verificareis como destes vossa contribuição para as situações que vos preocupam no momento presente. Procurai compreender o temperamento do vosso esposo. Percebereis que, apesar da sua fraqueza de caráter, ele é possuidor de nobres qualidades que modificariam vosso relacionamento familiar, se não as houvésseis destruído com o vosso desprezo, vosso antagonismo. Pensai e talvez compreendais que um homem de temperamento sensível e amoroso se sinta um estranho em seu próprio lar e mascare o tédio com aventuras galantes. Aprendei a perdoar! Esquecei o passado e buscai rodeá-lo de uma atmosfera carinhosa. Vereis como aos poucos ele se tornará realmente um bom companheiro. Porque, mesmo quando um homem amou outra mulher que não a sua esposa, esta poderá com suas atitudes conquistar seu respeito e um amor duradouro cimentado através dos anos pela convivência, pelas lutas e pelos sofrimentos em comum. São olhos do orgulho e do ciúme que a estão inspirando. Nós não podemos exigir sempre sem dar nada em troca.

A felicidade é uma conquista digna daqueles que se esforçam por alcançá-la. Se outra tivesse sido vossa atitude durante todos esses anos, vosso esposo certamente se teria tornado diferente para convosco.

— Lutei com todas as minhas forças para conseguir afastá-lo da vida irregular, porém, sem nenhum resultado.

— Não está em vós modificar-lhe o caráter, porém, se ao invés de exprobá-lo ou irritá-lo, desprezá-lo e feri-lo, houvésseis calado, perdoado, amado, compreendido, teríeis despertado nele, no início admiração, depois respeito, mais tarde estima, amizade, e, finalmente agora, estaríeis desfrutando paz, amor e harmonia. Somente as coisas simples e puras da vida nos conduzem à felicidade. As aventuras e desvios só nos conduzem ao aborrecimento e ao vazio. Ele um dia compreenderia isto e tornar-se-ia então um bom esposo.

— Dizei isto porque não sabeis até que ponto as coisas chegaram. Meu filho tomou-se de amores justamente pela filha de uma mulher que já foi amante do meu marido, uma camponesa que, não sei como, ludibriou um marquês e casou-se com ele. Agora, sofre e definha devido a impossibilidade de casar-se com a mulher amada. Além de tudo, queria trazer para casa, com meus filhos, a filha que a tal camponesa teve com ele! Dizeis que deverei perdoar! Nunca!

— É pena. Tivestes preciosas ocasiões para conquistardes o amor do vosso esposo e as desprezastes. Se a jovem que vosso filho escolheu é digna, esquecei o passado e consenti nessa união. Abri os braços para a jovem que não tem culpa da fraqueza de seus pais. Sede para ela tão boa como para vossa filha, amolecei a vaidade e o orgulho. Trabalhai para construirdes a felicidade de todos que amas e daqueles que aborreces. Quando perceberdes, estareis vos sentindo plenamente feliz.

A duquesa conservou-se calada durante alguns segundos.

— Estou decepcionada. Tua doutrina igualar-me-ia a mais ínfima das criaturas. Percebo que não podes ajudar-me. E disseram que eras poderoso...

— Muitas decepções vos estarão reservadas no futuro se vos recusar-des a compreender a realidade. De verdade, cada um deverá sozinho construir seu progresso espiritual. Acreditar que vencereis todas as barreiras sem esforço, baseado apenas nos mágicos poderes de outrem, passíveis de aquisição monetária, é caminhar para a desilusão e para o sofrimento. Ouvi e guardai bem em vosso íntimo: quando na vida tiverdes que tomar uma atitude séria, pensai em minhas palavras, analisai-as e talvez um dia compreendereis que elas vos teriam ajudado profundamente se as houvésseis seguido. Em minhas preces, rogarei ao Pai Celestial por vós e pelos vossos.

Fitando o olhar manso e amoroso daquele homem, Alice comoveu-se. Tinha-o ofendido, entretanto, ele pensava ainda em orar por ela!

— Lamento haver me excedido. Meus nervos estão exaustos. Asseguro-te que ao vir aqui pensava ser até roubada. Motivo pelo qual disfarcei-me pobremente. Julguei encontrar um feiticeiro e apenas encontrei um homem de boa-fé. Não tens culpas se teus conselhos não me servem. Adeus.

Curvando ligeiramente a cabeça, afastou-se a passos rápidos.

Os olhos de Ciro acompanharam-lhe o vulto até perdê-lo de vista.

— Como é difícil dizer a verdade aos outros — pensou ele. — A maior parte das pessoas é capaz dos maiores esforços para arrojar aos ombros alheios as tarefas que lhe competem e lhe são penosas. Se lhe dizemos que essa tarefa é intransferível e que ela mesma deverá realizá-las, recusa-se a crer. Assim, os sofrimentos tornar-se-ão inevitáveis.

Seu pensamento voou para Marise. Seria mesmo verdade seu amor pelo duque? Ela, tão jovem e sincera, inteligente e de bons sentimentos, estaria envolvida em tão triste acontecimento?

Ouviu nitidamente uma voz que lhe dizia: “Devemos sempre confiar nas qualidades e virtudes que encontramos nas criaturas e esquecer o que os olhos da carne parecem ver. Procura não julgar o semelhante. As aparências são reflexos e criações dos nossos próprios sentimentos.”

É verdade, — pensou Ciro, procurando reagir à avalanche de pensamentos que passavam pela sua mente. Entretanto, sentia que apesar de todo esforço realizado, profunda mágoa lhe feria o coração.

Resolveu então procurar Pablo para convencê-lo a partir.

Capítulo 13

Quinze dias depois, no palácio Ducal todos dormiam, envoltos no silêncio calmo da noite. Julie, porém, oculta sob uma janela, observava o lugar onde deveria estar a figura singular do cigano.

Naquela noite, porém, ele não viera. Era já meia-noite e nada. A moça perscrutou o jardim com o olhar ansioso. Nada... Teria desistido de vê-la?

Desde a tarde em que ele a surpreendera no jardim, não haviam trocado palavra. Entretanto, ela habituara-se a vê-lo parte da tarde e a noite quase toda, rondando-lhe a casa.

Essa constância, a princípio lisonjeara-a, depois, agradara-a como entretenimento e por fim, fizera-a não ter outro pensamento senão o cigano.

Sempre que podia, escondia-se atrás da janela para vê-lo. Causava-lhe excitante sensação vê-lo, a espera, sem falar, com fulgurante brilho no olhar.

Naquela noite porém, inutilmente o esperou. Ele não veio. Julie sentiu-se decepcionada. Surpreendeu-se desejando profundamente sua presença.

Durante três dias a moça esperou inutilmente a volta do cigano. Esperar tornou-se-lhe verdadeira obsessão. Mil pensamentos turbilhonavam-lhe o cérebro quase não a deixando dormir. Quando dormia, seu sono era agitado por constantes pesadelos.

— Ele teria ido embora para sempre? — perguntava-se. E a essa possibilidade um vácuo parecia abrir-se-lhe diante dos olhos.

— Estarei doente? — pensava. Por que hei de preocupar-me com tão ínfima criatura? Não o amo! Não posso amá-lo. Estou naturalmente sendo vítima de algum sortilégio.

Entretanto, estava por demais excitada para raciocinar com clareza. Finalmente, resolveu investigar às escondidas. Disfarçadamente perguntou à sua camareira sobre os ciganos. Os informes que recebeu deixaram-na mais preocupada: os ciganos haviam levantado acampamento na noite anterior. Haviam partido.

Habituada à satisfação de todos seus caprichos, Julie pensou com amargura que o amor do cigano não fora tão intenso quanto lhe parecera. Ele partira sem tentar falar-lhe ao menos uma vez!

E então as coisas se inverteram. Julie passou a desejar o amor do cigano a qualquer preço. Em sua excitação, recordava-se do primeiro beijo que ele lhe dera dando largas à forte sensação que ele lhe despertara.

Na calada da noite, insone e perturbada, Julie dirigiu-se ao jardim, no local onde haviam conversado pela última vez.

Sentou-se na relva macia e olhando as estrelas, deixou-se levar pelas divagações sempre em torno da sua preocupação: Rublo.

Súbito, seu coração bateu com violência: o vulto inconfundível do cigano desenhara-se no local costumeiro.

Sustendo a respiração, a moça permaneceu durante alguns segundos observando-lhe a máscula figura. Sentiu vontade de falar--lhe. Deveria? Ele ainda não a vira com certeza. O mais prudente seria voltar para dentro. Mas... se entrasse, possivelmente nunca mais o veria pois que ele certamente iria juntar-se ao seus. Não havia nada de mais em falar-lhe pela última vez.

Inconscientemente, fez pequeno ruído que não escapou aos ouvidos argutos do cigano que imediatamente dirigiu o olhar para onde ela se encontrava. Rapidamente alcançou-a, tomando-lhe impulsivamente as mãos.

— Os meus estão longe. Não pude seguir. Voltei para ver-te. Não posso viver sem ver o teu rosto. As saudades torturavam-me.

Julie levantou o olhar para ele. Seu abalo era evidente e o cigano jubiloso compreendeu que poderia dominá-la.

Sem que ela tivesse tempo de falar, ergueu-a do chão e estreitou-a nos braços com veemência, beijando-lhe efusivamente o rosto e os cabelos.

A moça, arrebatada com o ardor do cigano em que se refletia seu próprio desejo, quase não opôs resistência.

Quando Rublo retirou-se horas depois, ia imerso em confusos pensamentos. Deveria sentir-se feliz. Finalmente conseguira seus objetivos. A honra de sua irmã estava vingada. Porém, o cigano sentia-se profundamente emocionado.

Teve que reconhecer intimamente que jamais experimentara emoção tão intensa junto a uma mulher. Durante aquelas horas, esquecera-se de sua vingança, do seu ódio, de tudo o mais. Não sabia por que a figura de Julie tocava-lhe fundo os sentimentos. Não sentindo o prazer que esperava com a realização de sua vingança, uma ponta de remorso apertava-lhe o coração.

— Não tenho o estofo daquele canalha! — pensou, lembrando--se do duque.

Havia planejado desaparecer após conseguir seu intento, porém, agora, fascinado pelos encantos da moça, resolveu aproveitar--se ao máximo da situação.

Os companheiros não estavam muito longe. Por uma semana pelo menos, ser-lhe-ia fácil a cavalo alcançar o castelo. Assim, sua vingança seria mais completa.

Ao recolher-se, Julie sentia-se terrivelmente excitada. Emoções contraditórias turbilhonavam-lhe a mente.

— Que fizera? Por que se entregara ao cigano? — Não saberia dizer ao certo. — Seria aquilo o amor?

Agora mais do que nunca, sentia-se fascinada por ele. Que rumo daria à sua vida dali por diante? Um casamento com Rublo estava fora de cogitação. Seus pais jamais consentiriam... Seus pais! Que poderiam eles dizer? Sua mãe, fria e distante, sem nunca haver se entregado à força do amor, a desprezaria certamente. Não se incomodava com isso. Não desejava passar a vida recalcando os sentimentos com falsas virtudes. Seu pai? Bem, teria ele autoridade moral para condená-la? Ele que desfrutava a vida levianamente entre uma conquista e outra?

Não. Julie não se preocupava com eles. Sabia que, se um dia desejasse casar-se, aquela corte hipócrita e pervertida a receberia de braços abertos pois que o dinheiro do seu pai lavaria sua honra.

Mesmo raciocinando assim, Julie não conseguiu dormir aquele resto de noite. O dia foi encontrá-la ainda insone, atormentada pela avalanche contraditória dos seus próprios pensamentos.

Frei Antônio sentou-se à mesa visivelmente mal-humorado. Naquele dia nem o agradável aroma do almoço lhe adoçou o semblante.

— Diabos levem as más línguas! — resmungou colérico.

Percebendo o olhar escandalizado de Liete, pigarreou:

— Parece que as costeletas hoje não cheiram como de costume.

Fingiu não perceber o olhar ofendido de Liete. Enquanto comia, seu pensamento trabalhava constantemente.

Frei Antônio estava particularmente cansado. Cansado da maldade humana. Repugnava-lhe sobremaneira as intrigas maliciosas dos camponeses e agora ainda mais, pois que não poupava a ingênua figura de Marise.

Órfão de afeto, frei Antônio naqueles meses apegara-se profundamente à moça que aprendera a respeitar pelas suas qualidades e a estimar pelo seu temperamento afetuoso.

Praticamente, ambos eram órfãos, e essa ausência de carinhos havia despertado neles profundo sentimento de amizade, fazendo-os acreditar real o parentesco que a princípio haviam adotado para enfrentar os preconceitos.

Ofendia-o realmente, como se fora tio de Marise, os boatos que circulavam pela aldeia, sobre as relações da jovem como o Duque de Merlain.

— Que gente sórdida! — pensou frei Antônio, trincando com violência uma costeleta de carneiro, como se esta representasse naquele momento os caluniadores que desprezava. — Quem terá começado o boato? Poucas vezes o duque aparecera em público com a filha. Aliás, ele sempre se mostrara discreto. Teria sido a duquesa? Ela não teria coragem para descer tanto.

Enquanto frei Antônio ruminava sua revolta junto com a refeição, a duquesa também se preocupava com esses acontecimentos, porém, de maneira diversa.

Ela fora realmente a origem daqueles boatos que enfureciam frei Antônio. Alice, a orgulhosa e educada senhora, sentindo-se impotente para destruir por meios diretos a criatura que acreditava sua rival, resolvera trabalhar na sombra, até que espezinhada e aviltada, essa jovem não pudesse suportar o ambiente e fosse embora para bem longe. Seu plano fora fácil e seguro. Conhecia a malícia do camponês, sempre pronto a descobrir ou imaginar escândalos entre nobres e plebeus. Contara em confidência à sua camareira, com pedido de sigilo, os amores do duque com a sobrinha de frei Antônio que, segundo suas desconfianças, deveria pactuar com a dúbia situação.

O resultado não se fez esperar. A notícia propagou-se com rapidez espantosa. No dia seguinte toda a aldeia se divertia com o escândalo, principalmente por envolver a figura do frei Antônio.

O clero era naquele tempo a força política que por trás da monarquia governava. Possuíam eles os maiores bens de França em vastíssimos territórios — um terço mais ou menos do território francês —, em riquezas, templos etc., e isentos da contribuição em impostos, cobravam-nos de maneira exorbitante e severa dos camponeses de suas terras, impondo-lhes costumes, ordens, controlando-lhes os menores movimentos, dispostos a puni-los aos menores deslizes, até com a entrega ao Santo Ofício, de onde dificilmente conseguiriam escapar à fogueira ou à masmorra. Eram, por esse motivo, antipáticos.

Embora frei Antônio fosse pobre e não pactuasse nesses acontecimentos, os camponeses com os ânimos há muito espezinhados pelos abusos, esqueceram-se completamente da bondade do velho padre, de sua vida simples e, com prazer realmente mórbido, passavam à frente o boato, cada um acrescentando uma pitada a mais dando mais colorido a narrativa da triste suspeita da duquesa, como se fora uma realidade.

Alice não se sentia arrependida pelo que fizera. Não se importava que seus filhos descobrissem os deslizes do pai, pelo contrário, contava envergonhá-lo perante a filha que agora parecia estar se tomando de amores por ele. Desejava mesmo que aos seus ouvidos chegassem esses boatos a fim de vingar-se da muda censura que lhe via agora no olhar diante das suas atitudes para com o duque.

Entrementes, nos dias subsequentes, o assunto tomou caráter grave. À força de comentá-lo, foram os maldizentes descobrindo motivos para a verossimilhança do caso.

Alguns antigos moradores da aldeia justificavam a paixão do duque pela semelhança de Marise com a jovem Anete, conhecidamente sua paixão.

A moça, entretanto, a princípio nada percebeu, porém aos poucos sentiu que cochichavam quando ela passava pelas ruas. As senhoras mais austeras que sempre a tinham tratado com deferência, evitavam-na. As jovens fingiam ignorá-la e o que mais irritou Marise: os homens que comumente a tratavam com respeito, passaram a olhá-la com impertinência e cobiça.

Marise estava alarmada! Nada fizera. O que se estaria passando? Com a tranquilidade que possuem aqueles que procedem de acordo com a própria consciência, Marise resignadamente esperou que essa fase passasse e tudo voltasse a ser como dantes, porém, os maldizentes irritados com a atitude serena da moça, tornaram-se mais ousados, dirigindo-lhe gracejos alusivos cuja grosseria faziam-na corar.

Até que certo dia, não mais suportando esse estado de coisas, procurou por frei Antônio. As primeiras palavras de Marise arrancaram do velho sacerdote uma exclamação de revolta. Fundo suspiro escapou-se do peito:

— Minha filha! Às vezes fico pensando na inutilidade da religião ao presenciar tanta maldade nas criaturas. Acalma-te, penso saber do que se trata.

Faces em fogo, a moça ouviu a sumária narrativa do que ocorria. Não chorou. Embora magoada pela calúnia, não era de sua natureza entregar-se à depressão. Conservou-se calada durante alguns minutos, imersa em dolorosas reflexões.

— Sinto, tio Antônio, ter sido causa dos boatos que agora te magoam, manchando tua reputação.

Frei Antônio abraçou-a comovido.

— És muito generosa, minha filha. Meu nome não importa no caso. Sou velho e essas calúnias não me ofendem, porque estou habituado a tolerar a hipocrisia e a ignorância do próximo. Tua presença em minha casa encheu-a de alegria, tornando-a um verdadeiro lar. O que me magoa é a injustiça que te fazem, é a leviandade dessas criaturas inconsequentes que arruínam sem mais aquela a reputação de uma jovem honrada e digna. Não posso me calar. Hoje mesmo tomarei uma atitude.

— Que pretendes fazer?

— Verás.

À tardinha, quando oficiava o culto diário, frei Antônio subiu ao púlpito inesperadamente. Todos os olhares da assistência cravaram-se nele admirados.

— Meus irmãos — começou ele com energia — é com tristeza que hoje vos dirijo a palavra. Há muitos anos que aqui trabalho procurando levar aos vossos corações os santos ensinamentos cristãos, porém, percebo que o demônio, rondando vossos passos, tem inutilizado a proliferação da semente que pacientemente venho cultivando esse tempo todo. A calúnia que agora passa de boca em boca, é ignóbil e indigna de ser proferida pelos homens de bem. Deus sabe como blasfemam aqueles que a adoçam, procurando manchar a pureza de uma jovem e honesta criatura, cuja vida simples e pura todos podem constatar através de suas ações.

Meus irmãos! Recuai enquanto é tempo! Um dia sereis corroídos pelo remorso e então lamentareis vossas atitudes presentes. N. S. Jesus Cristo já disse: "Não julgueis!" Nós não sabemos o que se passa no íntimo de cada criatura. Não sabemos o objetivo do caluniador, porém, sabemos que ele está enganado, isto sim, com toda a certeza. Apelo para vossos sentimentos de amor a verdade e espero que este estado de coisas termine de uma vez por todas. Voltai ao caminho do bem e do arrependimento todos aqueles que levianamente passaram à frente o infame boato e Deus Nosso Senhor vos perdoará certamente.

Rezou uma oração em voz alta e solenemente dirigiu-se ao altar para continuar o culto.

Tudo continuou calmo até o fim do ofício. Terminado este, os camponeses saíram comentando em voz baixa as palavras do velho sacerdote. Alguns sentiram-se tocados pela figura do velho padre ao qual todos deviam este ou aquele obséquio. Assim os ânimos serenaram um pouco.

O doutor Villemount, como amigo que era, apressou-se a visitar Marise e frei Antônio, assim que percebeu o que se passava.

Foi com prazer que em meio à hostilidade do ambiente que os envolvia durante aqueles dias, receberam o médico. Certo de que poderia contar com sua discrição, frei Antônio contou-lhe toda a verdade.

— Sinto-me contristado com a injustiça que te fazem — disse ele tentando confortar Marise — mas, tenho certeza de que o povo é volúvel tanto quanto arrebatado. Ao mesmo tempo que apedreja, defende, que condena, redime. Não deves pensar mais neste caso porque tenho a certeza de que a esta altura, muitos já estarão arrependidos do mal que te causaram.

— Infelizmente, doutor, nossos preconceitos sociais criaram para mim esta situação dúbia e injusta. Porém, as aparências não me importam. Tenho orgulho em ser quem sou e como sou. Odeio a mentira e a hipocrisia tanto quanto a bajulação em que envolviam essas criaturas que hoje me apedrejam. Não fosse o receio de magoar criaturas inocentes que pelos laços de sangue são meus irmãos, já teria revelado a essa gente toda a verdade. Se eles persistirem, serei forçada a tomar uma atitude. Jamais permitirei que frei Antônio, a quem considero realmente um pai, venha a sofrer vendo seu nome impoluto, manchado pela aviltante calúnia que ora lhe imputam.

— Acalma-te, Marise — sentenciou o médico. — Logo mais eles se esquecerão do ocorrido e tudo voltará a ser como dantes.

Villemount demorou-se ainda algumas horas com os amigos, encorajando-os. Ao despedir-se, todos sentiram que se tornara ainda mais firme e profunda a amizade que os unia.

A visita do médico trouxera-lhe conforto e suas palavras amigas serenaram-lhe um pouco as preocupações. Além do mais o desabafo há tanto tempo recalcado, fez bem a frei Antônio. O segredo da filiação de Marise pesava-lhe em virtude das circunstâncias. Dividindo-o com o amigo, sentiu-se melhor.

Assim, no dia imediato, pela manhã tomou firme resolução. Preparou-se e saiu rumo ao castelo de Merlain.

Ia preocupado e pela primeira vez não sentiu a rudeza da caminhada ladeira acima, nem as pedras que sob as solas gastas das suas botinas machucavam-lhe os pés.

Precisava falar com o duque urgente. Era preciso que ele fizesse alguma coisa para terminar aquele desagradável boato.

Uma vez no castelo, apesar da hora matinal, foi logo introduzido no gabinete do duque. Desde que Marise fora para a casa de frei Antônio, o duque o recebia com verdadeiro prazer. É que através do entusiasmo do clérigo pela jovem, podia ele orgulhar-se da filha a quem estimava profundamente a sua maneira.

Colocado ao par do que se passava, o duque enfureceu-se.

— Cretinos! Corja de ignorantes! Como ousam pensar tal coisa de Marise?

— Não sei, senhor Duque. Porém, se me permitirdes, acredito que vossa fama de eterno enamorado de jovens mulheres é que está sendo causa de tudo o mais. Acontece que não sabendo ser ela vossa filha, percebendo vossas atenções para com ela, deduziram logo o pior.

O duque empalideceu.

— Não vos autorizo a meter-se em minha vida particular. A única culpa que me cabe no caso, foi a de não ter me casado com Anete logo que Marise nasceu.

— Não quis ofender-vos, mas apenas mostrar-vos as consequências funestas da vossa maneira de proceder.

— Dispenso vossas apreciações — a voz do duque se alterou. — Precisamos sanar este estado de coisas. Se conhecesse quem inventou esta calúnia, esganá-lo-ia com minhas próprias mãos. Seria por acaso...

O duque deteve-se temeroso até exteriorizar sua suspeita. Frei Antônio percebeu-lhe os pensamentos.

— Não. Não é possível! — exclamou involuntariamente.

— Não é possível o quê, frei Antônio? — rebateu o duque sentindo aumentar sua desconfiança.

— Nada. Um pensamento repentino mas que não tem importância.

Roberto passeou nervosamente pelo aposento. Sim, sua esposa! Fora através dos seus lábios que pela primeira vez ouvira a tremenda calúnia. Teria ela passado adiante suas infundadas suspeitas?

Frei Antônio intimamente sentiu despertar a mesma ideia recordando-se da última entrevista que tivera com Alice.

Por fim o duque parou junto de frei Antônio, olhos brilhantes de cólera.

— Foi ela! Eu sei que foi ela! Tudo tem feito para desmoralizar-me junto aos meus filhos e não satisfeita, pretende agora levar seu ódio até a inocência de Marise! Mas, isto não permitirei. Obrigá-la-ei a desmentir tudo. Se recusar, mato-a!

Nervoso, frei Antônio segurou-o firmemente pelo braço.

— Calma, senhor Duque. Precisamos pensar! Não podemos nos precipitar.

— Como posso ter calma? Lembrai-vos que é meu dever de pai defender o bom nome de Marise.

O duque como sempre dramatizava. Frei Antônio largou-lhe o braço desanimado. Quem senão ele era o responsável pela situação delicada de Marise? Quem criara a dúbia situação procurando acobertar o fruto de sua leviandade do passado? Era bem do seu caráter pretender atirar toda culpa sobre os ombros da esposa ofendida e magoada.

Pela primeira vez frei Antônio não desejou contemporizar. Contemporizar, fechar os olhos quando não se está atingido pela questão é muito fácil e os conselhos sábios, justos ou tolerantes surgem com presteza, porém, não era essa a situação que agora o padre enfrentava. Nem o seu próprio prestígio importava tanto para ele como a afeição que sentia por Marise.

Sua tolerância de tantos anos para com as fraquezas daquele homem evaporou-se em um segundo.

— Quais os direitos que vos assistem para falardes assim? Vós sois o único culpado do que agora acontece. Não permitirei que outras criaturas paguem pela falta que em última análise é unicamente vossa.

O duque encarou-o surpreendido. O padre continuou:

— Podeis matar-me se quiserdes, mas antes desejo dizer-vos algumas verdades que há muito me queimam os lábios. Tendes vivido de covardia em covardia! Abandonastes a mulher que deveria ser vossa esposa por ser mãe de vossa filha, por interesses financeiros e posição social. Entregando-vos a toda sorte de desregramentos, levastes a desonra a lares honestos, pervertendo criaturas com a tentação do ouro e tornastes também vosso lar infeliz. Vossa fama é responsável pela calúnia que agora atinge vossa filha. Não podemos mergulhar na lama sem respingar os que estão ao nosso redor. E ao invés de punir vossa esposa que acredito inocente, vence a covardia e declara publicamente Marise como vossa filha! É esta a única reparação possível neste caso.

O duque mudara de cor sucessivamente tal a emoção que o invadia. Jamais homem algum tivera coragem para dizer-lhe palavras duras como as que agora ouvira de frei Antônio. Sentiu-se enfurecido. Levantou o braço para agredir o padre que impávido, enrubescido pelas emoções, aguardava uma resposta.

Frei Antônio não se moveu. Seus olhos se encontraram e o duque viu nos olhos do padre um brilho enérgico e decidido que jamais vira. Deixou cair o braço desalentado.

— Viestes a minha casa para insultar-me. Vossa idade e vossa profissão não vos concedem esse direito.

— Pelo contrário, senhor Duque. Foram estas duas coisas que aliadas à afeição por Marise forçaram-me, embora a contragosto, a dizer-vos estas verdades. Exijo, para o bem dela, uma atitude enérgica da vossa parte.

O duque permaneceu silencioso durante alguns segundos. Estava magoado com frei Antônio. Sentia que o pensamento do padre era um reflexo de sua própria consciência. Porém, a verdade doía-lhe. Era-lhe difícil admitir sua própria culpa. Como sempre que precisava tomar uma atitude, resolveu a que lhe pareceu a mais adequada para ocultar suas ações.

— Está bem, frei Antônio. Desculpo vossas indelicadezas justificando-as pela estima que sentis por Marise. Penso entretanto que poderei resolver o caso. O melhor será Marise partir com madame Merediet para Versailles ou Paris e lá fixar residência. O povo da cidade não será tão ignorante como o daqui e logo mais tudo estará esquecido.

Frei Antônio irritou-se ainda mais.

— Assim pensais proteger a reputação de Marise? Uma fuga servirá apenas como uma confirmação da calúnia. Depois, vós que conheceis os perigos da corte e a perversão dos costumes que andam pelas cidades, quereis atirar Marise a esses antros, onde a corrupção medra a cada passo e a moral é decadente? Senhor Duque, mais uma vez pretendeis fugir à responsabilidade do momento salvando apenas vossa reputação. Quereis desertar da luta deixando que a culpa recaia sobre a mais inocente das criaturas. Como amigo e protetor de Marise não permitirei que ela fuja daqui como uma criminosa.

— Vejo que quereis o impossível — redarguiu o duque colérico.

— Não. Apenas aconselho-vos a tomar uma pública atitude declarando-vos pai de Marise.

— E acreditas que será o bastante? Que terei conseguido com isto? Apenas transformar tua sobrinha em uma bastarda.

— Realmente é desagradável, mas, ainda assim, continuo pensando que será melhor a verdade do que a mentira.

— E meus filhos? E Alice?

— Será menos doloroso e humilhante para eles a presença da filha do que da amante.

— Que diz Marise a tudo isto?

O duque estava apreensivo.

— Ela é jovem e confiante. Acredita que todos lerão em seus olhos e em sua face a honestidade do seu coração. Não sabe que vim aqui, nem as minhas intenções. Apenas acredito que essa jovem merece ser respeitada. Compete-vos esclarecer a situação para que ninguém mais a moleste.

O duque passeou pelo aposento meditando silencioso. Por fim parou.

— Pois bem. Pensarei no caso e assim que tomar uma resolução irei procurar-vos.

— O assunto é urgente e não admite contemporização. Concedo-vos 24 horas para esclarecer devidamente o caso ou eu mesmo o farei do púlpito no próximo domingo.

Frei Antônio era incisivo e o duque, fitando-lhe o olhar decidido, arrependeu-se vagamente de tê-lo incumbido de ser protetor de Marise. Era tarde porém para retroceder. Imaginara-o mais maleável. Irritou-se novamente:

— Que direito tendes de exigir-me tal atitude? Eu que só faço o que bem quero?

— O direito que me assiste de não mais pactuar com a mentira e com a calúnia. Agora, retiro-me. Se até domingo não tomardes qualquer atitude para esclarecer o assunto, eu o farei publicamente. Até breve, excelência!

Frei Antônio retirou-se. Descendo a ladeira pedregosa de retorno à aldeia, sentia-se feliz. Incrivelmente feliz. Pela primeira vez deixara falar sua consciência, livremente, sem temores, crente de sua justiça e agora sentia-se leve, contente consigo mesmo. Esqueceu-se até do peso dos anos, do cansaço de suas pernas doloridas.

Interessante como os homens acumulam dentro de si os fardos da conveniência calcando os reclamos justos de sua consciência. Esses fardos pesam e criam para a criatura motivos de angústia e recalques, de trevas e desgostos.

Há muitos anos que frei Antônio recalcava intimamente as aspirações de sua consciência em função da proteção indispensável do senhor daquelas terras. Pequenos nadas, pequenas transgressões morais, mas que insensivelmente acumularam-se rebaixando-o intimamente. Finalmente, não saíra do castelo humilhado e vencido, mas enobrecido pela coragem de dizer o que realmente sentia e o que é mais importante, aquilo que deveria dizer.

Capítulo 14

A saída de frei Antônio deixou o duque irritadíssimo.

— Que idiota! — pensou. — Levantar o topete para mim. Intimidar-me!

O pior porém é que ele sentia verdadeiro horror ao escândalo. Certamente frei Antônio cumpriria o prometido. Durante horas Roberto caminhou pelo gabinete buscando uma solução para fugir à responsabilidade direta como sempre.

Sem poder controlar-se, despejou intimamente todo seu fel contra Alice de quem suspeitava a origem do boato. Que fazer?

Depois de muito pensar, resolveu esclarecer em parte o assunto. Contaria à esposa toda a verdade e, ao mesmo tempo, vingar-se-ia dela humilhando-lhe desta forma o orgulho. Isto feito, resolveria o que fazer depois. Mandou um bilhete a Alice, convidando-a a vir até o gabinete.

Esperou impaciente. Há muito que não trocavam palavra. Nos olhos de Alice brilhavam uma chama indefinível. Cerrando a porta, o duque ordenou que ela se sentasse.

— Tomei a liberdade de importunar-te porque precisamos conversar. O assunto é sério.

Ela limitou-se a curvar a cabeça assentindo.

— Preciso por fim a uma calúnia que corre a aldeia de boca em boca. Tenho fortes suspeitas que tenha saído daqui, do castelo.

Alice ergueu a cabeça orgulhosamente e nada disse.

— Sabes do que se trata, suponho... — resmungou ele com raiva.

— Sim, sei. E daí?

Roberto sentiu ímpetos de esbofeteá-la. Conteve-se porém.

— Naturalmente. É possível que tenhas espalhado essa infâmia que só poderia gerar em uma mente enfermiça como a tua.

Alice empalideceu, mas nada disse.

— Pois vou contar-te algo que certamente te levará ao arrependimento. Marise, a quem caluniaste como minha amante, é minha amada filha com Anete, que em má hora preteri por tua causa!

Alice levantou-se como que movida por uma mola.

— Tens coragem de dizer-me isto? Tua audácia não tem limites.

Parecia fora de si tal a crise que a acometia.

— Tua filha! Pois, fui eu quem a difamei, sim. Fui eu! Mas nada farei agora para limpar-lhe a reputação. Nada direi a ninguém. Deixarei que os outros pensem o que quiserem. Estou vingada! — aproximou-se mais dele. — Depois, não fiz mais do que assoprar o fogo que tu mesmo acendeste. Todos sabem que és um leviano. Se fosses um homem de bem, ninguém teria acreditado.

Pareceu sossegar um pouco. O duque fez tremendos esforços para não agredi-la. Ao cabo de alguns segundos, Alice continuou com voz fria:

— Depois, a uma bastarda não deve importar a reputação. Que esperas para ela? Talvez que um outro fidalgote a leve para longe como fizeste com sua mãe?

— Cala-te! — berrou ele intempestivo. — Cala-te ou mato-te! Para mim tanto tem valor Marise como Julie. Ambas são minhas filhas, com a diferença que eu amava a mãe de Marise.

— Julie, temos certeza de que é tua filha, mas a outra, será mesmo tua?

Roberto sentiu que uma nuvem escura cobriu seu olhar. Agarrou Alice pelo pescoço, apertando. Só a largou quando percebeu que Julie em lágrimas o abraçava suplicando pela vida da mãe. Seu corpo caiu ao chão como uma boneca de trapos.

Julie, abraçada à mãe, gritava por socorro. Imediatamente um criado saiu em busca do doutor Villemount, enquanto as criadas conduziam Alice para a cama.

O duque tentara assassinar a esposa! Imediatamente a notícia correu de boca em boca com rapidez do relâmpago e cada um deu a interpretação a seu bel prazer.

Foi desolado que Villemount atendeu ao chamado para examinar Alice.

Depois de ministrar sedativos à mãe e à filha, foi procurar o duque em seu gabinete. Este o recebeu acovardado pelo gesto que praticara.

O médico, calmo, pôs-se a vontade acomodando-se depois de servir-se de um cálice de licor e colocando outro nas mãos do dono da casa.

Não condenava ninguém por princípio, era um estudioso profundo das reações humanas. Sabia a que extremos as paixões podem conduzir a criatura mais calma e ponderada. Para ele o caso era simples, porém insolúvel. Guardou silêncio e esperou que Roberto falasse.

Confortado pela atitude digna do médico, Roberto ingeriu de um trago o cálice do licor.

— Como está ela? — perguntou num suspiro.

— Dei-lhe um sedativo.

— Felizmente está viva — respirou aliviado. Repugnava-o matar uma mulher principalmente a mãe de seus filhos.

O médico olhou-o sereno.

— Sim, Alice está viva.

— Doutor, estou envergonhado. Por causa de Julie.

— Compreendo.

— Nós ultimamente temos nos entendido muito bem. Agora ela estará com raiva de mim outra vez.

Villemount abanou a cabeça.

— Em certas circunstâncias da vida não conseguimos nos dominar.

O duque levantou-se nervoso:

— Aí está. Não pude dominar-me. Ela deixou-me furioso. Coisas de família. Bem sei que jamais nos compreendemos.

O médico fitou-o silencioso.

— Que pretendeis fazer agora?

Roberto passou a mão pelos cabelos castanhos.

— Eu?... Nada. Porém acredito que Alice agora se resolva pela separação. Há muito vivemos separados dentro da mesma casa.

Agora, acredito que nem isso seja mais possível. Desgosta-me profundamente essa situação por causa dos meus filhos.

— Realmente, senhor Duque. A situação é delicada.

— Penso viajar o mais depressa possível. Tendes a certeza de que Alice não corre perigo?

— Parece-me que não, embora seu coração não esteja muito bom. Torna-se conveniente evitar-lhe novas emoções. Será prudente não vos avistar com ela, pelo menos por enquanto.

— Assim farei.

Julie, entretanto, velava à cabeceira de sua mãe. Seus pensamentos tumultuosos e revoltados acumulavam-se contra aquelas duas criaturas que eram seus pais.

Sentia ímpetos de fugir dali. Penalizava-se pela sorte da mãe, ao mesmo tempo que sentia raiva pelas suas dramáticas atitudes.

Possuía certa afinidade com o pai e embora não lhe aprovasse a conduta, justificava-a em parte. Qual teria sido a causa daquele triste acontecimento? Sabia que o pai normalmente não teria feito aquilo. Qual pois o motivo?

Interrogando a camareira de Alice que suspirosa a um canto enxugava algumas lágrimas, tomou conhecimento do boato que na aldeia ela mesmo espalhara manobrada por Alice.

A notícia excitou a imaginação de Julie. Sentiu ciúmes do pai mas ao mesmo tempo reconheceu que seu amoroso temperamento não poderia satisfazer-se com as atitudes de sua mãe. Sentiu-se de certa forma alegre em conhecer no pai aquela fraqueza que o tornaria impotente para exigir dela satisfações de conduta.

Sua consciência, remordida às vezes pela sensação de culpa por causa do cigano, foi abafada pelo deslize do pai.

Sentou-se novamente ao lado do leito da mãe, velando enquanto que intimamente antegozava o momento de logo mais, quando a noite estivesse em meio, encontrar-se com o cigano.

Seu idílio continuava nos jardins do castelo, na calada da noite. O amor ardente do cigano despertava em Julie uma paixão nervosa que lhe tirava a capacidade de raciocinar com clareza. Passava o dia angustiada, enervada, ansiosa para encontrar-se com ele. Mas, quando estava a seu lado, sua insatisfação aumentava porque não conseguia dominá-lo, pelo contrário, era por ele dominada.

Desejava reagir, mas não conseguia.

Rublo, entretanto, também se contaminara com aquela espécie de febre. Desejava proceder conforme seu plano inicial, porém, a paixão irrompera violenta em seu íntimo e ele procurava enganar-se a si mesmo com o pensamento de que estava apenas completando a vingança, quando a verdade é que estava irresistivelmente preso ao amor de Julie.

A paixão do cigano era exigente e a cada dia aumentava o ciúme da vida faustosa de Julie da qual ele era banido. Às escondidas rondava o castelo constantemente vigiando o procedimento da moça. Obcecado pela paixão, maltratava-a obrigando-a a humilhar-se de todas as maneiras.

Porém, ambos esqueciam-se de tudo o mais quando nos braços um do outro.

Por sua vez, frei Antônio, caminhava pensativo de um lado para outro da sacristia. Era sábado já e o duque nada lhe mandara dizer sobre os acontecimentos. Mas, ele estava obstinado. Se não recebesse nenhum recado, falaria toda a verdade no sermão de domingo.

Como começaria o sermão? Não queria acusar ninguém, mas, apenas esclarecer o assunto. Começou a gesticular ensaiando algumas frases para o referido sermão. No auge do assunto, porém, estacou embaraçado diante da tosse discreta de madame Merediet e de sua austera figura. Mal-humurado e mais vermelho do que de costume, perguntou:

— Que queres? Por que não batestes na porta?

Liete arregalou os olhos. Frei Antônio lembrou-se de que a sacristia não tinha porta mas apenas cortinas.

— Bem... Não importa, estava compondo meu sermão. Que queres?

— Uma mensagem de sua alteza.

— Ah! Até que enfim! Está bem Liete. Está entregue.

Quando se viu a sós, abriu sofregamente o envelope e leu:

"Frei Antônio. Acontecimentos inesperados em minha casa, com minha família obrigam-me a partir imediatamente. Peço-vos para não dizer nada sobre Marise. Acredito que minha partida fará calar os maldizentes por algum tempo e quando eu regressar, resolveremos o problema. Deveis procurar o doutor Villemount a quem autorizei relatar-vos os últimos graves acontecimentos.

Assim que puder, escrever-vos-ei mandando minha direção. Desejo ser informado de tudo quanto ocorrer durante minha ausência. Esperando contar com vossa benevolência e compreensão, tenho a honra de saudar-vos, Roberto Augusto Chãtillon, III Duque de Merlain."

Frei Antônio coçou a cabeça pensativo, curioso.

Naquela noite mesmo iria visitar Villemount. Só assim poderia tomar uma resolução acertada.

Entrementes, Marise em seu quarto meditava. Recebera uma longa carta de sua mãe. Seu coração enchera-se de ternura por aquela criatura tão infeliz. Marise pensava na singularidade de certos acontecimentos. Sua irmã Etiene sofria, segundo diz sua mãe, por um amor impossível. Anete considerava-se única culpada dessa infelicidade porque sua leviandade passada arrancara a Etiene a possibilidade de ser feliz.

— Pobre mamãe, — pensava Marise. — Como poderia saber que Etiene iria apaixonar-se pelo filho do seu antigo amor?

O pior, esclarecia ainda Anete na carta, é que seu marido encorajara o namoro dos jovens por julgá-lo de boa linhagem e ótimo partido, embora houvesse ela procurado impedir o romance a todo custo.

Infelizmente, porém, nada pudera fazer. Soubera por Etiene que o jovem Roberto havia partido em busca do consentimento dos pais para o enlace. Sabia que eles não consentiriam, temia a situação. Seu marido ignorava seu triste passado. Era intolerante e ciumento. E se Roberto de posse da verdade o procurasse buscando com ela justificar o rompimento?

Por outro lado, se os pais do rapaz consentissem nesse enlace, o que ela não acreditava, como poderia ela entrar em contacto com ele outra vez e principalmente com a outra mulher?

Angustiada, aflita, recorria a ela, sua filha querida, para que procurasse falar com seu pai, contar-lhe toda a verdade, pedir-lhe que não a contasse ao filho.

Marise suspirou angustiada. Que poderia ela fazer? Sua situação na aldeia era bastante desagradável. Ela não poderia procurar o pai naquelas circunstâncias.

Resolveu expor o assunto a frei Antônio, pedindo-lhe conselho.

Ao par da verdade, o padre abanou a cabeça tristemente.

— Nada podemos fazer agora, minha filha. Sua excelência, o duque, parte hoje para longe. Nem sequer deu-me endereço. Depois, nada poderemos fazer. Sabemos que Roberto está ao par do romance com tua mãe. Não creio que ele volte a procurar Etiene. Escreve a Anete contando como as coisas se passaram entre o rapaz e os pais. É a única coisa que poderás fazer para preveni-la. Afinal, não podes resolver este grave problema.

Na verdade, Marise não podia resolver mesmo o problema, mas sentia que não poderia deixar de fazer algo para auxiliar a mãe.

Mais tarde, ainda meditando sobre o assunto, tomou uma resolução. Precisava marcar uma entrevista com seu irmão. Já o conhecia, embora ele não soubesse do parentesco que os unia, acreditava-o tímido. Sentia que poderia usar de franqueza com ele. Escreveu um bilhete delicado, solicitando-lhe uma entrevista que lhe parecia fácil.

Porém, quando na hora marcada do dia seguinte, Liete um tanto surpreendida introduziu na sala o jovem Roberto, Marise, fitando-lhe o rosto algo pálido e a frigidez da sua fisionomia, sentiu-se um pouco amedrontada. Compreendeu que não seria tão fácil entrar no assunto.

Cumprimentando-a friamente, Roberto sentou-se ereto na poltrona que Marise lhe ofereceu.

— Não sei o assunto que desejais tratar comigo, porém, devo prevenir-vos que aqui vim somente pensando em resolver de uma vez o angustioso problema moral em que por sua causa nos debatemos. A saúde de minha mãe, muito abalada pelos últimos acontecimentos, justifica minha conduta.

Marise enrubesceu. Só então lembrou-se de que o boato deveria ter chegado até o castelo.

Alçou a cabeça e tentou dar um tom natural à voz quando disse:

— Não é sobre mim que desejo conversar convosco. Entretanto, já que nos encontramos, acho melhor esclarecermos definitivamente qualquer dúvida.

Roberto que desde o dia anterior encontrava-se preocupado com os últimos acontecimentos entre os pais, cuja culpa acreditava pertencer a Marise, dominava a custo a vontade de dizer-lhe tudo quanto pensava da sua conduta. Vendo a calma e a altivez da moça, quando pensara encontrá-la envergonhada e submissa, não pôde sopitar a avalanche.

— Não há necessidade de inventardes pretextos que justifiquem vossa entrevista comigo. Conheço o assunto e eles são desnecessários. Quanto desejais para sair de Ateill?

Marise sentiu que suas faces queimavam.

— Enganai-vos redondamente, senhor. Desejava apenas falar--vos sobre minha irmã Etiene.

Apanhado de surpresa, Roberto perdeu o jeito. Aparentar energia sempre lhe fora penoso. Abalado, seu rosto traiu a dor que lhe ia na alma:

— Irmã, dizeis? — conseguiu balbuciar por fim. — Não compreendo!

Silenciosamente Marise apanhou a carta de sua mãe e entregou-a ao rapaz. Não se encontrava com forças de esclarecer o assunto a viva voz.

À medida que lia, o rosto do rapaz cobria-se de tênue rubor. Quando terminou a leitura, deixou-se ficar durante alguns minutos silencioso, olhar fixo em um ponto indefinido, segurando automaticamente o papel entre os dedos.

Por fim, com mão trêmula, devolveu a carta a Marise.

De posse da verdade, Roberto sentiu-se envergonhado.

— Devo desculpar-me. Eu não sabia. Estão todos cometendo convosco tremenda injustiça. — Roberto levantou-se e curvando-se: — peço-vos perdão pelas duras palavras há pouco.

— Já as esqueci — murmurou a moça nobremente.

Roberto não pôde dominar a curiosidade e fitou-a com firmeza examinando-lhe os traços. Percebeu então sua semelhança com a mãe de Etiene e mesmo com a própria Etiene. Vendo a nobreza do seu porte e do seu olhar, comoveu-se.

A situação era verdadeiramente inesperada. Aquela era sua irmã! Irmã também de Etiene! Seu coração apertava-se à simples lembrança de sua amada.

— Sois generosa. Assemelhai-vos muito à marquesa de Vallience a quem admiro apesar das desagradáveis circunstâncias que nos envolvem.

Marise suspirou aliviada.

— Lamento ser causa de tanto aborrecimento que infelizmente não pude evitar. Não pretendo culpar ninguém por isso. Não cogito sequer de julgar a atitude de nossos pais. Quem poderá saber de que impulsos serão capazes duas jovens criaturas apaixonadas? Ambos têm sofrido muito pela falta cometida. Justo será procurarmos evitar-lhes novos aborrecimentos.

Roberto suspirou profundamente.

— Para mim torna-se muito difícil renunciar a Etiene, principalmente sabendo que sou amado. Às vezes penso: “Eles tornaram-se infelizes, terão o direito de infelicitar-nos também?”

— Realmente é muito difícil renunciar.

Marise pensava em Ciro. Bastaria um gesto e ela o teria seguido, embora suportando uma vida nômade. Procurou expulsar da mente a emotiva lembrança.

— A esperança deve florir sempre em nosso coração, não obstante os escolhos do caminho. Vosso amor é honesto e embora renuncieis por ora, tendes direito de esperar o futuro.

Por alguns minutos Roberto sentiu-se embalado por doce alegria. Depois caiu em si, dizendo tristemente:

— O que poderei esperar?

— Quando nosso desejo é justo e sabemos renunciar para não magoar outras pessoas, Deus nos socorre e, quem sabe? Talvez favoreça aquilo que sonhamos.

Roberto fez um gesto de desalento:

— Qual... nada posso esperar desse Deus. Não consigo iludir-me. A religião e eu estamos um pouco distantes.

— Quem sabe? Talvez estejais longe das religiões humanas, mas nem por isso escapareis à Lei de Deus. E essas Leis são claras e justas. Dão a cada um segundo as suas obras.

Roberto fitou o rosto delicado de Marise e sentiu aflorar em seu íntimo uma onda de simpatia.

— Vossas palavras, embora demasiado otimistas, balsamizam meu espírito. Agradeço-vos. Afinal, pensando bem, somos jovens e o futuro talvez nos propicie maiores alegrias. Porém, temo que Etiene não compreenda o motivo do meu afastamento. Preciso contar-lhe a verdade!

— Não sei... Sinto que será muito doloroso para minha mãe confessar à filha seu passado. Em todo caso, pedir-lhe-ei que o faça.

— Não desejo que ela me julgue sem palavra. Embora a situação agora se apresente desfavorável, desejo que ela compreenda e espere por mim.

— Está certo. Procurarei convencer minha mãe a contar-lhe a verdade. Porém, desejo que o Marquês de Vallience ignore tudo. Peço-vos que poupeis a minha mãe esse vexame que tornaria sua vida um inferno.

— Muito bem. Tendes minha palavra. Escreverei ao marquês dizendo-lhe da doença de minha mãe que me obriga a permanecer aqui por tempo indeterminado.

Durante alguns segundos ambos permaneceram silenciosos imersos em profundos pensamentos.

— Não pensei encontrar aqui alguém que me compreendesse tanto. Devo desculpar-me pela atitude hostil de há pouco. Peço-vos que aceiteis minha amizade. Somos irmãos. Poderei vir ver-vos de vez em quando?

Marise sorriu alegre:

— Dar-me-eis muito prazer. Tenho vivido sempre entre estranhos, privada das afeições familiares. Sentir-me-ei feliz em receber-vos. Poderemos falar sobre Etiene e sobre o futuro.

Uma hora mais tarde, ao sair dali, Roberto sentia-se alegre e esperançoso. Afinal Marise era uma moça digna e sincera. O que se passava na aldeia com relação a ela era uma calúnia dolorosa.

Os dias sucederam-se rapidamente. Roberto estreitava cada vez mais os laços de amizade com a jovem. Visitava-a em casa para prazer de frei Antônio que reconhecia ser benéfica para o rapaz a influência de Marise.

Às vezes saíam juntos pelos campos, a cavalgar ou o que era mais comum, ele sobraçando os pertences da pintura de Marise que escolhia um sítio aprazível. Enquanto pintava, conversavam. Falavam sobre arte, moda, Etiene e também sobre Ciro a quem para a alegria de Marise, Roberto admirava e estimava.

O outono já se aproximava, entristecendo a paisagem.

Roberto, certa manhã, em seu quarto, preparava-se para sair.

— Posso entrar, meu filho?

O rapaz deteve-se surpreendido:

— À vontade, mamãe.

Sua mãe raramente o procurava diretamente em seu quarto. O que desejaria?

Alice envelhecera durante aqueles meses. Sua fisionomia, porém, era ainda dura e altiva.

Roberto comoveu-se diante daquele rosto entristecido e pálido. Abraçou-a carinhoso.

— Quanta honra para mim. A que devo o prazer da tua visita?

— Talvez não seja um prazer. O motivo que me traz aqui é muito sério.

— De que se trata?

— Sentemo-nos. Por que visitas aquela mulher na casa de frei Antônio? Toda aldeia comenta tua atitude.

— Mamãe! O que a aldeia comenta não me atinge nem a ela. São calúnias.

— Então é verdade! Tu a visitas! Apesar de tudo quanto nos tem feito de mal aquela criatura. Que o teu pai tentou assassinar-me por causa dela. Como podes ser tão ingrato para com tua mãe?

Roberto estava consternado.

— Não digas isso. Tenho sido sempre um filho obediente e grato. Cheguei a renunciar ao amor para satisfazer-te! Porém, acredito que não saibas a verdade. Marise é uma jovem bondosa e pura, jamais fez mal a qualquer de nós, pelo contrário, sofre muito com a situação. Ela não é amante do senhor Duque porque é sua filha. Sim, ela é minha irmã e como tal é que a visito.

— Sim. Ela é filha de teu pai com Anete. Tu ainda a defendes? Tens coragem de reconhecê-la como irmã? Pois eu a odeio! Se pudesse, matava-a!

— Então tu sabias? — balbuciou Roberto interdito.

— Sim. Eu sabia. Teu pai trouxe aqui esta mulher para nos humilhar. Pois eu prefiro que a julguem sua amante do que saibam da verdade. Proíbo-te de ir vê-la. Não quero que a estimes. Tu, meu filho, que deverias defender-me contra os que nos injuriam...

Roberto não pôde furtar-se a uma comparação mental entre as duas e reconheceu a contragosto a superioridade de Marise. Apesar disso, adorava a mãe. Abraçou-a carinhoso.

— Estás cometendo tremenda injustiça. Não desejo defender meu pai nem justificar os erros do seu passado. Mas, essa jovem criatura não tem culpa do que os pais fizeram. Ela é honesta e boa, culta e inteligente. Não deves odiá-la.

— Não acredito que ela seja honesta. O sangue de sua mãe corre-lhe nas veias. Tal mãe, tal filha. Ainda verás que tenho razão. Uma bastarda!

Roberto abriu a boca para responder, porém alguém bateu à porta insistentemente. O rapaz impaciente foi pessoalmente abri-la. Deparou com Marie, a camareira de Julie, em prantos.

— Que aconteceu, criatura?

— Senhora Duquesa, senhora Duquesa, aconteceu uma coisa horrível!

Alice levantou-se trêmula.

— O que houve? Onde está Julie?

— Não sei, senhora. Não dormiu em seu quarto esta noite.

Alice fez-se pálida e acercou-se mais de Marie:

— Não é possível! Ela nada me disse ao recolher-se ontem à noite. Talvez tenha saído a passeio logo cedo...

— Sua cama está intacta, senhora!

Alice abanava a cabeça sem compreender.

— Não é possível, onde terá ido?

Roberto, nervoso e assustado, agarrou Marie pelo braço.

— Por que choras? Conta-me já o que sabes sobre Julie. Fala ou mandarei te açoitar...

A jovem soluçante ajoelhou-se aos pés de ambos.

— Sou culpada. Não devia ter ocultado a verdade. Mas, a senhorinha proibiu-me de contar...

— Fala de uma vez, criatura! — exigiu Roberto entre dentes.

— Há algum tempo já que ela tinha encontros com um homem, no jardim, altas horas da noite...

Alice deixou-se cair em um cadeira desalentada:

— Não pode ser! — murmurou baixinho como para si mesma.

— Conte tudo o que sabe, Marie. Quem era ele?

— Senhor, embora ela me proibisse de acompanhá-la, eu, temerosa de que algo acontecesse, seguia-a para protegê-la e o vi, senhor. Era o cigano.

— O cigano?!!

— Sim. O que tocava violino. Aquele que veio aqui algumas vezes. Eles se amavam, senhor. Eu presenciei seus beijos e carinhos. Não pensei porém que ela fugisse com ele.

Alice levantou-se de repente como que movida por uma mola.

— Não acredito. Uma filha minha jamais faria isso!

Saiu a passos rápidos em direção aos aposentos da filha seguida pelos outros dois. Lá, pôs-se histericamente a remexer as roupas da filha e seus pertences.

— Não creio que ela tenha fugido. Não levou roupa nenhuma! Raptaram-na isto sim. É preciso ir procurá-la. Chamem um portador. Preciso mandar buscar sua excelência, o duque!

Horas mais tarde, Roberto, aflito, passeava pelos aposentos da mãe, sem saber o que fazer. O doutor Villemount atendia à duquesa inconsolável. Aquele abalo somado ao seu desequilíbrio nervoso, abatera-a visivelmente.

Fizera circular pela aldeia a notícia do rapto de sua irmã e ordenara minuciosa busca pelos arredores.

Onde estariam os ciganos? Não tinha a menor ideia. Não podia fazer nada senão esperar, e esperar naquelas circunstâncias angustiavam-no profundamente.

O tempo arrastava-se e nenhuma notícia auspiciosa amenizava-lhe o coração aflito.

Capítulo 15

O duque levantara-se aborrecido naquela manhã. Deitara-se tarde e, apesar disso, não conseguira dormir tranquilamente.

A recepção a que comparecera na noite anterior, embora estivesse animada e repleta de belas mulheres, não fizera renascer em seu íntimo a satisfação e o entusiasmo de outros tempos. Estava entediado. Esgotara suas emoções, permanecia indiferente, sentindo o vazio das ilusões perdidas. Ah, se pudesse voltar o relógio do tempo... Certamente agiria diferente.

Anete! Roberto sentiu um estremecimento. Buscara de todas as maneiras reencontrá-la, mas debalde. Ela não frequentava a corte. Levava vida retraída, viajando muito.

Pela sua lembrança saudosa desfilaram as cenas felizes e despreocupadas de sua mocidade. Reviveu mentalmente, através da lembrança, todo seu romance com Anete. Que bela mulher ela era e como poderia tê-lo feito feliz!

Sem apetite, não quis almoçar e saiu à tardinha para um passeio pelo Bois. Precisa descansar a mente nas coisas simples da vida, ao contacto com a natureza. Fazia já algumas semanas que deixara sua casa em Ateill, mas não tinha vontade de regressar. Talvez que uma viagem para o exterior o ajudasse a atravessar aquela fase pessimista de sua vida.

Desceu da carruagem e decidiu andar um pouco, gozando mais a sombra acolhedora das árvores amigas.

Caminhou algum tempo, meditando, sem ver a alegria das crianças que brincavam e dos pássaros que cantavam alegres.

Foi então que levantou o olhar e viu, dentro de uma carruagem que deslizava suavemente, uma figura de mulher. Um rosto que fixou e que despertou em seu coração toda uma avalanche de sentimentos há muito recalcados.

Anete! Reencontrara Anete! Seus olhos se encontraram e por alguns instantes olharam-se emocionados, mas logo ela reagiu e procurou ocultar-se atrás das cortinas do carro. A uma sua ordem, o cocheiro fustigou os animais e antes que o duque se refizesse da surpresa, havia desaparecido em uma curva da rua.

Foi em vão que Roberto a procurou. Não pôde encontrá-la.

Como ela estava linda! Amadurecera e sua fisionomia ganhara uma expressão mais nobre. Como pudera ser tão cego ao trocá-la por Alice?

A partir daquele dia Roberto passou a frequentar o Bois todas as tardes.

Não logrou mais encontrá-la e ao fim de seis dias de espera inútil, dirigiu-se resolutamente ao castelo dos Vallience. O marquês era seu amigo de outros tempos, iria visitá-lo. Não poderia deixar de vê-la. Precisava falar com ela, custasse o que custasse.

Foi com o coração aos saltos que penetrou o portal do vasto castelo. Lá porém, nova decepção o aguardava: os Vallience tinham inesperadamente partido para o exterior.

Decepcionado, amargurado, Roberto voltou para casa.

Ao entrar, foi informado que um portador da duquesa desejava vê-lo com urgência. Dirigiu-se ao seu gabinete e lá recebeu, numa salva de prata, a carta de Alice. Contrariado, abriu e leu:

"Senhor Duque. Deveis regressar imediatamente. Julie foi raptada por malfeitores. Lamento incomodar-vos. Esperamo-vos com urgência".

O duque sentiu que seus olhos escureciam. Julie raptada? Precisava agir imediatamente. Cada minuto perdido poderia pôr em perigo a vida de Julie.

Ordenou aos criados que preparassem sua bagagem, e uma hora depois partia de regresso ao lar.

Quando chegou apressado e ansioso, o jovem Roberto contou-lhe o que sabia sobre o caso. O duque deixou-se cair abatido em uma cadeira.

Sem poder conter as emoções, comprimiu o rosto entre as mãos e pela primeira vez em sua vida chorou. Sentiu uma dor imensa invadir-lhe o coração e ao mesmo tempo sua consciência acordou para remexer sua ferida com a lava incandescente do remorso!

Um cigano! Em sua mente, desenhou-se nítida a figura doce e meiga da cigana que o amara e a quem iludira para satisfazer seus íntimos caprichos.

— O destino é impiedoso e vinga-se das criaturas! pensou ele, triste. Precisava encontrá-los! Trazer de volta para casa sua filha querida.

Sentiu-se o maior culpado. Negligenciara seus deveres paternais esquecido de suas responsabilidades para com os filhos, para servir aos caprichos do seu orgulho e de suas miseráveis disputas domésticas.

Mudo diante da dor paterna, o jovem Roberto abraçou-o carinhosamente. Comovido, o duque compreendeu que ainda tinha seu filho a seu lado e que poderia vencer o antagonismo do passado.

Levantou-se, depositou suas mãos firmemente em seus ombros. Olhando-o nos olhos:

— Meu filho. Tenho negligenciado tua felicidade e de tua irmã. Talvez para ela seja tarde demais, porém, quanto a ti, tudo farei para fazer-te feliz. Desejo apenas que procures compreender minhas fraquezas do passado e procurarei também ser outro homem.

O jovem sentiu-se emocionado. Não pôde falar de pronto. Por fim, disse comovido:

— Esqueçamos o passado, meu pai. Iniciemos nova vida.

— Sim, meu filho. Antes, porém, precisamos encontrar Julie. Talvez tudo não tenha sido senão cruel vingança dos ciganos. Tenho um inimigo feroz entre aquela gente.

O rapaz esboçou um gesto de surpresa.

— Não sabia que os conhecia!

— É uma rixa muito antiga. Essa gente é vingativa e perversa. Mas, não conhecia ninguém do bando que esteve aqui naquela noite. Pode ser que eu esteja enganado. Porém, ai deles quando os encontrar. Ai deles se ousaram tocar em Julie!

— O que pretendes fazer?

— Antes de mais nada, reunir alguns homens para investigar. Precisamos descobrir o paradeiro do bando. Tu que estiveste inúmeras vezes com eles, sabes o nome do chefe?

— Bem, casualmente travei conhecimentos com alguns deles. Vamos ver se me recordo... O chefe do bando é um cigano forte e meio idoso, chamado Pablo.

O duque estremeceu:

— Pablo!

— Sim. Tu o conheces?

— Não temos tempo a perder, meu filho. Talvez até assassinem tua irmã!

O duque estava lívido. Imediatamente reuniu alguns homens a quem encarregou de descobrir a pista e localizar o bando cigano.

Depois, tratou de interrogar a camareira que sob promessa de perdão e polpuda recompensa, contou-lhe o romance de Julie com Rublo.

Passado o temor de ser castigada por negligência, motivo real das suas lágrimas, a criada sentiu-se à vontade e até exagerou o que sabia para gozar o escândalo que já espalhara pela criadagem e consequentemente a toda aldeia.

O duque sentiu-se realmente abalado. Pela primeira vez os papéis estavam invertidos. Ao invés de ser o feliz conquistador, era agora o pai enganado e escarnecido. Triste, viu desfilar diante de sua mente a vida de Julie que acompanhara quase indiferente, mas que agora tinha um sabor diferente de mágoa e desprezo. Reviu as atenções da filha naqueles últimos tempos e compreendeu que ela se humanizara através do amor que deveria sentir pelo cigano.

Crispou as mãos em desespero.

Alice não acreditava que sua filha pudesse amar aquele homem, ele, porém, sabia por experiência que o amor pode nivelar as diferenças de classe.

Sentia-se culpado. Não acreditava que Rublo houvesse agido por amor, com certeza fora apenas instrumento de vingança que Pablo planejara sordidamente.

O duque não sentia ódio contra Pablo. A consciência de sua culpa tirava-lhe a capacidade de odiar. O temor ao escândalo que sempre detestara, tomava conta do seu raciocínio. Precisava encontrar Julie! Precisava encontrá-la!

Entretanto, bem longe dali, Julie deitada em tosca cama no carro de Rublo dentro do acampamento cigano, meditava sobre os últimos acontecimentos.

Sabia que sua situação era difícil. Sentia uma raiva surda contra os ciganos, principalmente contra Rublo. Nos dias que antecederam sua fuga, o cigano com seus ciúmes doentios, suas exigências e ameaças, havia assustado Julie que decidiu-se acabar com aquele romance. Temia ser descoberta, pois o cigano facilitava cada vez mais. Gostava muito dele, por isso vinha adiando sempre essa resolução.

Na noite da fuga, saíra para encontrar-se com ele, no meio da noite, como de costume.

A certa altura, discutiram e Julie aproveitou-se do desentendimento para dizer-lhe que não mais queria vê-lo e estava tudo terminado.

A reação de Rublo foi violenta. A certa altura da discussão, sacando comprido punhal, ameaçou-a de morte, forçando-a a segui-lo calada se quisesse viver.

— Não te deixarei para que sejas de outro. Queres despedir-me como a um criado, mas enganas-te. Irás comigo. Se te recusas ou gritas, mato-te! Prefiro saber-te morta do que nos braços de outro!

A fisionomia de Rublo retratava a decisão firme de realizar o que dizia. Seus olhos fixavam-na brilhantes de determinação, uma das mãos fortes crispada em redor dos seus ombros, a outra empunhando a arma que brilhava ameaçadora dentro da noite.

Julie sentiu que a garganta se apertava e não conseguiu falar. O terror dominou-a. Por fim, após reiterados esforços, conseguiu esboçar alguma reação:

— Não podes levar-me! Não posso e não quero abandonar o lar. Meu pai nos perseguirá e te castigará. Prometo que continuarei a encontrar-me contigo.

Rublo, olhando-a fixamente, disse entre dentes:

— Não consegues enganar-me. Não acredito em ti. Queres escapar-me. Não temo o poderio de teu pai e de homem nenhum. És minha e virás comigo. Já perdemos muito tempo.

Isto dizendo começou a empurrá-la para frente, rumo à estrada. Julie nervosa e temerosa, não teve outro recurso senão acompanhá-lo. Lá, onde seu companheiro o aguardava com dois cavalos, intimou-a subir na sela, saltando ele também sobre o dorso do animal enquanto seu companheiro esperava calado. Juntos, partiram.

A viagem foi longa e penosa. Durante o dia escondiam-se e viajavam mais durante a noite. Assim, ao cabo de três dias atingiram o acampamento.

À sua chegada, Julie viu-se rodeada pelas mulheres que a escarneciam enciumadas por causa de Rublo.

Sentia-se mal, suja e esfomeada. Durante aqueles dias, compreendera bem a sua loucura enfrentando a realidade dos fatos. Entretanto, apesar de tudo, sentia-se ainda fascinada pelo cigano. Desejava fugir, tornar à casa paterna porque gostava de sua maneira de viver no luxo e na ociosidade. Jamais poderia acostumar-se a viver entre aquelas horríveis criaturas.

Rublo a havia apresentado aos seus como futura esposa. Cedeu-lhe o seu carro e colocou à porta uma velha cigana para servir-lhe de companhia e vigiá-la para que não fugisse. A moça confiava entretanto, que seu pai a encontrasse e a levasse de volta.

Entrementes, Rublo, na carroça de Pablo, expunha o caso com todos os detalhes!

Pablo estava preocupado. Não pôde deixar de regozijar-se com a vingança do filho, porém, ao mesmo tempo, temia as consequências dessa atitude. Ele ignorava que Rublo tivesse se metido em tal empreendimento.

De certa forma sentia-se alegre. Não fora ele que se vingara, porém, outro o fizera em seu nome!

— Pelo que ouvi, gostas dessa mulher?

— Infelizmente, gosto.

— Pois ela será tua. Hoje mesmo faremos o casamento. Precisamos cautela. O duque é poderoso e certamente nos perseguirá. A ele devo aqueles meses de masmorra! Melhor saíres do país com tua mulher, assim não seremos comprometidos. Dar-te-ei o suficiente para desapareceres durante algum tempo. Depois, quando tudo estiver esquecido, voltarás.

Entretanto, Julie, presa no carro de Rublo, sentia que precisava fugir o quanto antes. Entabulou palestra com a velha que guarnecia a porta e procurou sondar-lhe o espírito:

— Escuta, preciso que me ajudes. Tenho que sair daqui! Olha, vês este bracelete? É de ouro! Será teu se me ajudares a fugir.

Os olhos vermelhos da velha luziram de cobiça.

— Não posso fazer nada por ti. Eles matam os traidores. Eu não poderia ajudar-te, tenho amor à pele.

Percebendo o olhar cobiçoso da mulher, Julie tornou:

— Ajuda-me. Eles não saberão e este bracelete será teu! O bracelete e o anel. Que achas?

— Bem... Eu não posso ajudar-te, porém, sei de alguém que talvez possa fazê-lo. É a única criatura que eles respeitam.

— Pois bem, que é ele?

— Dá-me antes o bracelete. E eu te direi.

— Dar-te-ei o bracelete e o anel se fores buscá-lo para mim. Preciso dele.

— Não posso sair daqui por agora. Quando Rublo vier, eu irei. Passa-me as joias.

— Não. Primeiro quero que o tragas aqui. Quem é ele?

— É Ciro, "o santo" como geralmente é chamado aonde vai. Ele tem sabedoria e conhece os segredos das criaturas. Só ele poderá ajudar-te.

Julie passou a esperar Rublo com impaciência para que sua guardiã pudesse levar seu recado a Ciro. Enquanto esperava, apanhou um papel e escreveu com carvão este recado: *"Vem ver-me imediatamente. Preciso falar-te. Vem e serás recompensado regiamente."*

Não assinou. Para quê? Deu o bilhete à velha cigana para levar ao destino assim que Rublo chegasse.

Meia hora depois Rublo entrou no carro. Buscava dar à fisionomia um ar alegre, mas notava-se o brilho nervoso no olhar.

— Então? — inquiriu Julie assim que a velha saiu obedecendo a um gesto de Rublo. — Pretendes deixar-me ir?

Um lampejo de ressentimento brilhou no olhar duro do cigano. Chegando bem perto, rosto quase colado ao seu, disse:

— Divagas certamente. És minha e hoje mesmo celebraremos o casamento. Só a morte nos poderá separar.

Julie sentiu um acesso de raiva.

— Meu pai virá e pagarás caro esta afronta.

— Não esperaremos por ele. Hoje mesmo partiremos para bem longe, fora do país. De hoje em diante esquecerás tua vida passada e os teus parentes. Só eu existo para ti. Não admito que nada ou ninguém se interponha entre nós. Agora descansa, a viagem será longa. Vou cuidar dos preparativos.

Saiu. Julie espiou pela fresta e viu que ele conversava com a velha ordenando-lhe que a vigiasse.

O casamento cigano, marcado para logo mais, pouco lhe importava. Não acreditava em sua validez, porém, não desejava deixar o país. Que fazer?

Tentou repousar, mas não conseguiu. Seu pensamento trabalhava incessantemente. De repente ouviu passos do lado de fora. Ansiosa esperou. Suspirou decepcionada com a chegada de Rublo.

— O que desejas de Ciro? — inquiriu ele.

Apanhada de surpresa, Julie compreendeu que a velha a traíra.

— Estou nervosa e aflita. Disseram-me que ele me acalmaria.

— Inútil tentares mentir. Sei em que estás pensando. Porém, asseguro-te — seus olhos chispavam — nada te arrebatará de mim. És minha, compreendes? Agora vem comigo. Vou levar-te ao carro de Ciro. Podes falar com ele.

Insegura, Julie acompanhou Rublo, perguntando-se intimamente o que ele estaria tramando. Não obstante, sentia enorme curiosidade. Já ouvira inúmeros comentários sobre o cigano santo. Na opinião, um espertalhão que tirava partido da credulidade alheia.

— É aqui. Podes entrar.

— Só?

— Sim. Desejo que tenhas toda liberdade para dizeres o que pensas.

Julie deu de ombros. Não confiava mais na magnanimidade de Rublo. Estava porém decidida. Bateu na porta. A uma ordem do interior, empurrou-a enfiando curiosamente o rosto para dentro.

Ciro levantou-se do tosco banco onde lia e fixou seu olhar calmo na visitante. Julie quis sustentar esse olhar, porém, sentiu certo constrangimento. Dominou-se e reagindo passou a examiná-lo curiosamente.

Ciro conservou-se silencioso à espera de que ela falasse. Passando os olhos curiosos pelo interior do carro, Julie começou:

— Preciso falar-te.

Ele designou-lhe um banco, curvando-se ligeiramente:

— Sou franca. Preciso sair daqui. Sei que podes ajudar-me. Necessito dos teus serviços.

— Estou à tua disposição. Porém, não creio que possa ajudar muito.

Julie levantou-se e agarrou-o fortemente pelo braço, apertando-o com suas mãos nervosas:

— Podes, sim. Estou em situação difícil. Vim para aqui contra minha vontade. Meu pai deve estar revirando tudo para encontrar-me. Tenho que voltar! Detesto este ambiente sujo e miserável! Não pertenço a ele! Ouve... sou muito rica e se me ajudares a fugir daqui, dar-te-ei uma pequena fortuna e tu poderás viver com fartura, largar isto aqui. Não haverá mais necessidade de praticares teus truques de magia para viver.

Ciro fitava-a calmamente. Nem uma nuvem lhe toldara o olhar enquanto ela falava excitada.

— Não amas Rublo?

— Não. Este casamento é um absurdo. Jamais poderei casar-me com ele!

— O que pretendes fazer quando regressares junto aos teus?

— Nada. Apenas continuar a viver. Ser feliz. Não desejo casar-me.

— Já alcançaste a felicidade? Foste completamente feliz alguma vez? Pensa. Medita.

Em seu íntimo Julie viu desfilar num relance toda sua infância e sua juventude infeliz ao reflexo dos desentendimentos paternos. Deu de ombros afastando a visão incômoda.

— Tolice. Se não posso dizer que fui muito feliz, também não fui infeliz. Aqui porém, só colheria sofrimentos. Afinal podes ou não ajudar-me? Vim para isto e tu divagas.

— Ajudar é muito difícil. Muitas vezes pensamos fazê-lo e só conseguimos realmente prejudicar. Sabes por quê? Eu explico: porque estamos somente nos utilizando das circunstâncias para conduzirmos a criatura onde nos convém e onde tiraremos melhor proveito além de nos colocar-mos em situação moral superior.

Julie abanou a cabeça teimosamente.

— Queres uma prova? O que seria mais útil aparentemente aos meus interesses? Seria dizer-te: dá-me tuas joias e te ajudarei a fugir daqui. Isto me seria melhor pois que tua presença aqui pode nos levar até a prisão, sem contar com o que lucraria com tuas joias.

— Mas é isso mesmo o que eu desejo. Assim estarás me ajudando muito.

— Acreditas nisso? Estaria, talvez, para servir aparentemente nossos escusos interesses, te atirando de encontro ao punhal ciumento de Rublo.

Julie ergueu-se de um salto:

— Ele se atreveria?

— Não sei. Mas seu espírito está dominado pela paixão e suas reações são imprevisíveis. Deves pelo menos conhecê-lo.

— Sim. Conheço-o. Se não o temesse, aqui não estaria neste momento.

Assustada, Julie deixou-se cair novamente no banco afundando a cabeça entre as mãos.

— Então, o que deverei fazer?

— Medita bem antes de uma decisão. Talvez ele seja o homem de tua vida. A posição social em que se encontram neste mundo é coisa estabelecida pelos homens. O preconceito é um círculo asfixiante onde as pessoas se debatem há alguns séculos e que somente lhes tem trazido infelicidades. Deus é nosso pai e todos somos irmãos no concerto universal. Amanhã, quando essa efêmera passagem terrena tiver se acabado para ambos, terão a certeza de quanto é ilusória a situação de nobreza e riqueza aqui na Terra. Despe tua alma dos preconceitos, esquece-te das posições em que ambos se encontram e analisa a questão pelo lado do espírito.

Julie estava um pouco abalada com as palavras de Ciro. Lembrava-se do infeliz casamento de seus pais por causa dos preconceitos.

— Muitas vezes desejei que Rublo fosse um nobre para poder casar-me com ele.

— Gostas muito dele?

— Ele possui uma força que me subjuga, devo confessar. Foi o primeiro homem a quem amei. Não desejava este desfecho, porém, apesar de tudo, não consigo arrepender-me. Ultimamente ele tem me feito sofrer muito com seus ciúmes infundados. Fiquei com medo. Eis porque apesar da sua atração, desejo livrar-me dele. Possui um temperamento arrebatado e violento.

— Estás realmente em situação delicada. Se foges e o rejeitas, as consequências serão imprevisíveis. Se permaneces ao seu lado, terás de lutar para dominar-lhe os ciúmes e o temperamento.

Julie suspirou.

— Tu que o conheces, o que aconselhas?

Julie sentia-se realmente assustada. Jamais pensara que sua leviandade a levasse a tais extremos. Recorria à sabedoria de Ciro, que com suas maneiras simples e cultas, granjeara-lhe certa confiança:

— Cedendo a esse amor, estimulando-o no coração de Rublo, assumiste grave compromisso espiritual. Perante as leis de Deus, és responsável pelas consequências boas ou más que tua atitude trouxer àquela criatura. Sei que a verdade não é do teu agrado, porém, a única maneira digna de refazeres o mal que praticaste contra tua própria consciência, é casares com ele. Receias as tarefas pesadas desse compromisso, a perda do luxo que desfrutavas e da posição social, bem como o ciúme de Rublo, entretanto, pensa como tua influência bem orientada ser-lhe-á benéfica. Ele te ama com sinceridade, será um homem renovado pelo teu amor. Por outro lado, terás algumas compensações. Acredito sinceramente que apesar da distância social que vos separa, ambos possuem grande afinidade. Pensa e resolve. Retornando ao lar, encontrarás o vazio. Sofrerás o abalo emocional pelas consequências das tuas atitudes. Casando-se com ele, terás, além do companheiro que amas e que te é dedicado, a tarefa magnífica de conduzir tua vida no sentido mais elevado, mais nobre, mais humanizado. Eis o que posso fazer por ti. A situação está exposta claramente. Só tu podes escolher e decidir.

Julie quedou-se silenciosa, imersa em profundos pensamentos. A maneira de Ciro expor os acontecimentos simplificava bastante a situação. Se por um lado reconhecia-se fascinada pela personalidade de Rublo, por outro, gostava de sua vida faustosa e não desejava perdê-la. Lamentava intimamente a drástica atitude de Rublo. Para ela, a situação ideal era a anterior. Possuir o luxo e o homem amado. Agora tinha de escolher e não sabia bem o que renunciar.

Depois de alguns instantes de silêncio, Julie levantou a cabeça encarando Ciro resolutamente:

— Se apesar de tudo eu resolvesse fugir e retornar ao lar. Ajudar-me-ias?

Ciro sustentou o olhar serenamente.

— Se uma criatura enferma se recusasse a ingerir o remédio que lhe traria cura por senti-lo amargo, e te pedisse para atirá-lo fora para que ela morresse mais depressa, o que farias? Claro está que não lhe obedecerias. Tentarias quem sabe dar-lhe o medicamento contra sua vontade. Pois eu estou agindo diferente. Não atirarei fora o remédio nem procurarei minis-trá-lo à força. Limito-me a mostrá-lo ao doente e deixá-lo ao alcance de suas mãos.

Julie olhava-o ligeiramente surpreendida.

— Entendes? Não te ajudarei a fugir nem influirei para que fiques ao lado dele. Porém, acredito que o caminho que te proporcionará mais felicidade e tranquilidade será este. Limitei-me apenas a colocar o remédio ao teu alcance. A decisão é tua.

Julie teve um repente de cólera.

— Pensei que me ajudarias. Enganei-me. Também és amigo de Rublo. Queres intimidar-me. Previno-te porém que não serei dócil instrumento em tuas mãos. Adeus.

Nervosa, a jovem saiu batendo a porta com força.

— E então? — inquiriu Rublo que a esperava do lado de fora.

— Tu e ele — desabafou Julie nervosa — estão mancomunados para induzir-me a esse casamento impossível. Odeio a ambos.

Rublo mordeu os lábios nervosamente. Sem poder conter-se, agarrou-a pelo braço apertando com tanta força que Julie soltou um gemido de dor.

— Odeias-me! Desejarias casar com um nobre da tua raça, possuidor de fortuna e que por isso se julga superior mas que, em verdade, vale menos do que um cigano como eu. E ouve mais! Eu é que estou me rebaixando, entendes? Eu é que me rebaixo casando-me com a filha de um homem infame e sem honra a quem todos odiamos. Eu! O filho de um chefe cigano. Um príncipe da minha raça a quem inúmeras mulheres beijariam o chão que eu resolvesse pisar junto delas! Tu te julgas superior! Eu é que estou desonrando a raça, entendes?

A voz de Rublo era rouca e rancorosa. Seu porte altivo, sua beleza esplêndida e sua arrogância impressionaram Julie fazendo-a sentir-se infeliz e pequena. Naquele instante arrependeu-se amargamente da sua aventura. Era tarde, porém, estava à mercê dele e daquela gente.

Entrementes, o duque recebia no castelo a visita de um dos seus investigadores que encontrara segura pista dos fugitivos. O duque preparou-se rapidamente. Organizou uma turma de homens decididos e valentes. Armaram-se o mais possível e puseram-se a caminho.

O duque viajava calado, imerso em profunda meditação. Sua angústia era evidente. Preocupava-o a situação da filha. Temia não encontrá-la com vida. Maquinava tremenda vingança contra os ciganos. Arrasaria o bando assim que tivesse Julie a salvo. Teria prazer em triturar o cigano com suas próprias mãos. Ousar olhar para Julie!

Para ele era natural a conquista e o abandono subsequente de jovens plebeias, mas horrível um plebeu macular com seu desejo uma jovem aristocrata.

A viagem foi exaustiva e o clima angustioso da incerteza a tornou mais exasperante. Porém, como que galvanizado pela aflição, o duque não parou para repousar e quando os cavalos estavam exaustos, substituiu-os nas portas por onde passavam.

Viajaram assim 24 horas. Depois, o guia interveio mostrando-lhe a necessidade de repouso. O duque, cedeu por fim, receoso de que os homens enfraquecidos pelo sono e pelo cansaço se tornassem menos dispostos à luta.

Descansaram durante algumas horas e por fim reiniciaram a caminhada. Após três dias de cansaços e indagações, de incertezas e de alguns enganos nas informações que captavam pelos caminhos, conseguiram enfim divisar o acampamento.

Era o entardecer. O outono se fazia sentir na tristeza do céu acinzentado, no gemer das árvores cujos galhos curvados ligeiramente pelo vento, despiam-se tristemente, estendendo pelo chão um tapete de folhas emurchecidas.

No acampamento reinava calma e do local onde se encontravam sentiam o cheiro apetitoso da carne sobre o braseiro, misturado ao som de um violino em alegre melodia.

O duque resolveu ir pessoalmente procurar por Pablo. Levaria um homem consigo. Se não voltasse dentro de meia hora, seus homens deveriam atacar o acampamento.

Resolutos, os dois montaram e em poucos instantes estavam dentro do agrupamento cigano. Não desmontaram e sua atitude fez com que em poucos segundos o silêncio reinasse. Todos desapareceram vendo-os armados receando um ataque.

— Covardes! — disse o duque para seu companheiro.

— Não gosto desse silêncio, excelência. Os ciganos não são covardes, pelo contrário, apreciam uma briga. Ainda mais em sua própria casa, como aqui. Penso que conseguiremos mais agindo com diplomacia. Poderiam maltratar a senhorita.

Roberto não pôde deixar de concordar. O que fazer? Estava de mãos atadas enquanto Julie estivesse entre eles. Contrafeito, engoliu a raiva e berrou:

— Preciso falar com Pablo. Urgentemente.

Passados alguns segundos que pareceram séculos à impaciência do duque, um dos carros abriu-se e Pablo, bem armado, saiu acompanhado por mais quatro homens, também bem armados e decididos. Um fulgor de ironia passou pelos olhos negros de Pablo. Apesar de tudo, estava feliz naquele momento. O duque sofria na própria carne a dor que outrora lhe impusera!

Assim que o viu, Roberto trincou os dentes raivosos. Como conseguira o cigano evadir-se da masmorra? Era avesso às violências, por índole, mas naquele momento arrependeu-se de não tê-lo matado naquela ocasião.

— Onde está minha filha? — inquiriu com voz dura.

Pablo fingiu profundo espanto entreolhando-se admirado com seus companheiros. Roberto irritou-se:

— Não adianta fingir. Sei que ela está aqui. Viram-na no acampamento. É melhor falar logo antes que eu abandone a tolerância, o que seria pior para ti. Onde está ela?

— Não sei, excelência. Como poderia vossa filha estar aqui?

Pablo meneou a cabeça pesaroso.

— Tenho um exército armado a poucos metros daqui. Tem ordem para atacar em alguns minutos, se eu não voltar. Estamos perdendo um tempo precioso para tua segurança.

— Vejo que não me crês. No passado fui mais confiante para com vossa senhoria. Porém, fiz mal, não possuía vossa experiência pessoal.

O duque crispou as mãos nas rédeas, desejoso de pular em cima daquele insolente. Continha-o o receio por causa de Julie.

O semblante de Pablo transformou-se. Assumiu aspecto rígido, seus olhos brilhavam duros e o contorno de sua boca tornou-se enérgico quando disse:

— O senhor Duque invadiu o meu domínio, deve pois aqui respeitar-me. Não pode portanto duvidar da palavra do chefe cigano. Se vos digo que ela aqui não se encontra, deveis acreditar. Entretanto, como outrora sofri a mesma agonia, não levarei por ora em consideração vossa atitude ofensiva. Faço mais, concedo-vos o direito de revistar todos os recantos do acampamento, agora mesmo.

O duque sentiu aumentar sua angústia. O que teriam feito de Julie? Imediatamente Roberto saltou ao chão e num desespero que o receio silenciava, começou freneticamente a procurar. Quinze minutos depois, havia vasculhado todos os carros em vão. Voltou-se para Pablo.

Para onde a levaram? — Não obtendo resposta, continuou. — Não conseguem enganar-me. Vou-me por agora, porém, não descansarei enquanto não a encontrar e quando ela estiver a salvo, saberei a verdade, então... ai daquele que for o culpado.

De um salto, montou novamente e partiu a galope. Tentando conter a emoção mais violenta, Roberto, já junto com seus homens, encontrava-se angustiado e sem diretrizes.

O que fazer? Poderia atacar o acampamento, matar Pablo, mas e Julie? Julie estava em poder deles escondida em algum lugar, disto tinha a certeza. Se usasse violência, poderiam vingar-se nela.

Naquele momento, odiou os ciganos, odiou-se a si mesmo pelas fraquezas do passado que angustiosamente refletiam-se no presente. Nervoso, enterrou a cabeça nas mãos.

Foi quando seu guia que muito o estimava, penalizado com a situação, tornou:

— Senhor! Não deveis desanimar. Nós a encontraremos. Conheceis este lenço?

Exibia triunfante minúsculo lencinho de cambraia ricamente bordado, onde a um canto se lia: J.M.

O duque levantou-se de um salto.

— É de Julie! Onde o encontrou?

Nervoso, arrebatou a preciosidade das mãos do companheiro.

— Em um dos carros que percorremos. Quando o cigano nos mandou procurar, calculei logo que a senhorita não deveria estar no acampamento. Acompanhei-vos somente para encontrar uma pista. Aqui está ela. Nada vos disse antes porque não queria que Pablo percebesse. Ficariam prevenidos.

— Sim. Isto prova que ela esteve lá! Mas, agora, para onde a teriam levado? Tê-la-iam matado?

O duque fez-se pálido diante dessa suspeita.

— Não creio, excelência. Se permitirdes sugerir alguma coisa...

— Fala..

— Devemos fingir por enquanto que acreditamos no que nos disseram. Vamo-nos embora, mas, permaneceremos na aldeia próxima. De lá, investigaremos. Tenho a certeza de que assim conseguiremos a pista precisa.

O duque suspirou.

— Tens razão. Nada nos resta fazer senão isso.

Pouco depois reuniu os homens e deu ordem de partida.

A noite ia alta e sem estrelas. O vento constante, agitando os galhos das árvores que marginavam a estrada, projetava sombras fantásticas por todos os lados.

Apesar de cavalgarem silenciosos, os dois viajantes sentiam-se envoltos por tempestuosos pensamentos.

De quando em quando, Rublo, olhos incendiados, retratando o turbilhão que lhe ia na alma, fitava a companheira cuja fisionomia demonstrava exagerada frieza.

Seus pensamentos, porém, eram desesperados.

Casar-se com o cigano! Pouco lhe importava isto. O que a exasperava era ter que acompanhá-lo na exaustiva viagem que mais e mais a afastava dos seus.

Estava enraivecida pela própria impotência. Sentia-se suja, faminta. Suas vestes humildes de camponesa a humilhavam. O sono a torturava.

Subitamente parou:

— Vamos — gritou Rublo energicamente. — Mais um pouco e alcançaremos a fronteira.

Julie era forte, porém, a angústia de saber que sairiam do país, roubou-lhe as forças que ainda lhe restavam. Sentiu-se só, fraca, infeliz e indefesa.

Tonteou e Rublo notou-lhe em meio a escuridão da noite, o rosto pálido e angustiado.

— Descansaremos durante alguns instantes.

Saltou ao chão e tomou-a nos braços como se fora uma criança.

Apesar de enraivecida, Julie sentiu-se melhor nos braços do marido. Desde que ele a forçara a segui-lo, haviam brigado constantemente. Ela era orgulhosa e não desejava tornar-se cigana.

Recordou-se das palavras de Ciro:

— Procura analisar a questão de espírito a espírito, o resto não existe realmente. Os preconceitos sociais foram criados pelos homens.

Cansada, passou os braços pelo pescoço de Rublo, sequiosa de conforto. O cigano sentiu uma onda de calor invadir-lhe o corpo. Era a primeira vez que ela se chegava a ele depois daqueles dias difíceis. Uma emoção diferente, mais terna, despertou dentro de si. Apertou-a carinhosamente de encontro ao coração, conservando-a nos braços, sem coragem de quebrar o encanto do momento.

Dominando-se a custo, o cigano colocou-a no chão e arrancando a ampla capa que levava sobre os ombros, estendeu-a na relva.

— Descansa um pouco. Depois prosseguiremos.

— Estou tão cansada! Quisera ir para casa!

Desanimado pelas palavras dela, afastou-se silencioso, sentando-se em enorme pedra pouco mais além.

Rublo sofria! Em outras circunstâncias, talvez não se sentisse magoado. Habituara-se com os de sua raça à conquista da mulher que bem quisesse, subjugando-a pela força, mesmo contra sua vontade, sem preocupar-se com seus protestos. Aliás, as mulheres ciganas apreciavam por temperamento esta força máscula que acabava por vencê-las. Com Julie, porém, Rublo sentia-se magoado e infeliz apesar de tudo. Ofendia-o profundamente a repulsa da moça para com os seus. Pela primeira vez em sua vida, sentia-se dominado por aquela angustiosa emoção, misto de ternura e amor. De amizade profunda que não se contentava somente com a posse material, mas, que necessitava também da compreensão, do carinho, da retribuição dos seus sentimentos.

Sem poder compreender bem o que sentia, Rublo ficava silencioso, angustiado, triste.

Julie, olhando o céu, melancólica, ouvindo o barulho incessante do vento, estendida no chão sobre a capa do cigano, tentava em vão dominar a emoção.

Naquele momento, compreendeu em toda extensão, a gravidade do ato que cometera enamorando-se por Rublo. Tentara aproveitar-se das emoções deliberada e cautelosamente. As coisas não saíram como esperava. O que fazer agora?

Sentou-se e olhando ao redor, não viu Rublo.

Vago terror insinuou-se em seu espírito. Teria ele ido embora?

As sombras fantásticas das árvores ao sabor do vento criavam em sua excitada imaginação vultos esvoaçantes em todos os lugares.

— Rublo, onde estás?

Em poucos segundos ele estava a seu lado. Silencioso, sentou-se.

— Tenho medo e frio. Não me deixes só aqui neste deserto!

Rublo abraçou-a e inesperadamente ela começou a chorar.

— Não chores, Julie. Jamais te deixarei. És minha esposa! Nosso sangue tornou-se um só. Lamentas a vida que deixaste, porém, eu te darei tudo. Trabalharei para ti. Cobrirei teu corpo de joias se quiseres. Serás a rainha do meu lar. Sou forte e destemido, a meu lado estarás em segurança. Nada te faltará. Por que lamentas?

Beijava-lhe as faces molhadas, dominado pela emoção.

Julie sentiu-se aliviada e mais serena. As palavras de Ciro voltaram-lhe a mente: "Como sabes que ele não é o homem de tua vida?"

A contragosto, sentiu que gostava muito de Rublo como homem, se esquecesse as diferenças sociais.

A cabeça apoiada em seu peito, Julie ouviu-lhe as palavras proferidas com voz trêmula de emoção.

— És minha. Se voltasses para casa, nunca mais serias feliz longe do meu amor. Comigo está a felicidade. Por ti, estou disposto a renegar minha raça e mudar de nome. A trabalhar. Mas, se esqueceres também tua família.

Julie sentiu-se bem, apesar de tudo, com a dedicação daquele homem forte e emotivo. Aos poucos acalmou-se.

Recostada no peito do cigano, olhos cerrados, pensou que afinal não havia motivo para tanto temor. Cedo ou tarde seu pai a encontraria. As evidências provavam que ela tinha sido raptada. Tinha a certeza de que o duque a perdoaria e a levaria para casa novamente.

Pensando melhor, a aventura era extraordinária. Procuraria divertir-se enquanto durasse.

Provavelmente, de volta à casa do pai, a vida voltaria a ser monótona e convencional.

Achegou-se mais a ele, e Rublo, notando-lhe a disposição mais amistosa, apertou-a nos braços com carinho, beijando-lhe os lábios com a força do seu temperamento apaixonado.

Uma hora depois, continuaram viagem e antes que o dia despontasse, haviam deixado o território francês.

Capítulo 16

A voragem do tempo cobriu com seu manto os últimos acontecimentos. Dois anos depois vamos encontrar frei Antônio, semblante preocupado, examinando seus livros de contabilidade. A cada passo, abanava a cabeça desolado.

As coisas iam de mal a pior. Aborrecido, fechou-os e levantando-se caminhou até a janela, olhando a escuridão da noite através da vidraça.

Um rumor de vozes vinha da rua, aumentando a angústia do velho sacerdote. Aquilo parecia-lhe o fim do mundo!

Nos últimos anos, a situação se transformara completamente. Tudo quanto havia de sensato e respeitável estava sendo arrastado pela loucura da revolução.

Quando ela se desencadeara, há dois anos, frei Antônio não a levara muito a sério. Achava loucura e até blasfêmia, insurgir-se o povo contra o rei e o alto clero. Acreditava que aqueles visionários fossem logo presos e o assunto encerrado.

Mas as coisas não saíram como esperava. A queda da Bastilha e a formação do Terceiro Estado representavam apenas o início da transformação que revolveria as apodrecidas bases do regime monárquico francês, levantando depois sobre seus escombros os alicerces republicanos.

Frei Antônio a princípio não se alarmou, nem mesmo quando o rei, cedendo à imposição dos revoltosos, mudou-se para Paris, a nova capital do país.

A queda de Versailles, pensou ele, seria temporária. Em pouco tempo a monarquia estaria restabelecida.

Entretanto, a situação piorava dia a dia.

Até então, a aldeia havia se conservado relativamente calma e um pouco afastada da revolução. Todavia, suas consequências desastrosas faziam-se sentir por todo o país. O pão preto escasseava e as brigas com os arrecadadores de impostos eram frequentes.

Finalmente, agitadores haviam chegado até ali, com jornais revolucionários e panfletos exortando o povo a "tomar" o que lhe pertencia, isto é, um lugar no governo do país.

Os ânimos estavam exaltados e os fidalgos arrendatários daquelas terras, temerosos, fechavam-se em seus castelos, bem armados.

Alguns conseguiram deixar o país, porém, outros mais conservadores e esperançosos no retorno do regime anterior permaneciam conservando-se recolhidos.

Frei Antônio estava profundamente aborrecido. Doía-lhe as injustiças de que estava sendo vítima. Parecia-lhe impossível que criaturas cujo nascimento presenciara, que batizara, que confortara nas amarguras da vida, houvessem esquecido o respeito que lhe deviam, a amizade e principalmente, sua posição de representante da Igreja Cristã, e escarnecessem dele publicamente, ofendendo-o grosseiramente, como faziam agora.

Ele estava admirado! Pensava conhecer a psicologia humana, entretanto, perguntava-se estupefato: "Como poderiam aquelas criaturas terem se transformado tanto apenas aos gritos de alguns agitadores?"

Sentia que a situação era precária. Ninguém mais dava esmolas à Igreja que permanecia deserta, pois os mais religiosos temiam represálias dos agitadores. O magro auxílio que o bispo mandava, raramente lhe chegava às mãos.

Marise sofria com a tristeza do velho amigo, e seu coração apertado pela angústia pensava na mãe tão longe fora do país e no pai trancado no castelo de Merlain.

Orava pelos entes queridos e pela paz, porém, no íntimo sentia que as injustiças praticadas pelos detentores do poder não poderiam permanecer impunes.

Lembrava-se, naqueles dias de apreensão, das palavras de Ciro preconizando a revolução, a transformação de toda a humanidade!

Infelizmente a despensa de frei Antônio estava quase vazia. Se as coisas continuassem assim por mais tempo, não teriam o que comer dentro de breves dias.

Frei Antônio apurou os ouvidos. Uma voz rouquenha vinha da praça, abafada às vezes pelo vozerio e pelos berros de liberdade, morte aos tiranos.

A voz berrava:

— Sim, meus amigos republicanos. Estamos livres! Calcamos aos pés a tirania e somos agora cidadãos republicanos. Porém, a corja de covardes que nos tem sugado o sangue durante toda nossa vida, está à espreita, esperando o momento propício para nos matar! Viemos pois, da nossa capital para ensinar-vos a varrer para sempre destas terras os seus senhores, esses fidalgotes covardes, que a estas horas trancafiam-se temerosos em seus palácios, guardando seus tesouros, que são nossos, que foram arrancados, sugados, roubados do nosso trabalho...

Um hurra entusiasta e algumas frases de baixo calão impediram que frei Antônio ouvisse parte das palavras seguintes. Quando o tumulto serenou, pôde ouvir:

— Sim. Exigindo-lhes a restituição da fortuna, não estareis senão exigindo vossos próprios salários. Deveis cobrá-los! Enquanto sofreis fome e privações comendo pão preto, quando há, e borra de vinho, eles banqueteiam-se com pão branco, bolos, vinhos finos que roubaram às vossas adegas e celeiros! Ide reclamar o que vos pertence e se eles se recusarem, tomai o que é vosso. Tendes esse direito, expulsai o tirano.

Novamente o vozerio tornou as palavras incompreensíveis.

— Vamos — berrou alguém — vamos cobrar nossas dívidas! Ao castelo de Merlain!

Frei Antônio empalideceu. Sabia o que aquilo representava. Ouvira o mesmo fato contado de outras vilas. Jamais pensara que pudesse repetir-se ali, com sua gente.

— Que fazer? — pensou.

Precisava prevenir o duque. E a duquesa? Estava doente, sem força, desde o desaparecimento de Julie há dois anos. Nunca se conformou com o sucedido. Mas, teria tempo de preveni-los? O filho, pelo menos, estava são e salvo no estrangeiro!

A turba passava pela Igreja, com tochas acesas e entoando os hinos revolucionários entremeados de berros e frases ofensivas ao duque de Merlain.

Frei Antônio dirigiu-se à porta com intenção de sair à rua, para tentar impedir a todo custo que eles realizassem seu intento.

Nesse momento, porém, Marise e Liete corriam para ele pálidas e nervosas:

— Tio Antônio! Tio Antônio! Eles vão destruir Merlain! Precisamos sair, avisá-los!

A voz de Marise vibrava angustiada.

— Verei, minha filha, verei o que posso fazer!

Abriu a porta resolvido a sair, mas fitando a multidão obstinada, fanática e colérica que enchia a rua, percebeu que seria impossível.

O que poderia fazer, velho e cansado? A turba chegaria muito antes e por outro lado, temia pela segurança daquelas duas mulheres confiadas à sua proteção.

Marise puxou-o pela manga cerrando a porta.

— Nada poderemos fazer, tio Antônio. Seriam capazes de matar-te. Estão cegos pelo ódio, enlouquecidos pela cobiça!

— Oremos, minha filha! Deus os protejerá.

Entrementes, o duque de Merlain, olhos fixos nas chamas que crepitavam na lareira, sentia-se triste, melancólico. Naquela noite, seu pensamento divagava pelo passado rememorando desde os acontecimentos mais remotos e banais até os mais importantes.

Toda sua vida desfilou assim através da sua mente, produzindo-lhe penosa impressão. Agora, quando seus sonhos mais caros haviam ruído fragorosamente, um sentimento amargo de frustração lhe invadia o ser.

Mais experiente, mais maduro pelas desilusões, sentia que só a si mesmo podia culpar pelos seus desenganos.

A vida fora pródiga para com ele, dera-lhe um berço de ouro, beleza física, situação política e êxito fácil com os semelhantes. Entretanto, que fizera? Apenas depredara tudo quanto recebera. Desde o amor que sacrificara aos interesses e aos preconceitos à indiferença pela sua gente que agora, cansada de sofrer, reivindicava seus direitos violentamente.

Ah! se ele pudesse voltar atrás! Casar-se com Anete, reinar sobre suas terras com brandura e generosidade! Mas, a oportunidade passara, ele a perdera. Era tarde demais!

E... Julie? Por onde andaria? Estaria viva? Nunca cessara de a procurar durante aqueles anos. Nada. Nem uma pista.

Seu coração apertava-se dolorosamente recordando-lhe a figura jovem e querida. Sentia-se moralmente culpado pelo que lhe sucedera.

Fora sua conduta leviana que lhe criara inimigos tão violentos. Compreendia agora que os sentimentos de pai são dolorosos e sinceros. Envergonhava-se de ter infligido a tantos outros o que agora lhe infligiam também.

Doloroso suspiro brotou-lhe do peito enquanto passava a mão trêmula pela testa na vã tentativa de afastar dali os angustiados pensamentos.

Nada lhe restava agora fazer. Sua esposa definhava a olhos vistos. Seu único filho varão curtia, por sua culpa, um amor impossível no estrangeiro. As jovens que infelicitara haviam-se perdido no passado e nada sabia sobre elas, só lhe restavam as obrigações para com sua gente, seus arrendatários. Mas, haveria ainda tempo? Poderia dedicar-se ao trabalho, melhorando-lhes o nível de vida.

Talvez assim, pudesse viver menos amargurado o resto de seus dias. Precisava agir o quanto antes.

Levantou-se da poltrona e dirigiu-se ao gabinete para verificar os livros.

Depois de meia hora gasta nesse trabalho, compreendeu que graves problemas teria a vencer se quisesse levar avante seu intento.

As coisas iam mal, quase todos negavam-se a pagar dízimos e animados pela revolução praticavam toda sorte de abusos contra ele.

Porém, pensava, era apenas questão de tempo. Nunca lhe haviam resistido quando lhes queria agradar. Imerso em seu próprio sofrimento, deixara as coisas tomarem tal rumo, porém, agora tudo mudaria. Dar-lhes-ia novas condições de trabalho, proporcionando-lhes mais conforto e o que os iludiria melhor, mais atenção pessoal lisonjeando-lhes a vaidade, concedendo-lhes certas regalias.

Sim. Falaria com eles no dia seguinte. As coisas modificar-se-iam em Merlain.

Seu pensamento, com especial lucidez, percebia agora a parte que lhe competia realizar para a restauração da sua fortuna, agora tão abalada, satisfazendo ao mesmo tempo os camponeses, proporcionando-lhes uma vida melhor.

Que vozerio seria aquele nos jardins? O que estaria acontecendo? Sobressaltado, foi até a janela e a cena que presenciou vestiu-lhe o semblante de súbita palidez.

A multidão enfurecida, entre risos e gritos ofensivos, onde se misturavam confusamente as palavras direitos, liberdade, igualdade, tirania e os mais obscenos palavrões, do lado de fora do palácio, destruía tudo quanto lhe caía nas mãos.

O duque não teve dúvidas quanto ao que desejavam.

— É tarde — pensou.

Apesar disso, resoluto, abriu a janela de par em par e depois de iluminá-la bem, impávido apareceu à multidão. Jogaria sua última cartada.

A turba, vendo-lhe a figura imponente e que tinham durante a vida inteira aprendido a venerar, emudeceu por alguns instantes.

Roberto, então, começou a falar inteligentemente, tratando-os com deferência e cortesia, dizendo-lhes dos seus planos de reforma financeira, do trabalho que juntos poderiam realizar com vantagens mútuas. Que a revolução, apesar do seu alto objetivo de fraternidade, apenas conduzia ao caos, à fome e à desordem, e argumentava:

— O que tenho aqui em meu celeiro, não vos mataria a fome senão por um dia ou dois... e depois? Como saciá-la? Sem trabalho, sem diretor. Quem arcaria com os prejuízos quando a colheita se perdesse? Por mais que as classes se nivelem, sempre haverá ricos e pobres, dirigentes e dirigidos. Não ver essa verdade é atirar-se de olhos fechados no abismo.

E prosseguia falando magistralmente, com singular simplicidade.

A maioria dos camponeses ouvia-o com interesse e certo respeito, porém, os agitadores percebendo a forte personalidade daquele magnífico orador, sentindo a vacilação do ambiente, começaram a imprecar contra o duque, instando os demais a não acreditarem naquele homem, que vencido pelo medo, tentava ofuscar-lhes os direitos, com truques de oratória, prometendo-lhes regalias que jamais cumpriria.

Em pouco, a balbúrdia se restabeleceu, e os agitadores mais a escória da aldeia encarregaram-se de levantar a chama do ódio e da cobiça que o duque quase lograra extinguir. Alguém tomou de uma pedra e a atirou com violência sobre o duque que apesar de surpreso esquivou-se a tempo, e ela passou-lhe zumbindo pela orelha esquerda, indo cair com desagradável ruído sobre um móvel do gabinete.

Compreendendo inútil seus esforços para serenar aquelas odiosas criaturas, pensou em Alice. Precisava salvá-la. Devia-lhe proteção. Só então notou que a criadagem desaparecera.

— Traidores! — pensou.

Compreendeu que estava só com sua mulher e por ela deveria enfrentar a turba enraivecida. Rápido, apanhou duas pistolas, carregou-as, enfiando-as no cinto. Apanhou todo dinheiro que tinha e meteu-o na algibeira, depois, apressadamente dirigiu-se aos aposentos de Alice.

A esta altura o ruído era já assustador. O duque sabia que tudo quanto havia nos jardins já fora destruído. Pelo ruído, estavam tentando entrar no castelo.

Ao contrário do que esperava, encontrou sua mulher aparentemente calma estendida no leito.

O duque irritou-se.

— Levanta-te. Temos que partir imediatamente ou corremos sério perigo de vida. Não ouves?

A duquesa sentou-se no leito, e Roberto viu que ela ardia em febre. Seus olhos brilhavam excitados e seus lábios estavam secos, cobertos de pequenas rachaduras.

Penalizado, procurou ser mais brando:

— Vamos, Alice. Precisamos agir depressa ou estaremos irremediavelmente perdidos.

— Não irei! — murmurou ela decidida. — Pouco me importa morrer de uma forma ou de outra. Podes ir só.

— Não me obrigues a ser violento! Não é este o momento para cenas. Se não quiseres vir comigo, levar-te-ei à força.

Inesperadamente ela levantou-se.

— Se me tocas, atiro-me pela janela.

Rápida, alcançou a janela abrindo-a totalmente, ficando em atitude ameaçadora.

Alguns dos depredadores viram-na e atiraram-lhe palavras obscenas e odiosas. Alice parecia não ouvir nada.

O duque sentiu-se no paroxismo da angústia. Chegou a odiá-la naquele momento. Certamente Alice não estava em seu juízo perfeito. Permanecia quase despida em sua camisola transparente, indiferente ao frio da noite e a tudo mais que não fosse ele.

— Sabes, pensando bem, é melhor morrer da queda do que cair nas mãos daquela corja! — ria estranhamente. — Destruíste minha vida, quero agora destruir os teus últimos momentos com o remorso! Sim. O remorso de ver por tua culpa meu corpo espatifar-se nas pedras do jardim! Algum dia, em algum lugar, vingar-me-ei, tenha a certeza! Adeus, carrasco!

O duque, percebendo-lhe o intento, saltou sobre ela, agarrando-a para impedir que saltasse o parapeito. Ela porém parecia possuir força centuplicada. Lutavam. Não conseguia vencê-la.

Rindo como louca, Alice mordeu-lhe violentamente uma orelha e Roberto, vencido pela dor, afrouxou as mãos. Foi o bastante. Quando tentou segurá-la, apavorado percebeu que seu corpo rolava rápido e logo depois um baque surdo avisou-o de que ela chegara ao chão.

Aterrado, espiou. A janela era altíssima e ela com certeza deveria estar morta! Passou as mãos pelo rosto suarento e percebeu que o sangue escorria-lhe pela orelha ferida.

Lá embaixo a multidão cercava o corpo inanimado de Alice.

Roberto pensou em fugir. Tentaria escapar de qualquer maneira. O instinto de conservação falou mais alto do que o terror pela tragédia. Começou então a apagar as velas por onde passava a fim de buscar uma saída sem ser visto.

A multidão divertia-se com o suicídio da duquesa. Alguns ergueram-lhe o corpo inanimado exibindo-o aos demais entre ironias e obscenidades.

Se há poucos minutos haviam escutado respeitosamente as palavras do duque, agora estavam completamente transformados, instigados pelos líderes do movimento, guiados pela ambição e pela cobiça.

Em meio ao vozerio alguém berrou que o duque atirara a esposa pela janela, pensando assim satisfazer-lhes o ódio. Talvez até pensasse em fugir. O melhor seria colocar o cadáver da duquesa, como advertência, em pé, na porta do castelo, sem mais demora.

Aos berros dirigiram-se com o corpo de Alice até a porta principal e lá o colocaram, em pé, amarrando pela cintura com uma corda em uma coluna ali existente. Como porém o corpo distendia-se teimosamente para frente, um deles com sinistro sorriso comentou irônico:

— A senhora Duquesa não pode baixar jamais a orgulhosa cabeça.

Levantou-a pelos cabelos e com um punhal espetou-lhe o pescoço prendendo-o à coluna.

A multidão frenética aplaudiu aos berros. A cena era sinistra. Os archotes cujas chamas atiçadas pelo vento frio lambiam fantasmagoricamente o ar, refletiam fisionomias retorcidas onde transpareciam a ambição e o ódio, no extravasamento do lado mais selvagem de cada criatura.

Em meio à balbúrdia, à confusão e aos berros inflamados dos discursos, o cadáver de Alice, pálido como a camisa que o vestia, olhos esbugalhados, coberto aqui e ali de manchas arroxeadas, sangue escorrendo pela ferida do pescoço e pelos cantos da boca, era bem o símbolo da sangrenta revolução que abalando os alicerces do antigo regime, construiria um outro, mais conivente com a elevação da mentalidade humana.

É verdade que lamentamos uma revolução, principalmente essa caracterizada por dolorosos abusos e injustiças individuais. Mas, devemos reconhecer, sem dúvida, que ela era realmente necessária de um modo geral.

Enquanto os homens eram mais ignorantes, os mais espertos os dominaram explorando-lhes a capacidade de trabalho, usufruindo durante séculos dessa supremacia. Tanto abusaram os poderosos calcando aos pés o sentimento cristão de fraternidade, que acabaram sendo destruídos pela sua própria obra.

A instrução era quase impossível ao plebeu, principalmente ao camponês desde tenra idade colocado na rude tarefa de trabalhar para sobreviver.

Os altos impostos que lhes eram cobrados até sobre os mais necessários alimentos, os impossibilitava de ter o suficiente para o próprio sustento, tornando a fome uma companheira.

Não é pois de estranhar que criaturas embrutecidas pela ignorância, sedentas do necessário, vampirizadas pela fome, se revoltassem e reagissem de maneira tão violenta.

A reforma era necessária, urgente mesmo, mas, poderia haver-se processado gradativamente, através das conquistas da inteligência, das leis e do progresso natural da civilização.

Se assim não aconteceu, a culpa coube somente à ganância dos privilegiados e sua inconsequência, seu orgulho acreditando-se superior aos seus irmãos menos afortunados. Para conter o descontentamento sempre crescente, usaram da força criando inconscientemente, a resistência calada que encobria o ódio, a sede de justiça e de liberdade. Quando a tempestade desabou, ninguém poderia contê-la.

Depois de se divertirem com o dantesco espetáculo, alguém lembrou-se de penetrar na casa.

Em alguns segundos de depredação invadiram-na, realizando verdadeira pilhagem. Alguns vestiam-se com belas roupagens ridicularizando seus donos, outros apoderaram-se dos objetos, outros ainda embriagaram-se na adega realizando verdadeira orgia.

Os líderes do movimento não tomavam parte nessas atividades, apenas as estimulavam. Procuraram pelo duque por todo o castelo, inutilmente.

Amanhecia. O novo dia rompia sombrio e frio. Certos de que o duque se havia escondido em alguma passagem secreta do castelo, alguém lembrou-se de atear fogo à casa. Minutos depois ela estava envolta em chamas que o vento avivava, colorindo lugubremente a pálida manhã.

O cadáver de Alice à soleira, em pé, qual mastro sinistro de um navio fantasma, assistia com natural indiferença o naufrágio da casta a que, em vida, tanto se orgulhara de pertencer.

Entretanto, na casa de frei Antônio, ninguém pudera conciliar o sono. Seus três habitantes reunidos angustiados aguardavam ansiosamente notícias do castelo.

Haviam rezado durante algum tempo, porém, a preocupação, a tensão em que estavam, não lhes permitia sequer compreender o sentido das orações que seus lábios repetiam. Em seus corações havia uma súplica ardente pela paz e pela proteção dos moradores de Merlain.

O vozerio chegava-lhes aos ouvidos fracamente e já agora, outras pessoas saíam de suas casas e dirigiam-se a Merlain.

Amanhecia. Madame Meredíet, prática como sempre, foi para a cozinha preparar uma bebida quente. Marise, pálida, permanecia quieta sentada a um canto da sala, enquanto frei Antônio não podia permanecer parado. Ia e vinha, sentava-se e levantava-se.

Abanava a branca cabeça em sinal de desaprovação, deixando escapar de quando em quando palavras de revolta contra a insensatez do tumulto.

O som de fortes pancadas sobressaltou a ambos. Cauteloso, o velho padre foi abrir a porta por trás da qual apareceu a fisionomia abatida e preocupada do doutor Villemount.

Ninguém teve coragem para perguntar o que ardiam por saber. A fisionomia do médico, aliás, não era animadora. Entrou, fechou a porta e deixou-se cair em uma cadeira respirando com força.

— E então? — atreveu-se a perguntar frei Antônio.

Em resposta, Villemount foi até a janela e mostrando-lhe o céu que estava rubro, exclamou:

— Uma tragédia! Nada pude fazer para evitá-la!

Marise abraçada a frei Antônio deixou correr lágrimas nervosas que há muito recalcava.

Não soluçava, apenas lágrimas corriam-lhes pelas faces sem que ela pudesse evitá-las.

Ambos silenciosos deixaram que ela serenasse. Passados alguns minutos, Marise já um tanto refeita, perguntou:

— Como foi?

— Assim que percebi o movimento, dirigi-me ao castelo junto com os demais. Ia resolvido a tentar tudo para demovê-los dos seus planos violentos. Chegando à Merlain, entre gritos e pequenos discursos do pessoal do comitê de Paris, paramos, enquanto eu abria caminho para tentar entrar no castelo. Foi aí que o duque apareceu à janela do seu gabinete. Fizeram-lhe algumas ofensas ao que ele respondeu com brilhante oração. Falou durante meia hora e com tal sinceridade que comoveu a todos. Acalmei-me. Acreditei que a situação estivesse caminhando para o terreno das negociações e que chegariam a um acordo. Porém, tal não desejava o pessoal de Paris. Percebendo que ele ganhava terreno, interromperam-no incitando a multidão. Daí por diante teve início a tragédia.

E o médico, em rápidas palavras, narrou os fatos dolorosos que presenciara, impotente frente à turba ensandecida, e terminou:

— Venho de lá agora. Sei que o duque não foi encontrado em parte alguma. Espero que tenha conseguido escapar.

— Que tragédia! — repetia frei Antônio sem cessar. — Que tragédia!

— Precisamos encarar a realidade. Isto é a revolução! Entretanto, meus amigos, ainda há mais. Ambos devem partir daqui o mais breve possível.

— Partir!! Não é possível. Por quê?

— Ao regressar de Merlain, passei pela casa de Guilhon, agora transformada em sede do comitê revolucionário, com intenção de colher notícias do duque. Fiquei parado fingindo ler o edital fixado à entrada, mas, na verdade, escutando o que diziam. Assim, descobri que ainda esta tarde virão até aqui para intimar-te a te tornares padre juramentado.

— Não é possível! Não se atreverão! Eu que durante toda minha vida não fiz outra coisa senão confortá-los nas tristezas e abençoá-los nas alegrias! É uma injustiça. Não acredito que venham aqui!

O semblante do médico estava sério quando respondeu:

— Não se trata agora de justiça ou não. Esses homens estão revolucionando o sistema social e nada os deterá. Foram eles injustiçados durante séculos para agora importar-se com a alheia injustiça. A verdade é que venceram e como não estão preparados moralmente para essa vitória, abusam dela, dando vazão aos seus recalques de tantos anos. Precisas encarar a verdade. Os padres são odiados em grande maioria pelos abusos que durante séculos vêm cometendo contra o bolso e a vida dos seus semelhantes. O Papa tornou-se um símbolo de poder pelas suas negociatas e política com a monarquia. O povo quer ver-se livre do seu domínio. Porém, o francês é por excelência religioso e não deseja privar-se dos ofícios da religião. Portanto, a câmara resolveu que os padres serão nomeados pelo Terceiro Estado bem como pagos pelo governo. Assim, termina o jugo papal sobre a França.

— É um absurdo. Blasfemam odiosamente. As coisas não podem continuar assim. Deus não permitirá. Eu jamais serei um padre juramentado. Ainda que me matem!

— Aconselho-te a fugir. O mês passado em Lyon assassinaram oitenta padres que se negaram a obedecer as ordens do Novo Estado. Não posso demover-te do teu ideal religioso, porém, quando estiveres a salvo, pensa um pouco, analisa os efeitos católicos romanos, os concílios, os tratados e talvez modifiques teu ponto de vista. Agora urge que te prepares para levar Marise contigo. Ela também corre perigo. As jovens bonitas como ela muito têm sofrido nesta revolução.

Frei Antônio deixou-se cair sobre uma cadeira com a cabeça entre as mãos. Permaneceu silencioso durante alguns momentos. Por fim, respondeu com voz cansada:

— Meu lugar é aqui. Deveria continuar firme na minha missão. Todavia, agora não estou só. Não me compete dispor da vida, porque ela representa proteção e amparo a esta jovem criatura a quem considero como estimada e verdadeira filha. Não desejo entretanto passar por desertor. Antes de sair daqui definitivamente, devo ir ver o senhor Bispo.

Villemount levantou-se de um salto:

— Impossível! Não vês que a viagem seria infrutífera e arriscada? Ademais, não há tempo. Neste momento, meu caro frei Antônio, admiro o trabalho dos teus superiores em anular a vontade dos seus prelados. Parece que o temor à disciplina é maior do que a noção do eminente perigo! Deve preocupar-te somente a maneira de escapar daqui com vida. Não percebes que a situação é dramática? É preciso sermos realistas. Depois, o senhor Bispo talvez também já tenha escapado do bispado.

Frei Antônio indignou-se:

— Não acredito! Ele morrerá como um mártir se for o caso.

Pelo olhar do médico passou um ligeiro brilho malicioso.

— Vejo que os anos não te proporcionaram a desejada experiência em relação ao comportamento humano. Continuas ingênuo e crente nas aparências. Mas, não se trata no caso, de deserção, apenas de um recuo para sobreviver. Deves agir com inteligência. Permanecerás escondido até as coisas se modificarem, depois, voltarás à tua Igreja dignificado pelo exílio involuntário.

— Realmente — balbuciou ele enquanto enxugava o suor abundante. — Acredito. No momento tens razão. Além do que preciso proteger Marise, o que farei até meu último sopro de vida. Mas como sairemos daqui sem despertar atenção! E... para onde iremos?

— Já pensei em tudo. Marise vestirá grosseira roupa de camponesa e tu de homem do povo.

— Ai Deus meu! — gemeu frei Antônio. — Que humilhação! Terei que despojar-me da batina?

— Naturalmente. É ela justamente que te poderá levar à guilhotina ou a outra qualquer morte violenta.

— Penso que chegaram os fins dos tempos. Os últimos dias! Tanta loucura só pode ser obra de Satanás que está às soltas. Mas, o juízo final virá e então eles serão atirados ao inferno!

— Ora, ora, frei Antônio. Desde que no mundo existe a humanidade, as guerras e revoltas têm sido sua constante companheira. São fases de transição evolutiva, nada mais. Mas, o tempo urge. Voltemos aos nossos planos. Existe um lugar onde estarão a salvo: no acampamento dos ciganos ao lado de Ciro.

Marise levantou vivamente a cabeça e sentiu que seu coração batia descompassado.

Ciro! Iria revê-lo? Essa perspectiva a consolava extraordinariamente naquele angustioso momento.

O médico trocou intencional e bondoso olhar com Marise.

— Sei que a seu lado ambos estarão protegidos e em segurança.

— Mas, como encontrá-lo? — indagou a moça.

— De quando em quando, nos correspondemos. Sentimos extraordinário prazer em trocar ideias e também notícias mútuas. Recebi, há quinze dias mais ou menos, uma missiva onde como de costume ele indagava dos meus amigos e informava o local do acampamento onde deverão permanecer durante um mês. Não é muito distante e acredito que viajando durante dois ou três dias, lá chegareis sãos e salvos.

— Não sabia que recebia notícias. Ciro está bem?

A voz de Marise tremia um pouco.

— As notícias são boas com relação à sua saúde física e mental. Mas, tratemos agora dos detalhes do nosso plano.

Traçaram então um plano de fuga. Depois o médico saiu em busca dos trajes para os fugitivos.

Na cozinha, Liete ia e vinha preparando diligente as provisões para a viagem. Seu rosto estava mais duro do que o usual. Custava-lhe separar-se da sobrinha a quem se apegara sinceramente e de frei Antônio a quem respeitava e estimava. Não chorava. Procurava dominar-se. Mas, suas mãos estavam trêmulas e suas faces mais pálidas do que o costume.

Marise arrumou algumas roupas e suas joias em um pequeno saco. Frei Antônio tomou o breviário e o rosário.

Arrumaram seus pertences cuidadosamente no fundo de um cesto comumente usado para compras no mercado. Cobriram tudo com um saco vazio.

Pouco depois, o doutor regressou com as roupas cuidadosamente embrulhadas. Havia profunda mágoa no olhar de frei Antônio quando apanhou as vestes humildes e um tanto usadas. Dirigiu-se calado ao seu quarto para vesti-las.

As roupas de Marise eram grosseiras e largas, assim sua beleza passaria despercebida.

Quando os dois estavam prontos, pareciam outras criaturas.

— Acho melhor cobrires teus cabelos com o xale. Faz frio e assim estarás mais protegida. Ninguém desconfiará. Quanto a ti Antônio, pois que o frei está provisoriamente licenciado, convém que uses uma barba postiça. Assim como estás, serias fatalmente reconhecido. Vou ver o que posso arranjar.

Frei Antônio enrubesceu:

— Não sou um assassino ou ladrão. Não preciso esconder-me assim.

— Meu amigo, não sejas trágico. Será até bom mudares um pouco tua fisionomia. A rotina nos envelhece depressa.

— Não brinques, Villemount. O assunto é doloroso!

— Ainda te lembrarás de mim com gratidão. E não podes te queixar. A roupa serviu-te como uma luva. Olha que não foi fácil arranjá-la. Os camponeses possuem a elegância dos que cultivam a fome, e tu tens o ventre bem fornido. Mas, não percamos tempo... Voltarei em um instante.

Pouco depois retornou e tirando uma barba grisalha do bolso colocou-a nas faces vermelhas do velho padre cujo vexame era evidente.

Após comoventes despedidas e muitas recomendações do doutor e de Liete, partiram, levando o cesto, cada um segurando um lado da alça.

Os olhos comovidos do médico acompanharam seus amigos, que se confundiam com as pessoas das ruas sem despertar suspeitas.

Era comum pessoas estranhas passarem pela aldeia naqueles dias da revolução.

Apesar dos últimos acontecimentos, Villemount sentia-se safisfeito com o que fizera. Salvara duas criaturas da morte e conduzira ao seu sobrinho a criatura que pressentia ser seu sonho mais caro.

Quanto a ele, não corria nenhum perigo. Pelo contrário, era respeitado pelo povo e necessário como médico naqueles dias tumultuosos.

— Que Deus os guie — murmurou vendo-os desaparecer no fim da rua.

Estava cansado, precisava refazer-se. Por isso, dirigiu-se para sua casa desejoso de descanso.

Capítulo 17

Os viajores, entretanto, seguiram rumo a novos destinos. Marise, abatida pelas últimas emoções, apegava-se ao prazer de rever Ciro. Frei Antônio, porém, deixava-se dominar por sentimentos contraditórios. Por vezes arrependia-se da fuga julgando-a precipitada. Afinal, nada haviam tentado contra ele. E se o doutor houvesse se enganado? Teria abandonado seu posto por uma simples suspeita. Nesses momentos, sentia imperioso desejo de voltar.

Depois de caminhar durante duas horas, alcançaram a casa de um camponês, amigo de Villemount, onde deveriam almoçar e comprar dois cavalos para prosseguir viagem. Disseram ao dono da casa serem pai e filha a caminho de Paris, onde residiam. Foram muito bem recebidos.

Depois de almoçarem, frei Antônio, vendo-se a sós com Marise, confiou-lhe seus receios:

— Sinto-me como um desertor. Não posso prosseguir viagem. Estive pensando. Ficaremos aqui esta noite e quando ela estiver em meio, voltarei a Ateill. A cavalo irei em meia hora. Ficarás aqui. Investigarei as pretensões revolucionárias e conforme o que descobrir, decidiremos ou não prosseguir na viagem.

Marise assustou-se:

— É perigoso, tio Antônio. Poderiam reconhecer-te.

— Não acredito. Por tua causa tomarei cuidado. Serei cauteloso. Deves compreender que não posso agir levianamente. Tenho compromissos muitos sérios perante Deus!

Marise, embora receosa, viu-se forçada a concordar.

Assim, alta noite, frei Antônio partiu de retorno a Ateill, vestido ainda de humilde camponês, rosto modificado pela barba.

Quando alcançou a aldeia, verificou que suas ruas não estavam desertas como esperava. A algazarra era enorme e havia muita gente na praça da Igreja.

Preocupado, decidiu rumar para a casa do médico que, vendo-o, assustou-se sobremaneira.

— O que houve? Entra depressa, esconde o teu cavalo atrás da casa. Santo Deus!

Diante da perplexidade do médico, frei Antônio assustou-se de verdade.

Rapidamente amarrou o animal em uma árvore do pomar e retornou apressado para o interior da casa onde o médico, em atitude algo irritada, o aguardava.

— Não desejei partir sem saber se de fato deveria fazê-lo. Vim para saber se teus receios se justificam. É inútil mortificarmo-nos em uma fuga humilhante sem razão de ser.

— És um teimoso, frei Antônio! Não costumo exagerar as coisas. Se te preveni, foi com razão. Vejo que ainda não sabes dos últimos acontecimentos. Acabo de regressar agora mesmo de tua casa.

— O que aconteceu?

— Foi o seguinte: às seis horas da tarde uma comissão foi até lá para obrigar-te a aderir à nova lei. Queriam que renegasses ao Papa e te tornasses um servidor do Estado. Lá chegados, Liete disse-lhes que tinha se ausentado para ver alguns doentes e que regressarias de imediato. Não acreditaram porém e desconfiando da fuga, prenderam Liete, torturando-a para que contasse a verdade. Madame Meretiet foi de uma lealdade extraordinária. Inventaram torturas e acabaram por despir-lhe o busto para seviciá-la. Coberta de vergonha, Liete parecia um cadáver. De repente, dominada por súbita fúria, desabafou dizendo-lhes um acumulado de desaforos e prevenindo-os de que estavas a salvo muito longe dali em casa do bispo. Furiosos com o logro, depredaram teus livros e tuas coisas só escapando a Igreja que por temor não entraram. Por fim, alguém lembrou que Liete era traidora de seus companheiros. Devia morrer. Mataram-na barbaramente, e eu nada pude fazer. Ainda agora lá estão saboreando teus vinhos. Estás satisfeito?

Frei Antônio parecia a imagem do desespero. Não podia falar e suas pernas estavam trêmulas.

— Senta-te — sugeriu o médico notando-lhe o abatimento. — Vou preparar-te um calmante. Deveríamos ter convencido Liete a fugir. Não pensei que chegassem a tal ponto. Toma. Bebe.

Frei Antônio sorveu o remédio automaticamente.

— Sinto ter que ser tão realista. Mas, não temos tempo para rodeios. Deves partir o quanto antes. Se te descobrem, matam-te incontinente.

Frei Antônio arrependeu-se de haver retornado.

Quinze minutos após, deixava a casa do médico que o cumulava de recomendações. Com o coração aos saltos, conseguiu ganhar a estrada rumo à casa onde se hospedavam.

Lá chegando, encontrou Marise um tanto preocupada com sua demora. A moça assustou-se com a fisionomia abatida do velho sacerdote. Muda, esperou que ele falasse.

Com voz grave e triste o padre contou-lhe as notícias que soubera. Quando terminou, o velho não chorou. Permaneceu silencioso olhando o pranto triste da moça pela bárbara morte da tia.

Parecia-lhe impossível que estivessem envolvidos em tais acontecimentos, tão trágicos que tinham o cunho irreal de um pesadelo terrível.

Abraçou Marise tentando confortá-la com palavras de carinho. Depois de analisarem sua difícil situação, resolveram que nada tinham mais para fazer ali, onde ser-lhes-ia perigoso permanecer. Decidiram-se a partir imediatamente.

Rapidamente prepararam-se. Acordaram o dono da casa e disseram-lhe que o velho não se sentia bem e desejava ir para casa o quanto antes, junto da esposa. Despediram-se, reiniciando a viagem. Haviam substituído o enorme cesto por dois sacos que amarraram à sela do animal.

A madrugada fria e cinzenta anunciava um novo dia. Frei Antônio ia preocupado com o destino do mundo e com seu próprio destino, esquecido por momentos da existência da Providência Divina, que no exercício das leis mais perfeitas do Criador, transforma o mal em bem, servindo-se das falhas humanas para impulsionar a evolução da humanidade.

Entardecia. No acampamento cigano reinava grande atividade. O movimento desusado de pessoas havia modificado seu aspecto ordinário.

Naquela época revolucionária, tudo estava se transformando e os ciganos que formavam um povo quase à parte haviam se imiscuído mais com as outras pessoas.

Ciro, entretanto, era a causa daquele movimento no acampamento. Comovido com a dolorosa situação dos seus patrícios, resolveu desde o início da conflagração, auxiliá-los de alguma maneira.

Chocado com a extrema ignorância dos que o procuravam no acampamento, procurava ensinar-lhes o que podia no sentido de melhorar-lhes as condições de vida, alargando-lhes o entendimento, ajudando-os a compreender suas próprias necessidades, para poder viver melhor e mais felizes.

Interessado nesse trabalho de reerguimento, convenceu Pablo a demorar-se em um subúrbio de Paris. Resolveu imprimir novo rumo à sua vida. Entendeu que não podia permanecer à parte, indiferente ao período de transição social que estavam atravessando, cuja crueldade e violência julgava desnecessárias.

Por isso, quando um diretor de conceituado jornal o procurou, atraído primeiro pela sua fama, depois pelos seus conhecimentos e pela sua personalidade, propondo-lhe um emprego como redator em seu jornal, Ciro resolveu aceitar.

A imprensa com o advento revolucionário impulsionou as atividades até então manipuladas pelo alto clero e pelo rei. Os jornais liberais multiplicavam-se na nova capital, com enorme progresso e aceitação. Ciro viu nessa oportunidade uma maneira mais eficiente de propagar seus ideais.

Aceito o encargo, apresentou alguns artigos filosóficos, que foram muito bem recebidos pelos leitores. Sua fama foi se difundindo como filósofo, e o mistério que cercava sua vida, o ambiente onde vivia, as curas que conseguia realizar, serviam de elemento para que todos o admirassem cada vez mais.

Não ganhava muito, porém, como sua despesa era pequena, guardava quase que intacto seu ordenado, distribuindo-o depois entre as criaturas miseráveis que à tarde buscavam consolo, arrimo e conselhos, na sua humilde carroça.

Seus artigos simples mas de natureza fraterna, encarando a vida de maneira elevada, contribuía para que fossem lidos com enorme prazer. Naquela época, quando o culto da liberdade e fraternidade derramava sangue e justificava a violência, os artigos neutros, equilibrados, construtivos e serenos, salientavam-se dos demais.

Os jornais daquele tempo retratavam bem a fase de transição social, político-religiosa que a França atravessava então. Publicavam artigos inflamados contra líderes, contra partidos e contra a monarquia. Críticas sem fim aos sistemas de administração, visando combater a inflação que aumentando assustadoramente, causava ainda maior miséria entre os miseráveis. A tétrica lista dos traidores da pátria que todos os dias alimentava a guilhotina.

Anúncios discretos de pequenos fidalgos arruinados oferecendo-se para serviços delicados. Piadas grosseiras alusivas à família real. E, a um canto, o artigo de Ciro, discreto, lúcido, sereno, analisando a igualdade das criaturas perante Deus, tanto nos merecimentos como nas responsabilidades. Transcrevendo no papel a história de como a tirania dos poderosos no passado pagava pesado tributo no presente, alertando-os ao mesmo tempo que fizessem do presente uma sadia colheita para o futuro.

Escrevendo em estilo agradável, leve, era muito apreciado apesar das enérgicas advertências que continha nas entrelinhas.

Redigia seus artigos pela manhã na humilde carroça em que residia. À tarde, atendia aos infelizes que os vinham buscar, que se compunham de criaturas de todos os tipos. Viúvas e filhos, vítimas obrigatórias do morticínio revolucionário, fidalgos apavorados com a guilhotina, lavradores que haviam abandonado suas terras e rumado para a cidade, iludidos com o entusiasmo do movimento revolucionário e se consumiam à fome.

Fazia o que podia. Dava-lhes dinheiro aconselhando-os o retorno às suas terras e ao plantio para a manutenção da família. Ajudava os fidalgos na fuga do país, confortava as viúvas e os órfãos, procurando-lhes trabalho e amparo o que era muito difícil de ser encontrado.

Finalmente, Ciro sentia-se satisfeito consigo mesmo. Tornara-se realmente útil como sempre desejara ser. Seu coração comovia-se com o amor do Criador que o conduzira com carinhoso amparo através das lutas que vencera para a tarefa que agora abraçara.

A última criatura se retirara, e Ciro aprontava-se para ir ao jornal onde deveria levar seu artigo e trabalhar até a madrugada.

Seu aspecto se modificara um pouco. Vestia-se agora de maneira mais comum à burguesia. Mesmo não sendo vaidoso, compreendera que teria de vestir-se de acordo com suas funções atuais no jornal, para não chamar atenção sobre sua pessoa.

Preparava-se já para sair quando bateram à porta. Ao abri-la não pode ocultar a profunda emoção que o acometeu. Naquelas duas criaturas cansadas, sujas, esgotadas, reconheceu Marise e frei Antônio.

Vencendo a emoção dos primeiros instantes, abraçou-os efusivamente convidando-os a entrar.

O coração de Marise batia descompassado. Seus olhos acompanhavam cada gesto de Ciro com alegria e carinho. Sentia-se feliz porque surpreendera em Ciro a emoção que sua presença despertara.

Frei Antônio que sofria pela humilhação do momento solicitando obséquios a quem várias vezes desdenhara, contou-lhe os motivos de sua presença ali, que tinha por alvo a proteção de Marise.

A dura humilhação da fuga tornara sua voz áspera. Ele falava depressa como que procurando justificativas para escusar-se das solicitações que viera fazer.

Sentia-se pouco à vontade em traje civil e humilde, despojado da costumeira batina que segundo seu próprio pensamento, infundia respeito. Até a bondade que leu no olhar amável de Ciro o irritou um pouco.

Este o ouviu atencioso e pediu notícias do tio. Enquanto os escutava, dispôs alguns alimentos convidando-os a se refazerem da penosa viagem. Por fim, disse:

— Deveis estar fatigados. Precisamos acomodar-vos. É com enorme prazer que vos hospedo. Neste momento, lamento apenas não dispor de maiores comodidades. Amanhã estudaremos com calma a situação. Podeis ocupar meu carro.

— Onde ireis dormir? perguntou frei Antônio admirado.

— Não vos preocupeis. Devo permanecer no jornal até de manhã. Tenho muito o que fazer esta noite.

Marise sentiu o coração pular de alegria. Seu secreto desejo se realizara. Ciro trabalhava de uma maneira mais independente, o que equivalia dizer que se reintegrara na sociedade. Ela podia ter esperanças!

Despediram-se afetuosamente.

Ciro não trabalharia toda a noite, porém, usara o pretexto para deixá-los mais a vontade no uso de modesta residência.

No dia imediato, os três reunidos estudaram a situação. Frei Antônio queria apresentar-se logo ao bispo de Paris e providenciar a internação de Marise no colégio das freiras onde ficaria abrigada até os ânimos serenarem. Ao que Ciro opinou:

— Sois um tanto ingênuo nesses desejos. Os mais visados nesta revolução são os cléricos e os fidalgos. Colocá-la junto deles seria expô-la a perigos imprevisíveis. Além do mais, o colégio encontra-se abandonado. As monjas que lograram escapar ao massacre, saíram do país. Quanto a vós, o melhor será esperar no acampamento. O bispo de Paris está foragido. A vida aqui é rude, porém, estareis protegidos contra a sanha revolucionária.

Frei Antônio abateu-se diante dessa perspectiva.

— Mas aqui não poderei ser útil a ninguém. O ambiente é antirreligioso. Não poderei rezar a Santa Missa nem absorver ninguém reconciliando-o com Deus! Que fazer, meu Deus, que fazer?

Ciro aproximou-se do angustiado padre e colocando-lhe as mãos nos ombros, fixou-o nos olhos com terna compreensão:

— Frei Antônio. O mundo tal como é com suas criaturas mais fortes e mais fracas, pertence inteirinho ao Criador. Se ele determinou essa mudança em vossas atividades é porque dela certamente carecíeis. Aqui, não podereis oficiar missas, nem ouvir ninguém em confissão visto que não desejam fazê-lo, porém, várias são as estradas que o Pai celeste escolhe para auxiliar suas criaturas e talvez encontreis aqui maiores oportunidades não só de pregar mas também de viver o Evangelho de Jesus. Aqui, muitos irmãos nossos sofrem a dolorosa consequência da transição social que se processa de maneira tão violenta. Nesta confusão, nos entrechoques de interesses, ambição e descrença, sentem-se perturbados e inseguros. Há necessidade do bom exemplo da criatura serena, sem paixões, que possa dar-lhes direta ou indiretamente a diretriz justa pautando com seu exemplo singelo a trilha a ser seguida. O caminho que se vos oferece é árduo, difícil. Absolver pecados que não vos atingiu diretamente, promover a liturgia da missa, é coisa fácil e simples. Aqui, vossa tarefa será bem mais difícil. Não sei entretanto se tereis forças para executá-la.

Frei Antônio ouviu pensativo. As palavras de Ciro, embora lhe revoltassem o amor próprio, pareceram-lhe justas e honestas.

— Talvez tenhas razão. Não me preocupa a dureza da vida aqui, mas como poderei viver da vossa caridade? Sou velho. Não poderei trabalhar muito. Se me fosse possível exercer aqui meu ministério, não vos estaria sendo pesado, mas visto que aqui meus préstimos sacerdotais de nada valem, não poderei apelar para vossa caridade. Não é justo e sinto-me humilhado com a situação.

— Mas, quem disse que não precisamos dos vossos préstimos? Não necessitamos da liturgia religiosa, mas da vossa assistência caridosa, dos vossos conselhos. Aqui têm vindo criaturas realmente necessitadas de corpo e espírito. Tenho a certeza de que muito podereis fazer por eles.

— Ademais, — interveio Marise — tenho minhas joias. Elas nos sustentarão durante algum tempo, até resolvermos nossos destinos.

Frei Antônio esboçou um gesto de protesto. Ia falar, mas Marise atalhou:

— Não adianta. Somos como pai e filha. Considero nossos bens comuns. Prefiro despojar-me das joias do que da vossa companhia.

O velho abraçou-a comovido sem poder articular palavras. A generosidade dos dois comovia-o profundamente.

Ficou estabelecido que eles permaneceriam durante algum tempo no acampamento que, apesar da rudeza dos seus habitantes, ainda era o local que mais segurança lhes podia oferecer.

Os ciganos, em virtude das perseguições e ultrajes que sempre sofreram dos nobres, captavam agora a simpatia dos revolucionários que neles viam o símbolo da liberdade. Além disso, procuravam-nos para comprar seus amuletos de vários efeitos, para o amor, para a riqueza, para sair incólume dos sangrentos combates.

Assim, em meio à miséria e confusão reinantes, os ciganos eram quase privilegiados. Astutos, inteligentes, sabiam tirar o máximo proveito dessa situação.

Esses foram os motivos que justificaram a permanência de Marise e frei Antônio no acampamento. Ademais, Ciro era a autoridade moral dentre os ciganos. Respeitavam-no. Quem ele protegesse, eles também protegeriam.

Arrumaram para Marise residir no carro de uma jovem cigana cujo marido morrera recentemente em meio a um conflito revolucionário. Frei Antônio ficaria com Ciro, no carro deste.

Os dias que se sucederam foram emotivos para os nossos amigos. Marise, já em trajes ciganos, para não despertar suspeitas, tomava parte cotidiana na vida do acampamento. Ajudava sua companheira que vivia triste e chorosa, nas tarefas usuais. Deixara de lado suas maneiras aristocráticas e com simplicidade graciosa aprendera a cozinhar, lavar, remendar e até a cantar algumas canções ciganas.

Em meio às modificações que sua vida sofrera e a mágoa de perder entes queridos, era feliz apesar de tudo. A rudeza daquela maneira de viver não a incomodava. Pelo contrário, sentia-se livre e alegre com a proximidade de Ciro.

Ajudava-o a atender aos doentes que o procuravam, esforçando-se para encorajá-los, renovando-lhes a vontade de viver. Interessava-se pelos artigos de Ciro no jornal e colaborava com opiniões tão sensatas e inteligentes que ele foi-se habituando a pedi-las antes de publicá-los.

Quando ele saía para o jornal, aproveitava para cuidar do carro que lhe servia de residência, lavando, limpando, arrumando, deixando-lhe sempre alguma coisa sobre a mesa para comer quando regressasse.

O tempo foi passando e Ciro, apesar do controle que tinha sobre sua vontade, perturbava-se com essas atenções constantes e gentis as quais não estava habituado.

A princípio, temera que Marise sofresse no acampamento com a diferença sensível de ambiente. Temia mesmo uma decepção nesse sentido. Fora esse um dos motivos que o levara a afastar-se dela anteriormente. Porém, notava sua alegria despreocupada, sua vontade de trabalhar, ser útil e compreendia agora mais do que nunca que a queria profundamente.

Às vezes sentia louca tentação de confessar-lhe seus sentimentos. A situação era bem outra agora que a revolução nivelava as classes sociais, propiciando maior valor às quantidades individuais.

Entretanto, lá no fundo do seu coração um sentimento de amargura manifestava-se quando a contragosto revia Marise nos braços do Duque de Merlain. Nessas ocasiões lutava com todas as forças para dominar esse impulso. Lograva assim afastá-lo.

A moça manifestava tanta alegria ao seu lado, tanta confiança e estima que ele sentia-se envergonhado por ainda sofrer a rememoração do desagradável episódio.

Frei Antônio, entretanto, buscou também adaptar-se à nova vida. Durante os primeiros dias, sentiu-se meio desambientado e triste, mas Ciro encarregou-o de diversos afazeres, aos quais procurou realizar criteriosamente absorvendo-se tão intensamente que os dias passaram a suceder-se com extrema rapidez.

Após suas orações matinais, trabalhava com Ciro no atendimento aos doentes e necessitados que afluíam ininterruptamente até o meio-dia.

Suas atividades eram as mais variadas. Pensava ferimentos, cortava cabelos, dava conselhos sobre higiene, pão aos que tinham fome, alguns mantimentos às viúvas e órfãos e aproveitava também, enquanto os atendia, para ministrar-lhes conselhos práticos e de ordem moral.

Geralmente, eles eram atendidos por Ciro que depois os encaminhava a frei Antônio, orientando-o por meio de bilhetes sobre as suas necessidades mais prementes.

Aliás, com os vencimentos do jornal do qual pouco gastava para si, aliados a alguns colegas e amigos que descobrindo sua nobre tarefa no acampamento enviavam-lhe roupas, alimentos e utensílios para serem distribuídos, Ciro conseguia atenuar um pouco o sofrimento dos que o procuravam.

O tempo foi passando e seis meses depois de haver chegado ao acampamento, o padre encontrava-se muito a vontade dentro das grosseiras roupas que usava, a distribuir consolo e alimento, conhecimentos e amparo, entre aqueles que careciam de tudo, até da compreensão necessária para retribuir a assistência tão carinhosa que recebiam.

Sobre isto, frei Antônio trocou ideias com Ciro:

— Não que eu esteja desejando recompensa pelo que faço, mas às vezes esses ingratos nos inspiram por instantes o desejo de deixá-los à mercê da própria sorte. Criticam o que lhes dou para comer, reclamam contra minha maneira de cortar-lhes os cabelos, tratam-me como a um criado, aceitando nossos esforços como se fôssemos obrigados a ajudá-los!

Ciro sorriu alegre:

— Realmente tens razão. Essas criaturas são assim. A vida tudo lhes tem negado, é natural pois que acreditem ser um direito o pouco que lhes possamos dar. Ignorando as causas dos seus sofrimentos e os benefícios que eles lhe trarão ao espírito, são em sua maioria revoltados ou covardes. Alguns desses riem-se de nós, julgando-nos tolos ou malucos, porém, aqueles cujo sofrimento já alargou a compreensão, ouvem os nossos conselhos, procuram segui-los e isto deve nos recompensar. Todas as pessoas são filhas de Deus. Se um deles se transvia por ignorância, por imaturidade espiritual, procedendo mal, Ele permite que ele colha as consequências dos seus atos para que aprenda a viver com responsabilidade. Apesar disso, sente-se satisfeito quando alguém lhe ameniza a rudeza do aprendizado.

— De fato, assim deve ser. Mas estes ingratos nos fazem esquecer por vezes a tolerância e a fraternidade.

Com aqueles poucos meses de convivência, frei Antônio havia aprendido a respeitar Ciro. Sua superioridade moral evidenciando-se a cada instante, no atendimento das tarefas diárias, suas palavras sempre sábias encontrando explicação justa e elevada para os acontecimentos e os problemas que defrontavam, despertaram profunda admiração no velho padre.

Ciro, por delicadeza, não falava em religião, apenas comentava com ele a beleza dos ensinamentos Evangélicos e a necessidade do homem de adquirir conhecimento interior, lucidez e maturidade, para poder libertar-se e ser feliz.

Frei Antônio começou a rever os Evangelhos, sob novos aspectos. A sentir nos ensinamentos de Jesus mais realismo e beleza, antes nunca observados.

O bondoso velho a esta altura já se esquecera um pouco do passado. Sentia-se feliz com a atividade que estava desempenhando. Naqueles poucos meses, aprendera muito mais sobre as reações humanas do que durante seus 35 anos de sacerdócio.

Aos poucos foi compreendendo como vivera rodeado de hipocrisia. Quando vigário, era respeitado na verdade, mas, as pessoas como que se modificavam diante dele, desejosas de aparentar virtudes e qualidades como se Deus se baseasse na opinião dos padres para julgá-las. Tudo era reprimido, falsificado.

Agora, isento das funções sacerdotais e sem batina, tornara-se um homem pobre e comum e as pessoas não precisavam fingir diante dele.

À noite, quando cansado, dirigia suas preces a Deus, sentia-se mais a vontade, parecendo-lhe mesmo que nunca se encontrara mais perto do Criador do que agora. Apesar de separado dos paramentos de sua Igreja, nunca exercera um sacerdócio tão poderoso e humano. Sentia-se infinitamente feliz.

Às vezes, davam abrigo no acampamento a fugitivos, disfarçados que ali sabiam encontrar auxílio. Foi assim que certo dia, quase um ano depois que frei Antônio estava no acampamento, lá surgiu um homem que, apesar de vestido pobremente, frei Antônio reconheceu como um padre muito seu amigo.

Conversaram longamente e o outro convidou-o a acompanhá-lo até a Inglaterra. Tinha tudo arranjado.

Neste particular, os ciganos tiravam boas vantagens. Chefiavam grupos de fugitivos conduzindo-os para fora do país, cobrando-lhes boas quantias.

Frei Antônio ficou preocupado. Se ele não fosse junto com o colega, seria tido como desertor, perjuro, mas... e Marise? Concordaria em segui-lo? Não podia arriscar-se a levá-la. A empresa era perigosa, ao mesmo tempo repugnava-o deixá-la no acampamento sem a sua proteção. O que fazer?

— Olha, Jean. Adia tua partida até amanhã à noite. Preciso resolver um sério problema para poder partir contigo.

Contou-lhe em poucas palavras sua responsabilidade com Marise.

— Vamos procurá-la e depois iremos conversar com Ciro que nos ajudará a resolver a situação.

— Quem é Ciro, o "santo" do acampamento? — perguntou num misto de ironia e curiosidade.

— Já o conheces?

— Não, mas tenho ouvido falar nele. Gostaria de conhecê-lo.

Momentos após, ao lado de Marise, chegavam ao carro onde Ciro trabalhava. A um convite, penetraram em seu interior.

Padre Jean a custo conteve um grito de susto:

— Frances! Tu aqui?

Frei Antônio ficou interdito por alguns segundos, depois sorriu, dizendo:

— Já o conheces? Este é Ciro que tanto desejava conhecer.

O outro, olhos fixos na fisionomia serena do ex-sacerdote, parecia estar diante de um fantasma.

— Não, este é o padre Frances, cujo caso tornou-se famoso anos passados. Não te lembras?

Frei Antônio ficou boquiaberto. Ciro era o famoso padre Frances que morrera queimado pela prática da feitiçaria e por heresia? Estavam diante de um proscrito?

Marise, perturbada pela revelação inesperada do passado do homem que amava, baixou os olhos discretamente.

Somente Ciro permaneceu completamente senhor de si mesmo.

— Como vai, Jean?

O outro parecia assustado.

— Não é possível — murmurou por fim. — Como escapaste ao cumprimento da sentença?

— Escapar à justiça dos homens se torna relativamente fácil, escapar à justiça de Deus, jamais nos será possível. Eis porque agi daquela maneira no passado.

Jean, que ultimamente sofrera inúmeras provas, não era mais o padre puritano e zeloso dos dogmas romanos como naqueles tempos quando colegas de seminário, onde Frances era bibliotecário e ele exercia o cargo de professor. A vida modificara-o um pouco e a aparência nobre de Ciro impressionou-o bastante. A barba curta e negra que ele usava agora, os olhos profundos e sinceros aureolavam-lhe a fisionomia bela e firme assemelhando-o mesmo a um santo. Foi por isso que respondeu:

— Não me compete julgar os atos de ninguém. Deus poupou-te a vida. Alegra-me encontrar-te, embora em tão tristes circunstâncias em meio a esta horrível revolução.

Jean calou-se fitando Ciro interrogativamente. Este porém disse simplesmente:

— Acomodai-vos. Viestes procurar-me, do que se trata?

Padre Jean, sentando sobre estreito banco, ardia de curiosidade. Precisava saber tudo para relatar aos superiores quando os encontrassem. O outro porém, não parecia disposto a confidências.

Sufocando seus pensamentos, Jean esperou que frei Antônio expusesse o caso. Este por sua vez, sentia-se enleado com a descoberta. Ciro... um proscrito! Arrepiava-se ao pensar nisto. Por isso conhecia ele tão bem a religião! Como não desconfiara há mais tempo? Fosse antigamente, esse fato bastaria para torná-lo também proscrito de sua estima, porém, agora, após essa íntima convivência, admirava-o, estimava-o e o homem de hoje impunha-se pela superioridade extraordinária à lembrança do obscuro padre Frances de quem mal ouvira falar.

Reagindo sobre o tumulto de seus pensamentos, entrou no assunto que os levara até ali.

Ciro ouviu atentamente.

— Nada mais justo que desejes retornar ao convívio dos teus amigos. Farei o possível para ajudar-te.

— Sei disto e agradeço-te — atalhou frei Antônio. — Porém, não sei se devo arriscar a vida de Marise expondo-a ao perigo da fuga.

— Tio Antônio. Gratíssima sou já pelo muito que tens feito por mim. Aqui, apesar da vida simples e rude, sinto-me feliz e protegida. Não desejo ir embora. Ao mesmo tempo, não me sinto com o direito de impedir-te de viajar rumo à liberdade. Portanto, podes partir sem receio. Trabalharei para manter-me e tenho a certeza de que serei bem-sucedida.

Os olhos de Ciro brilhavam quando atalhou:

— Pretendes trabalhar em quê, na pintura?

Marise sorriu alegre:

— Não possuo mais sonhos inúteis. Nunca seria uma grande artista. Procurarei tarefa mais objetiva. No colégio, aprendi a coser, a bordar, a tecer e a tocar. Darei aulas, ou quem sabe, na era do jornalismo que se inicia, encontrarei um lugar. Não tenho receio da luta.

— És generosa, minha filha. Entretanto, temo deixar-te assim. Ao mesmo tempo o dever me chama. Se não seguir agora, passarei diante dos meus superiores por desleal e traidor dos compromissos assumidos.

— Tem calma, Antônio. Eu tenho pressa, entretanto, não haverá inconveniente em esperar até amanhã a noite. Tens até lá para resolver.

Conversaram durante algum tempo sobre a fuga. Depois, trataram de acomodar-se para dormir, enquanto Ciro se encaminhava para o jornal.

Enquanto procurava conciliar o sono, padre Jean pensava que teria todo o dia seguinte para investigar a respeito de Ciro. E desejava aproveitar bem o tempo.

Ao retornar ao acampamento pela manhã, Ciro procurou por Marise que já começara a lida do dia. Em seu olhar suave havia mais brilho do que o comum.

A moça saudou-o alegre, oferecendo-lhe uma bebida quente. Ciro apanhou a caneca e começou a beber. A certa altura, levantou os olhos procurando os dela e indagou firme:

— Por que desejas permanecer aqui?

Apanhada de surpresa, Marise perturbou-se.

— Porque gosto daqui... — respondeu um tanto corada.

— Gostas desta vida rude? Tenho notado que a orgia cigana te causa mal-estar. Apesar de atenciosa com todos, sei que não possuis aqui nenhuma amiga com quem sintas prazer de conversar. As mulheres ciganas em sua maioria são de nível espiritual muito inferior ao teu. Tens agora ocasião de retornar à vida anterior, onde serás respeitada, terás ambiente social e poderás encontrar um companheiro para unir teu destino. Por que não queres seguir com frei Antônio? Sei que não é o medo da fuga o que te preocupa. O que é?

A voz de Ciro era doce, compreensiva. A brisa matinal era suave e os pássaros cantando alegremente, impregnavam o ambiente de doçura e paz. Quase sem raciocinar, Marise respondeu:

— Não quero deixar-te. Minha felicidade consiste em seguir teus passos. Não ambiciono nada. Desejo apenas oportunidade de colaborar com teu trabalho. A minha vida anterior era vazia e triste. Agora, parece-me ter encontrado um objetivo mais elevado para viver. O ambiente realista do acampamento, às vezes, me atemoriza, porém, basta a certeza da tua proximidade para que meu coração se encha de paz e serenidade. Eu não quero ir embora. Quero ficar onde estiveres.

Comovido com o tom sincero da moça, Ciro abraçou-a com ternura. Quando dominou a emoção, tornou:

— E não pensas encontrar um companheiro?

Marise ergueu para ele os olhos em que brilhavam algumas lágrimas.

— O único companheiro que me faria feliz não me deseja por esposa. Jamais poderia unir-me a outro.

— Não deves dizer isto. És a única mulher que sempre amei. Já conheces parte da história da minha vida. Sou um proscrito. Isto talvez importasse pouco, eu sei, porém, tenho um ideal que desejo cumprir. Desejo ser apóstolo de Jesus. Apóstolo verdadeiro, como foi São Paulo e tantos outros. Não possuo senão as poucas roupas de que necessito para conservar a decência. O casamento não me faria mudar. Que espécie de vida te poderei dar?

— É isto então o que te preocupa? Também sentes amor por mim?

Ciro alisou com carinho os lindos cabelos dela.

— Sim. Sinto um amor sincero, imenso. Por isso afastei-me de ti. Por isso mesmo peço-te que acompanhes frei Antônio.

O rosto de Marise que às primeiras palavras se iluminara, refletiu em seguida profunda decepção.

— Não te compreendo. Gostas de mim e, no entanto, queres que eu me afaste talvez para sempre! Julgas-me indigna de partilhar contigo esta existência?

— Sabes que não se trata disso. Encaras a situação como se estes poucos anos que nos restam de vida aqui na Terra representassem a eternidade. Para mim, representam apenas curto período de trabalho, findo o qual terei direito ao repouso recuperador e à verdadeira felicidade. É lá, nesse mundo, que desejo unir-me ao teu convívio pelos laços sagrados e puros da espiritualidade. Tenho meu ideal de trabalhar aqui na Terra. Ele é rude e áspero, não posso de maneira alguma abusar da tua inexperiência, arrastando-te a uma vida miserável que certamente virias a detestar com o correr dos anos, torturando nossa união.

Marise baixou a cabeça pensativa por alguns instantes.

Ciro largou-a procurando dominar-se. Inesperadamente a moça volveu para ele os olhos azuis onde havia determinação.

— Ciro, tua atitude me surpreende bastante. Tu que te dedicas ao socorro do próximo, orientando-o, mostrando-lhe o caminho certo para a felicidade espiritual, como podes apontar-me sem hesitar os caminhos efêmeros da posição social e das alegrias mundanas como se fossem o melhor para mim? Dizes que me tens amor, entretanto, roubas-me a oportunidade de aprender contigo, de ser guiada pela tua proteção e carinho através dos caminhos que conduzem à felicidade. Arremessas-me sem piedade aos braços de outro homem a quem jamais viria a amar e a quem estaria atraiçoando em pensamentos. Sinto dizer-te, mas revelas egoísmo com tuas palavras. Egoísmo e falta de confiança em meu amor. Temes que mais tarde eu venha a lamentar nossa união. Se tal acontecesse, certamente meu amor teria sido ilusão. O que é verdadeiro não se anula pela experiência, mas se afirma sempre mais. No fundo não tens confiança em mim, por quê?

Ciro intimamente reconheceu verdadeiras suas palavras. Isto perturbou-o um pouco. Reviu num relâmpago a cena de Marise nos braços do duque de Merlain. Embora tivesse sempre lutado contra a funda impressão que ela lhe causara, sentia que nas profundezas do seu subconsciente, ela ainda lhe causava invencível mal-estar.

— Talvez tenhas razão. É bom que descubras minhas inúmeras falhas e fraquezas. Pode ser que estejas sob a influência da auréola que a superstição e a simplicidade das criaturas que tenho procurado ajudar, criou ao meu redor. É possível que ames o "santo", o bom, o nobre Ciro que não existe na realidade. É conveniente que conheças Frances, o proscrito, o condenado, envolto em lutas morais e íntimos conflitos, em busca do domínio dos próprios sentimentos. A luta é difícil e muitas vezes tenho fracassado, porém, é preciso perseverar, para recomeçar sem tréguas nem descanso. Desejaria ver-te palmilhando esta estrada, entretanto, no meu egoísmo, sinto pesar pelos inevitáveis sofrimentos que terias de suportar. Olha-me bem. Estarias preparada para sofrer comigo?

Os olhos dela brilharam de maneira eloquente.

— Sou forte. Creio estar preparada. Desculpa-me a rudeza das palavras que foram ditadas pelo ardor com que advoguei minha causa. Enganas-te quando supões que eu ame unicamente teus dons curadores ou tua fama. Embora te admire, eu amo o homem que és. Cada fraqueza tua me aproxima mais de ti. Se fosses perfeito, eu não teria ocasião para ter esperanças. Estarias muito acima de mim e serias intangível. Porém assim como te revelas agora, apesar de muito superior ainda, me permites a esperança de partilhar da tua vida, de ficar a teu lado o resto dos meus dias.

— Marise!

A voz de Ciro era cheia de ternura.

— Devo confessar-te que seria imensamente feliz em viver ao teu lado. Porém, não desejo que cedas a um impulso. Esperemos mais algum tempo e se de fato me quiseres, casar-me-ei contigo.

Bem juntinhos, abraçados, permaneceram durante alguns instantes imersos em doce alegria.

Mais tarde, Ciro procurou frei Antônio perguntando-lhe se já decidira sobre a viagem.

O bom velho passara a noite insone, preocupado. A questão era: desertar da Igreja ou deixar Marise ali, no acampamento. Não sabia ainda o que ia fazer quando Ciro o procurou:

— Eu não posso desertar por causa de outros interesses. Embora ame Marise como filha, isso não é justificativa, uma vez que para um servo de Cristo, não pode haver nada mais importante do que a religião.

— Frei Antônio. Insisti com Marise para que vos acompanhasse. Ela não quer ir.

— Esse é o problema. Não posso obrigá-la.

Nessa altura frei Antônio passeava nervosamente:

— O que direi ao seu pai se vier pedir-me contas?

— O pai dela está vivo?

— Acredito que sim. Até agora não soube que houvesse morrido.

— Frei Antônio, Marise é uma boa moça. Sabe conduzir-se. Não é motivo de preocupação. Além do mais, estará sob minha proteção.

— Isto me acalma. Confio em ti. O que me preocupa é outro problema. Não sei se deva... Acredito que ela não quer ir, porque deseja ficar a teu lado.

— Realmente assim é.

— Então sabes? E o que dizes a isto?

— Desejaria casar-me com ela. Porém, não mudarei de vida por causa disso. Tenho meu ideal que precisa ser realizado. Expus-lhe tudo esta manhã. Nossa vida seria de lutas, renúncia e trabalho. Ela acedeu. No entanto, dei-lhe tempo. Continuaremos bons amigos durante alguns meses, e depois se ainda me quiser, nos casaremos.

Frei Antônio suspirou aliviado.

— Agora já posso partir sem receios. És um homem de bem. Deus permita que consigam unir-se. Que felizes serão! Existe algo que preciso dizer-te sobre ela.

Frei Antônio revelou então a Ciro o passado de Marise, sua origem, a história de seus pais.

À medida que ouvia, Ciro sentiu que agradável calor o envolvia. Mais uma vez intimamente condenou-se pelas dúvidas que o haviam assaltado contra o duque de Merlain.

Ao cair da tarde daquele mesmo dia, frei Antônio partiu com padre Jean, guiados por um cigano incumbido de os levar à fronteira. As despedidas foram comoventes e frei Antônio prometeu enviar notícias assim que lhe fosse possível. Deixou o endereço da sede do Bispado em Londres onde deveriam apresentar-se, representando o ponto de contacto entre eles, caso Marise quisesse escrever-lhe.

A caminho, lançando um último olhar ao acampamento que já se perdia na distância, frei Antônio sentiu-se muito triste. Infinitamente triste e absolutamente só. E à medida que se distanciava, não pôde conter as lágrimas que sentidas rolavam-lhe pelas faces, que embora quisesse, não conseguiu ocultar.

Capítulo 18

Retornemos um pouco ao castelo de Merlain, ou melhor, às suas ruínas. O imponente edifício nada mais é agora do que um montão de escombros enegrecidos pela fumaça.

Há tristeza e desolação em seu redor. Os habitantes de Ateill não sobem até lá, temerosos, por causa dos boatos que circulam pela aldeia.

Dizem eles que, durante a noite, a duquesa Alice é vista vagando pelas ruínas, ora gemendo e chamando pelos filhos, ora clamando por vingança.

Alguns campônios haviam ido lá por curiosidade, e a aparição os deitara a correr ladeira abaixo em louca carreira. Outros afirmavam terem visto também o espectro do duque, amargurado e triste, vagando pelos campos circunvizinhos.

O que havia de verdade em tudo isso? Eles não podiam afirmar nada, nós, porém, presenciamos os fatos.

Na noite da tragédia, o duque, sentindo-se perdido, procurou fugir do castelo. A primeira ideia que lhe ocorreu foi mudar de roupa para não ser reconhecido com facilidade.

Abaixado, para que não lhe vissem o vulto do lado de fora, dirigiu-se ao porão onde havia a roupa dos servos e rapidamente vestiu-se com uma túnica de camponês. Subiu a escada do porão e aterrorizado percebeu que a casa estava em chamas.

Correu de um lado a outro desesperado, porém, era tarde demais. As saídas estavam tomadas pelo fogo. Gritou instintivamente por socorro, porém sua voz perdeu-se no ensurdecedor ruído que vinha de fora.

— Chegou minha hora — pensou.

Num relance a figura de seus filhos passou-lhe pela mente, intimamente regozijou-se por nenhum deles se encontrar ali. Certamente não seriam poupados.

Mas, a revolta assaltou-lhe o espírito. Por que deveria morrer queimado? Por que sofrer tão grande castigo?

Pareceu-lhe ver rapidamente a fisionomia de Alice, horrível, com o pescoço sangrando, a rir, rir sem parar.

Imaginou-se joguete de um pesadelo terrível. Aquilo não podia estar acontecendo com ele!

A fumaça sufocava-o e em desespero Roberto instintivamente procurou a saída. Arrancou uma das cortinas, envolveu-se nela e tentou atravessar as chamas.

Sentiu-se asfixiado. Olhos cerrados, parecia-lhe estar metido no inferno.

Foi quando parte do teto desabou e uma viga caiu-lhe sobre a cabeça. Roberto tombou sobre as chamas desacordado. Em pouco tempo seu corpo ardia em igualdade de condições com as paredes e móveis do castelo.

O espírito de Roberto permaneceu inconsciente durante alguns dias. Por fim, ainda no local da tragédia, que já agora estava silencioso e triste, frio e desolador, ele começou a mover-se sobre as ruínas onde seu corpo fora reduzido a cinzas.

A princípio, não deu acordo do que acorrera. Levantou-se. Sentiu dores pelo corpo que ardia. Olhou em seu redor e não reconheceu a paisagem. Onde estava? Como fora parar ali? Que triste e estranho lugar seria aquele?

Devia voltar para casa. Desejou locomover-se, mas quanto mais desejava ir para casa, mais se lhe tornava difícil sair dali. Entretanto, era-lhe penoso aquele lugar desolador. Sentia-se angustiado, oprimido, sufocado. Parecia-lhe estar sonhando.

Nesse estado permaneceu durante algumas semanas. Sem recordar dos últimos acontecimentos, intrigado, jungido às ruínas do seu castelo, o espírito de Roberto andava por elas em busca de alguém que o esclarecesse.

Certo dia, viu alguns camponeses que subiam até lá e esperou-os para perguntar-lhes o que lhe acontecera. Alegre, aproximou-se deles que continuaram a conversar sem lhe darem a mínima atenção.

Roberto falou-lhes, protestou, pediu, perguntou, ordenou, inutilmente. Nem sequer pareciam notá-lo.

Cansado, encolheu-se a um canto e procurou ouvir o que diziam:

— Pois eu continuo pensando que aquele usurário do duque tinha um tesouro escondido, talvez enterrado. Não creio que ele possuísse apenas o que vimos naquele dia.

— Eu também acho. A não ser que o velhaco tenha mandado tudo para fora do país com o filho.

— Não. Isso, não. Temos que procurar. Vamos buscar algumas pás e esta noite mesmo começaremos. É um palpite que tenho. Nós ficaremos ricos!

Casquilhou uma risadinha seca enquanto que os outros dois suspiravam cobiçosos.

Foram-se risonhos e Roberto permaneceu ainda mais intrigado.

Falavam de um duque. Ele não seria com certeza. Em todo caso, os esperaria para obter maiores informes.

À noite, voltaram os três, sobraçando pás e picaretas. Acenderam um archote e penetraram nas ruínas.

— Vamos procurar a porta do subterrâneo.

Caminharam alguns passos até que um deles gritou:

— Deve ser aqui. Vamos remover estes entulhos. Recordo-me que era aqui a porta do alçapão.

O espírito de Roberto seguia-lhes os movimentos curiosamente.

Depois de uma hora de trabalho, acharam afinal a porta do subterrâneo. Limparam à sua volta e por fim tentaram abri-la. Nesse trabalho gastaram longo tempo. A porta havia emperrado com o calor do fogo. Finalmente conseguiram o objetivo.

A escada escura do subterrâneo apareceu diante deles. Alegremente os três penetraram por ela iluminando-a palidamente com a luz bruxuleante do archote.

Roberto seguiu-os e atônito reconheceu o subterrâneo de sua casa. Sim! Não havia dúvidas. Ali estavam os objetos familiares, as arcas com as roupas antigas, os guardados dos seus ancestrais e os que ele mesmo mandara colocar.

Estavam em sua casa! Mas... como podia ser isso? O que estaria acontecendo?

Entrementes, os três intrusos continuavam palestrando em tom alegre buscando disfarçar o arrepio de medo que estavam sentindo no ambiente tétrico do subterrâneo.

Foi quando Roberto, surpreendido, viu alguma coisa movimentar-se em um dos cantos da sala. Era uma forma humana, um vulto que aos poucos aproximou-se dos três homens que assustados pareciam pregados ao chão.

Quando ele se aproximou mais, Roberto reconheceu a figura sinistra e infeliz de Alice. Seu rosto conservava a imobilidade e a palidez da morte, e em seu pescoço, larga brecha se abria correndo sangue ininterruptamente.

— É uma aparição — pensou Roberto aterrorizado. — Ela morreu. Eu sei que ela morreu!

Era a primeira vez que ele se lembrava desse acontecimento depois que desencarnara. Aos poucos outras lembranças foram se unindo à primeira e ele começou a suspeitar da verdade. Atemorizado, encolheu-se a um canto buscando concatenar os pensamentos.

A figura sinistra de Alice caminhou em direção dos três homens que, embora não a estivessem vendo, sentiam-se gelar de inexplicável pavor.

— Vamos embora — disse um deles. — Isto aqui tem alma do outro mundo!

Foi quando o outro desandou a gritar apavorado:

— Socorro! Socorro! Tirem-na daqui. Ela segura-me pelo braço!

Roberto pôde ouvir Alice dizer:

— Abutres! Vieram saciar-se em minhas carnes podres. Mas elas estão queimadas, estão negras como as almas dos criminosos. Desalmados! Assassinos!

Nessa altura, os dois homens mais senhores de si puxaram escada acima o companheiro que gritara, cujo corpo empalidecido banhava-se de suor.

Vendo-se outra vez na estrada, correram sem descanso rumo à aldeia, contando que tinham visto Alice nas ruínas. Na verdade, apenas um a vira de relance, porém todos contavam a história, ocultando certos detalhes sobre o motivo da visita.

Roberto, entretanto, assim que rememorou seu passado, permaneceu abatido, meditando sobre a vida e seus mistérios.

Estaria ele morto? Mas como? Sentia-se mais vivo do que nunca! O que fazer? A quem indagar? Estava só! Estaria condenado à eterna solidão? O que teria sido feito dos seus?

Dirigiu-se à Alice. Restava-lhe ela apesar de tudo.

— Alice. Triste destino o nosso! Nossas vidas começaram tristemente e terminaram mais tristemente ainda. O que faremos agora?

Ela porém não parecia vê-lo, nem registrar sua presença. Desesperado, Roberto que tinha buscado sua companhia para dividir a tremenda solidão que sentia, compreendeu que Alice não o via nem parecia estar em seu juízo.

Apesar disso, durante horas, Roberto falou-lhe. Suplicou, chorou, ordenou, esbravejou, sem resultado. Por fim, esgotado, triste, encolheu-se a um canto chorando copiosamente.

A quem dirigir-se naquelas circunstâncias? Lembrou-se então de Deus, das orações que aprendera na infância. Quis dizê-las, mas esquecera-se delas pois há muito não as repetia. Roberto sofria o tormento da incerteza quanto a seu destino.

— Ninguém me ajudará? — soluçava aflito. — Deus, ouve minha súplica : quero sair daqui. Quero saber!

Percebeu então que tênue claridade se formou à sua frente enquanto que um vulto de mulher densificou-se a seus olhos. Emocionado, reconheceu a bela figura da cigana que enganara e repudiara.

Vencido pela emoção, atirou-se a seus pés chorando envergonhado, suplicando seu perdão.

O belo espírito de mulher, comovido, acariciou a cabeça daquele que no mundo aprendera a amar, enquanto seu amoroso coração o envolveu em doces e confortadoras vibrações.

Levantou-o carinhosamente abraçando-o com ternura.

Roberto sentiu-se feliz e leve. Uma alegria intraduzível inundou-lhe o ser.

— Roberto. Deus ouviu tua prece. Consegui autorização para levar-te a outros lugares onde possas descansar e reconfortar teu espírito da dura luta em que te envolvestes na Terra. Agora, finda mais uma etapa, regressas à verdadeira pátria. Neste momento importante para nós dois, rememora tuas ações e verifica que poderias ter sido mais feliz se não houvesses servido aos interesses enganosos da vaidade e do preconceito. Caro pagaste teu erro, é verdade. Porém, outras criaturas sofrem consequência das tuas fraquezas. De hoje em diante tens inúmeras tarefas a realizar. Entre outras, a reabilitação de Alice que fraca e ávida de amparo não encontrou em ti o companheiro esperado.

Emocionado, tendo a consciência de sua leviandade, humilhado e triste, Roberto tornou:

— Envergonho-me de tudo. Sinto-me profundamente infeliz. Contigo também tenho profunda dívida de reparação. Tu que me socorres agora carinhosamente! Sei que te fiz sofrer muito. Morreste por meu abandono. Por que não te vingas de mim agora? Eu mereço!

— Nada me deves. Preciosas lições recebi através do sofrimento. Devo-te muito e por isso desejo pagar-te de alguma forma. Quanto a vingança, não creio nela. Quem machuca o próximo, fere a si mesmo. Esquece o passado e sejamos amigos.

Roberto permaneceu pensativo.

— Tens razão. Fiz os teus sofrerem e por minha vez sofri os mesmos tormentos com minha filha. Não sei o que foi feito dela. Terá morrido?

— Não. Não te preocupes. Vive com o companheiro que mais lhe convém espiritualmente e aprende também a lição da vida através das lutas que tem sustentado. Quando estiveres melhor e mais equilibrado, poderás visitá-la.

A esta perspectiva, Roberto entusiasmou-se.

— Vamos agora. Temos muito que andar e faz-se tarde.

— E Alice?

— Não poderá seguir por agora. Ela pôs fim à existência. Deverá sorver até o fim a experiência em que se atirou. Não te preocupes. Tudo será resolvido a seu tempo. Vamos.

Abraçado ao espírito leve e vaporoso da cigana, Roberto começou a caminhar com extrema rapidez e dentro em pouco desapareciam em demanda a novos destinos.

Capítulo 19

A tarde declinava balsamizada pelo aroma doce da primavera. Em um bairro sossegado, um homem idoso, vestido modestamente, procurava por um endereço. Seu rosto corado retrata ansiedade e cansaço. Porém, em seus olhos brilham uma alegria de criança.

— Será esta a rua? — falou consigo mesmo. — Vejamos... é esta sim, agora o número... 160... 172... é do outro lado. 185... 195... 197. Finalmente, 197.

Parou alguns instantes, coração aos pulos, examinando a casa. Era de construção antiga, ampla. Possuía jardim gracioso onde várias crianças corriam e brincavam despreocupadas. Sobre sua fachada, em uma placa singela estava escrito: “Lar Cristão”.

Lágrimas brilhavam-lhe nos olhos quando tocou a sineta. Foi atendido por uma jovem que o conduziu à pequena sala no interior da casa.

— Queira esperar um momento.

Enquanto aguardava, o ancião pôs-se a observar o ambiente que o rodeava. Apesar de modesto era alegre e rigorosamente limpo.

A porta abriu-se e o rosto sereno de Marise apareceu curiosamente por ela. Não pôde conter uma exclamação de alegria:

— Tio Antônio! Que surpresa!

Em poucos momentos abraçava efusivamente o visitante.

— Marise, minha filha!

Permaneceram abraçados durante alguns minutos lutando para dominar a emoção.

Quando cessaram as efusões, Marise conduziu-o até a outra sala e instalou-o confortavelmente em uma cadeira. Sentando-se a seu lado, começou:

— Tio, desejo saber tudo quanto tens feito nestes seis anos.

— Realmente. Seis anos se passaram desde aquele triste dia em que nos separamos. Mas... e Ciro, onde está? Estou ansioso por abraçá-lo.

— Está para chegar a qualquer momento.

— Minha filha, durante tantos anos recebi somente duas cartas tuas.

— Pois foi mais feliz do que nós que nunca soubemos de tuas notícias.

— Conta-me tudo. És feliz?

— Tanto quanto se é possível ser aqui na Terra...

— O que aconteceu depois que partimos?

— Vou contar-te. Como sabes, havíamos combinado esperar algum tempo para decidirmos nossa união. Durante as primeiras semanas que se seguiram à tua partida, senti tua falta infinitamente. Resolvi por isso voltar-me ao trabalho e passei a colaborar no jornal com Ciro. Isto contribuiu para harmonizar ainda mais nossos espíritos. Foi quando tudo aconteceu.

"Uma manhã, quando me dirigia ao carro de Ciro para a primeira refeição, um choro de criança surpreendeu-me. Abri a porta e vi Ciro com um bebê no colo e uma garota de aproximadamente dois anos, chorando convulsivamente encostada ao seu peito.

Aproximei-me penalizada e soube então que aquelas duas criaturinhas haviam sido abandonadas em frente ao jornal desde a véspera. Ninguém quisera levá-las para casa pois que, segundo diziam, cada um tinha encargos demais com a própria família.

Assim, quando os colegas se foram, Ciro viu-se a sós com as duas crianças. O menino tinha dois ou três meses mais ou menos. Sem saber o que fazer, penalizado, trouxe-as para o acampamento.

Imediatamente, tratei de assisti-las e verificamos que o bebê trazia um bilhete preso às roupinhas interiores. Era o apelo comovente de uma mãe que sentido-se morrer, pulmões carcomidos pela doença e pela miséria, entregava os filhos à própria sorte. Resolvemos cuidar de ambos até que uma família caridosa os adotasse. Porém, outros problemas surgiram com o tempo, entre eles a crise e a miséria que reinavam na classe pobre, que era a mais acessível ao amor dos pequenos.

Um dia, cansado de permanecer parado, Pablo decidiu-se ir embora, correr mundo outra vez com sua gente. Se Ciro abandonasse o jornal, a situação seria difícil para nós. Não queríamos separar as crianças e o ambiente do acampamento não lhes era muito propício como exemplo. Por fim, em uma noite de mútuo entendimento, resolvemos nos casar e deixar o acampamento. Lembro-me de que Ciro disse:

— Sinto que através da criança existe uma verdadeira obra de reconstrução espiritual. É mais importante prepará-las para vencer com segurança suas batalhas do que socorrê-las na velhice, no rumo, no vício e na prostituição. Vamos cuidar da educação destas duas criaturinhas e de outras que o Senhor colocar em nosso caminho. A obra é vasta neste momento de violenta transição político-social. Com o que ganho, vivemos modestamente, mas felizes. Sei agora que serás uma companheira ideal.

Foi assim. Casamo-nos na semana seguinte. Mudamo-nos para uma modesta casinha num arrabalde. Daí para cá, pouco temos para contar. Os acontecimentos sucederam-se independentes da nossa vontade. As notícias correm logo e a fama curadora de Ciro se espalhou ao nosso redor. Muitos vinham a nós, necessitados de conforto moral e material. Abandonaram outras crianças em nossa porta, certos de que seriam socorridas e amparadas. Dentro de pouco tempo, preocupava-nos o problema de espaço. A pequena casa tornou-se insuficiente para abrigar a todas. Porém, Deus zela pelos seus filhos. Amigos nos procuraram para oferecer-nos esta casa a preço mais do que módico e que eles se propunham a angariar em coletas através do jornal para pagar. Viemos ver a casa e compreendemos logo o motivo do preço tão exíguo.

Diziam seus vizinhos que ela era mal-assombrada. Ninguém conseguira morar nela depois que seu dono fora assassinado nos negros dias da revolução.

Realmente, Ciro divisou aqui o espírito de seu proprietário e conseguiu-lhe as boas graças. Hoje, ele nos visita de quando em quando e é nosso amigo. Aqui, lutamos há três anos. Não temos só crianças. Os adultos trabalharam na medida de suas forças para o bem da comunidade. Somos todos uma grande família. Eis a história completa".

Frei Antônio tinha os olhos cheios de lágrimas.

— Realmente faz-me bem tua história. Sinto-me feliz por ter vivido para vir até aqui, agora...

Pancadas discretas soaram na porta.

— Pode entrar — disse Marise.

A porta abriu-se e Ciro entrou. Ele não mudara. Seus olhos serenos irradiavam agora mais firmeza, energia e alegria. Abraçou efusivamente o velho amigo e trocaram ideias sobre tudo quanto Marise lhe havia contado.

— Quando estiveres mais descansado, visitarás toda a casa e conhecerás nossa família.

— Mas, até agora nada contaste sobre tua vida. Foi muito difícil a fuga? — perguntou Marise.

— A fuga foi-nos relativamente fácil. Disfarçados, transpusemos a fronteira durante a noite. O cigano que nos guiou encarregou-se de distrair a guarda com rum.

"As peripécias dessa aventura não me preocupavam na ocasião, porque eram outros os meus pensamentos. Sentia-me triste, infinitamente triste. Refletia, tentando convencer-me de que deveria sentir-me feliz por retornar às lides católicas, recomeçar a tarefa que forçado pelas circunstâncias deixara.

Não obstante esses pensamentos, não podia evitar a tristeza.

Padre Jean reparou minha disposição de espírito, salientando que infelizmente minha afeição por Marise perturbava minha serenidade. Que para um sacerdote, necessário fora não possuir família para poder cumprir sem reservas sua missão no mundo.

Atribuí então toda minha tristeza à afeição que a tua amizade representava em minha vida de celibatário. Procurei reagir desse estado depressivo e consegui pelo menos despistar um pouco a observação de Jean."

Frei Antônio fez ligeira pausa e denotando o interesse com que era ouvido, continuou:

— Assim que chegamos a Londres, apresentamo-nos ao agente encarregado de nossa ordem e depois de legalizada nossa situação no país, conseguimos passaporte e seguimos para o Vaticano. Apresentamo-nos oficialmente e lá tivemos ocasião de relatar as ocorrências revolucionárias. Padre Jean apresentou relatório sobre o teu caso, Ciro. Não me agradou essa atitude. Neguei-me a prestar declaração uma vez que não conhecera o padre Frances pessoalmente. Apesar disso, interrogaram-me sobre as tuas atividades aqui e contei-lhes o que sabia da obra assistencial que realiza-vas. Deixaram-me em paz por fim. Devo dizer-te, Ciro, que já te havia visto uma vez no seminário, há muitos anos. Embora não te houvesse reconhecido quando fomos apresentados anos mais tarde, teu rosto me era familiar.

Reintegrei-me na Igreja e depois de pequenos ofícios no Vaticano, transferiram-me para pequena vila em Florença. Das peripécias de minha vida lá, pouco tenho para contar. Povo bom, simples.Tudo parecia ir bem, porém, eu já não era o mesmo. As coisas não variavam muito de vigário em Ateill ou em pequena paróquia de Nantes. A vida, as obrigações eram as mesmas, mas, eu mudara. Não encontrava prazer em oficiar a missa a alguns velhos puritanos e hipócritas, a algumas moças namoradeiras, a meia dúzia de mulheres faladeiras e empertigadas.

Frei Antônio suspirou fundo, revivendo com a própria narrativa as emoções pelas quais passara. Fez novamente silêncio por alguns segundos, depois prosseguiu:

— O tempo foi passando e, ao fim de cada dia, eu me sentia mais inútil. Os rituais litúrgicos tornaram-se monótonos e eu não conseguia mais sentir Jesus através deles. Um tédio cada vez maior tomou conta do meu coração. Aos poucos, compreendi que eu era um inútil e que desempenhava ao lado de outros inúteis, a tarefa de sanguessugas, vivendo do obolo do povo, ao invés de ganhá-lo pelo trabalho e reparti-lo com aqueles que não podiam trabalhar para manter-se. Muitas lutas sustentei comigo mesmo. Muitas dúvidas, muitas incertezas.

"Passei noites insones em meditação e em cuidadoso estudo dos livros católicos. E à medida que os lia, meditando sobre a sua interpretação dos ensinos de Jesus, e paralelamente, comparando isso tudo à estrutura religiosa da igreja, sua organização, seus dogmas e concílios, sentia a precariedade desses conhecimentos, insuficientes para explicar a justiça de Deus e a realidade da alma. Que afirma, mas não prova, que obriga mas não diz por que, que manda mas não faz.

Eu vislumbrava tudo isto, mas, ao mesmo tempo, vacilava temeroso de arrancar de mim aquela confiança e boa-fé com que aceitara sem investigar princípios e conceitos de outrem.

Mas, eu era profundamente sincero. Por isso, desejoso de vencer a fase de insegurança, recorri a Deus, orando e pedindo-lhe orientação. Queria o caminho certo ainda que ele não fosse do meu agrado.

Dois dias seguidos, ao deitar-me, supliquei em oração um aviso, um sinal qualquer que me levasse a encontrá-lo. No dia imediato, algo aconteceu que veio esclarecer-me. Foi o seguinte: Estava tirando a costumeira sesta quando despertei com o barulho de vidros estilhaçados. Assustado, verifiquei que uma pedra fizera em cacos os vidros da minha janela.

Dispunha-me a sair para ver o autor da traquinagem, quando me trazem portas a dentro um garoto de sete anos presumíveis, que esperneava, gritava e blasfemava.

— Deixem-nos a sós — pedi aos demais.

Reparei que ele, apesar da miséria de suas roupas, levantava orgulhosamente a cabeça. Não demonstrava arrependimento nem vergonha. Em seu rostinho magro e enérgico, os olhos faiscavam de revolta.

Aproximei-me atraído pelo seu semblante emotivo. Ele recuou um passo ostensivamente.

— Não te desejo mal — repliquei cortesmente. — Não te conheço. Por que quebraste minha janela? Certamente foi sem querer...

— Não. Eu quebrei de propósito.

Fitei-o surpreendido:

— Confessas então?

— Sim. Quebrei de propósito. Se não me apanhassem, quebraria todos os outros.

— O que acontece contigo. Não gostas de mim?

— Não.

— Mas... nem te conheço. Não te fiz nada de mal. Por que não gostas?

O rosto do pequeno cobriu-se de um vermelho vivo.

— Não gosto dos padres. Odeio-os.

Senti-me como que esbofeteado na face. Aquilo ofendia profundamente meus brios. Entretanto, contive-me, lembrando que me seria útil conhecer o que os outros pensavam de nós, principalmente uma criança, livre da hipocrisia e do interesse.

Tive pena também do coração tão tenro e pequenino já envenenado pelo ódio. O que lhe teriam feito?

Não sei explicar como aconteceu aquilo. Sei que comecei a falar carinhosamente com ele. As palavras brotavam-me dos lábios fluentes e dentro de poucos minutos ele estava soluçando em meus braços. Quando serenou, soube sua dolorosa história:

Seu pai morrera há poucos meses e sua mãe não podendo pagar os impostos, tivera sua pequena casa confiscada pelo clero, único proprietário de suas terras.

Na rua, com seus dois filhos pequenos, não encontrou trabalho. Ninguém a queria com as crianças. Sofrendo privações, vivendo de magras esmolas adoeceu, e, na certeza da morte próxima, dirigiu-se ao pároco de sua vila em busca de proteção para os filhos. Nada conseguindo, perdeu a calma, pondo-se a gritar na Igreja. Foi jogada à rua brutalmente. Com sacrifício, haviam chegado até nossa vila em busca de auxílio. Exausta, não resistindo mais a miséria e os sofrimentos, sua mãe morrera na rua, angustiada e aflita com a sorte dos filhos, em plena indigência. Revoltado, dentro da sua imensa dor, o pequeno viera até a Igreja e iniciara a depredação.

Profundamente emocionado com o drama da criança, percebi repentinamente qual o caminho certo que eu procurava.

Eu formara até ali o lado do poder disfarçado em cristianismo. Pactuara com essas manifestações do ideal cristão, porém, senti, naquele instante, que o meu lugar era ao lado daquela criança desvalida, dos pobres e de todos os que sofriam oprimidos, tal como o Divino Mestre pregara e exemplificara.

Naquele momento, penetrei mais na compreensão das necessidades humanas do que em meus vividos 62 anos, como se um véu que me obscurecesse a mente houvesse sido arrancado.

Saí com o garoto em busca de sua irmãzinha e do corpo de sua mãe. Providenciei seu sepultamento e abriguei os órfãos.

Naquela noite, quando cansado me preparava para dormir, senti-me realmente útil e mais próximo do coração de Jesus.

Compreendi que estavas com razão, Ciro. E, uma pergunta pairava constante em meu pensamento: por que estava eu perdendo tempo com cerimoniais litúrgicos que as criaturas nem compreendiam, se havia irmãos nossos necessitados de amparo, conforto e carinho?

Lembrei-me das alegrias consoladoras daqueles poucos meses que passamos juntos no acampamento cigano. Da sinceridade, da fraternidade que nos unira então, tornando-me mais feliz.

Essa recordação era constante e despertou em mim uma vontade infinita de voltar, de rever-vos, de partilhar da vossa obra.

Nos dias que se sucederam ao meu caso com o garoto, não pude pensar em outra coisa. Esse desejo foi se avolumando de tal maneira que, por fim, resolvi vir até aqui. Escrevi à redação do teu jornal e consegui o endereço. Sinto-me recompensado da viagem pelo prazer de abraçar-vos e de sentir de novo o calor desta amizade. A alegria maior, entretanto, foi conhecer vossa obra nesta casa".

Marise abraçou o velho amigo comovida com seu relato.

— Agora que estás aqui, não te deixaremos partir de novo.

Frei Antônio baixou a cabeça branca e permaneceu calado durante alguns segundos. Foi com voz trêmula que disse logo depois:

— Não passo de um pobre velho sem destino e sem casa. Vim para pedir a suprema felicidade de viver aqui os poucos anos que me restam. Renunciei ao posto que ocupava na Igreja Romana. Achei melhor assim. Não sou hipócrita embora seja teimoso. Desejaria aprender convosco o caminho mais curto de chegar a Jesus. Tenho a certeza de que o conheceis.

Ciro, tocado pelo tom humilde e sincero do ex-padre, abraçou-o carinhosamente.

— Jesus sabe das nossas necessidades e sempre no-las supre. Fazia-nos falta o auxílio precioso de mais um companheiro e eis que ele nos envia um amigo querido disposto ao trabalho. Marise querida, as fileiras estão engrossando. Antes, eu procurava sozinho o caminho mais curto, hoje, estou amparado na companhia daqueles a quem amo e estimo. Juntos, certamente seremos mais fortes, mais eficientes e portanto mais aptos ao serviço da seara do Senhor.

Conversaram durante algum tempo. O velho Antônio contando suas peripécias para arrumar novos pais para os órfãos que protegera, e Marise, detalhes das suas lutas no Lar Cristão.

Contou-lhe que sabia ter sua mãe enviuvado e Etiene desposado seu irmão Roberto, mas não tinham ainda regressado à França.

Aliás, ela mantinha correspondência regular com a mãe e com os irmãos que, por estranhas e caprichosas circunstâncias, eram marido e mulher.

O doutor de Villemount os visitava constantemente, auxiliando-os também na direção da organização.

No dia seguinte, cedo, Antônio visitou a casa toda e travou relações com os abrigados. Parecia rejuvenescido de tão feliz. Estava gentilíssimo com todos, como para pagar um pouco sua alegria interior.

À tarde entretanto, um pouco preocupado, conversou com Ciro:

— O que farei aqui? Não posso servir de barbeiro como no acampamento pois já há quem faça este serviço. O que poderei fazer? Tenho vontade de trabalhar.

Ciro sorriu satisfeito.

— Pensamos, eu e Marise, que serias de grande valor na administração jurídica e financeira da casa. Nós não entendemos muito dessas coisas. Nas horas de folga, poderás ministrar algumas aulas aos nossos internados.

Marise sorria feliz, percebendo que a fisionomia do velho amigo se distendia alegre.

— Não sei como agradecer a prova de confiança.

— Não agradeça, meu amigo. O cargo é exaustivo e estamos contentes por nos libertarmos dele. De hoje em diante és nosso diretor ao lado de Marise.

O ex-sacerdote não escondia seu entusiasmo e contentamento.

Naquela noite, embalado por novos planos e realizações, Antônio dormiu serenamente.

— Ciro, quanto mais convivemos juntos, mais te aprecio.

Ele surpreendeu-se, mas limitou-se a abraçá-la carinhosamente.

— Entregaste a direção da casa a tio Antônio somente para vê-lo feliz, fazendo-o sentir-se útil.

— Não é bem assim. Ele é um homem competente, capaz, sério, será por certo muito eficiente. Além do mais, é preciso fazê-lo sentir que precisamos dele, que nos é indispensável. Abandonou todos seus ideais antigos, veio até nós em busca de carinho e amizade, temos o dever de torná-lo feliz! Viu como sorria?

— Vejo teus olhos e sinto que és mais feliz do que ele por causa disso — Marise suspirou fundo. — E pensar que temias nosso destino em comum! Cada dia que passa agradeço a Deus um companheiro compreensivo. Depois, raro é o dia em que não me ensinas com teu exemplo precioso alguma coisa nova!

Ciro olhou-a bem nos olhos e depois de alguns momentos de meditação, tornou:

— Compreendemo-nos, eis tudo. Qualquer criatura se torna perfeita quando a olhamos com amor, e é esse o amor que apaga a multidão de pecados. Felizes daqueles que podem senti-lo no coração! Apesar das revoluções e das guerras, todos caminhamos para a fraternidade, a compreensão e o amor!

E a brisa que passava de leve, parecia pactuar com aquelas palavras que se fundiam no éter, harmonizando se perfeitamente com a calma da noite e com a serena vibração do concerto universal.

Fim

Há 18 anos, Zibia Gasparetto vem se mantendo na lista dos mais vendidos, sendo reconhecida como uma das autoras nacionais que mais vendem livros. Conheça seus romances.

- O amor venceu
- O morro das ilusões
- Entre o amor e a guerra
- Laços eternos
- O matuto
- Esmeralda
- O fio do destino
- Espinhos do tempo
- Quando a vida escolhe
- Somos todos inocentes
- Pelas portas do coração
- A verdade de cada um
- Sem medo de viver
- O advogado de Deus
- Quando chega a hora
- Ninguém é de ninguém
- Quando é preciso voltar
- Tudo tem seu preço
- Tudo valeu a pena
- Um amor de verdade
- Nada é por acaso
- O amanhã a Deus pertence
- Onde está Teresa?
- Vencendo o passado
- Se abrindo pra vida

Este livro foi impresso em offset 75 g/m² pela Gráfica Vida & Consciência.
São Paulo, Brasil, 2011.

VIDA & CONSCIÊNCIA
GRÁFICA

Rua Agostinho Gomes, 2.312 – SP
55 11 3577-3200

grafica@vidaeconsciencia.com.br
www.vidaeconsciencia.com.br